대학수학능력시험 국어 영역, 출제 경향 분석

대학수학능력시험 국어 영역은 화법, 작문, 문법, 독서(비문학), 문학의 5개 영역에서 전체 45문항이 출제됩니다.

영역별 문항 수는 화법 5, 작문 5, 문법 5, 독서(비문학) 15, 문학 15로 구성됩니다. 문항 수만 보았을 때 독서(비문학)와 문학의 비중이 상대적으로 높아 보이나, 독서(비문학)는 인문, 사회, 과학, 기술, 예술의 5개 영역으로 다시 세분화되고 문학은 고전 시가, 수필, 현대 시, 극(시나리오), 현대 소설, 고전 소설의 6개 갈래로 세분화되기 때문에 화법, 작문, 문법의 비중이 낮은 편이 아닙니다.

문학: 15문항 출제

> 문학의 수용과 생산, 문학과 삶에 대한 이해와 창의적 사고력 등을 평가

최신 출제 경향
- 비문학 특성을 가진 문학 이론이 문학 작품과 함께 나오는 복합 지문이 등장하였습니다.
- 다양한 갈래(시, 시나리오 등)의 내용 및 형식적 특성을 이해했는지 묻는 문제가 출제됩니다.

공부 TIP
- 문학의 다양한 갈래 특성에 맞게 공부합니다.

운문	주제, 표현법, 화자의 정서 파악
산문	인물 간의 관계와 갈등 구조, 시대적 배경(고전은 내용) 파악

독서(비문학): 15문항 출제

> 통합적인 독서 능력과 정보의 이해, 적용, 추론 능력 등을 평가

최신 출제 경향
- 고난도 문제가 독서(비문학)에서 많이 출제되고 있으며, 융합 지문의 증가로 난이도가 점점 높아지고 있습니다.

공부 TIP
- 지문을 문단별로 정리해서 문단과 문단의 내용을 연결하여 내용을 파악하는 훈련이 필요합니다.
- 글의 주장과 관점, 관점과 견해의 차이, 새로운 개념과 어휘 이해 및 전체 글의 맥락을 파악합니다.

국어 어휘
- 지문 안에 쓰인 어휘의 문맥적 의미를 묻는 문제가 많이 출제됩니다. 평소 어휘의 뜻을 유추하는 훈련을 자주 하는 것이 좋습니다.

배경 지식
- 국어뿐 아니라 전 과목을 아우르는 배경 지식이 출제됩니다. 평소 다양한 영역에 연관된 독서로 배경 지식을 쌓는 것이 좋습니다.

문학
33%

수
국어
출제

독서(비문학)
33%

구분	화법	작문	문법	독서(비문학)					문학					
				인문	사회	과학	기술	예술	고전 시가	수필	현대 시	극	현대 소설	고전 소설
문항수	5	5	5	15					15					

*융합과 복합은 각각의 영역과 갈래로 계산

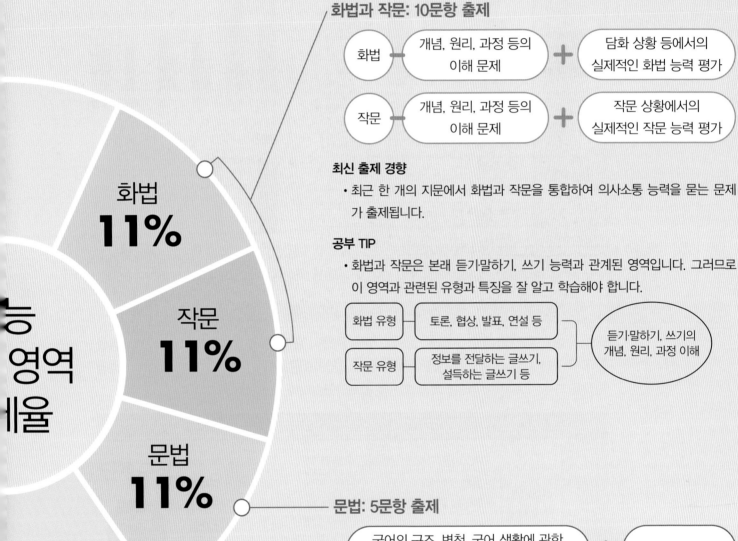

화법과 작문: 10문항 출제

화법 — 개념, 원리, 과정 등의 이해 문제 + 담화 상황 등에서의 실제적인 화법 능력 평가

작문 — 개념, 원리, 과정 등의 이해 문제 + 작문 상황에서의 실제적인 작문 능력 평가

최신 출제 경향
• 최근 한 개의 지문에서 화법과 작문을 통합하여 의사소통 능력을 묻는 문제가 출제됩니다.

공부 TIP
• 화법과 작문은 본래 듣기·말하기, 쓰기 능력과 관계된 영역입니다. 그러므로 이 영역과 관련된 유형과 특징을 잘 알고 학습해야 합니다.

화법 유형 — 토론, 협상, 발표, 연설 등

작문 유형 — 정보를 전달하는 글쓰기, 설득하는 글쓰기 등

듣기·말하기, 쓰기의 개념, 원리, 과정 이해

화법 11%

작문 11%

문법 11%

능 영역 비율

문법: 5문항 출제

국어의 구조, 변천, 국어 생활에 관한 이해와 탐구 능력, 문장 구조 등 + 문법+어휘 문항

최신 출제 경향
• 독해 지문 내에서 문법을 묻는 문제의 출제 비율이 증가하였고, 종합적인 문법 지식을 묻는 문제가 출제되고 있습니다.

공부 TIP
• 품사나 문장 성분 등 문법의 기본 개념을 확실히 익혀야 합니다.
• 문법 개념과 함께 지문형 문법 문제 해결을 위한 독해 학습도 중요합니다.

비문학 독해,
동영상 강의로 실력 UP

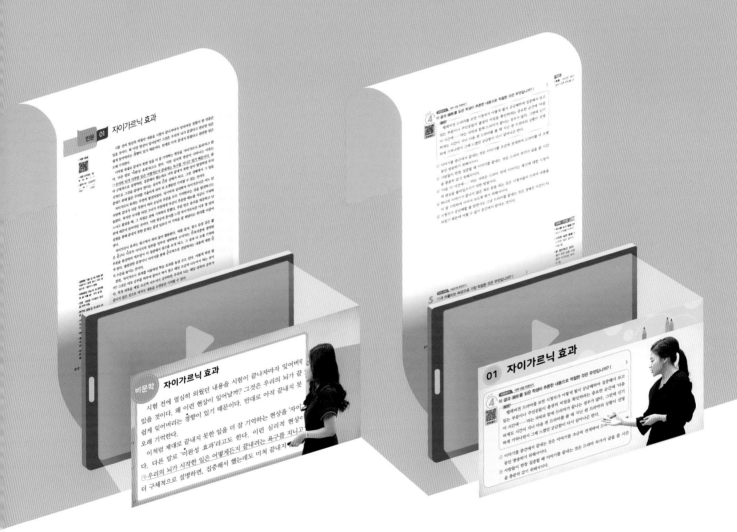

1 35개 지문 전체 강의 제공

- 비문학 독해 원리에 따라 낯선 지문도 빠르게 이해할 수 있는 지문 해설 강의
- 인문, 사회, 과학, 기술, 예술, 융합까지 영역별 깊이 있는 배경 지식 강의

2 고난도 수능형 문제 풀이 강의 제공

- 수능 고난도 문제 유형인 '적용하기 / 추론하기 / 비판하기' 문제 풀이 강의

동영상 강의와 함께 중학교를 미리 준비하는 초고필 시리즈

국어 독해 지문 해설 강의 / 수능형 문제 풀이 강의

- 지문 해설 강의를 통해 작품을 제대로 이해
- 수능형 문제 풀이를 들으며 어려운 독해 문제도 완벽하게 학습

유리수의 사칙연산 / 방정식 / 도형의 각도
수학 개념 강의

- 25일만에 끝내는 중등 수학 기초 학습
- 초등 수학과 연결하여 쉽게 중등 수학 개념 설명

국어 문법 문법 강의

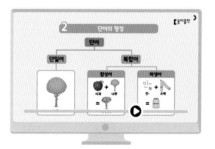

- 어려운 문법 지식도 그림으로 쉽고 재미있게 강의
- 중등 국어 문법을 위한 초등 국어 기초 완성

한국사 자료 분석 강의 / 한국사능력검정시험 대비

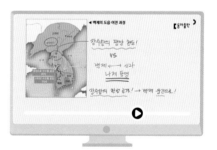

 자료 분석 한국사 개념을 더욱 완벽하게 학습할 수 있는 한국사 자료 분석 강의

국어 어휘 어휘 강의

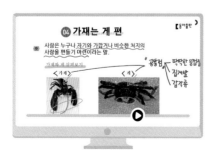

- 관용 표현과 한자어의 뜻이 한 번에 이해되는 강의
- 각 어휘의 유래와 배경 지식을 들으며 재미있게 이해

한국사능력 검정시험

- 개념 학습, 기출 문제, 모의 평가로 구성된 한국사능력검정시험 대비 특강
- 효과적인 10일 스케줄 강의 구성

초고필
비문학 독해
2

초고필 독해는 이렇게 쓰였습니다.

문동열 선생님

말하려는 내용을 제대로 전달하는 일은 매우 어렵습니다. 상대방이 알아듣기 쉽게 표현해야 하기 때문입니다. 그런데 이보다 더 어려운 것이 있습니다. 그것은 상대방의 말을 정확하게 이해하는 것입니다.

독해력은 제대로 듣고 정확하게 말하는 능력의 바탕이 됩니다. 독해력을 기르려면 무엇보다 글을 끝까지 읽을 수 있어야 합니다. 그리고 글자가 아니라 문장을 읽어야 하며, 문장 간의 관계를 파악할 수 있어야 합니다. 그런데 의외로 많은 학생들이 문장이 아니라 한 글자 한 글자만을 읽습니다. 그러다 보니 글을 다 읽고도 주제를 스스로 정리하지 못하는 경우가 많습니다.

이런 문제가 나타나는 것은 스스로 읽고 정리하는 연습을 하지 않았기 때문입니다. 이 책은 다양한 분야의 글을 읽고 스스로 정리할 수 있는 문제들로 구성되어 있습니다. 특히 철학이나 과학 같은 어려운 분야의 글은 찬찬히 읽고 꼼꼼하게 정리하며 독해력을 키우기 바랍니다.

이석호 선생님

　이 책은 '징검다리'입니다. 갑자기 중학생, 고등학생이 되고, 어쩌다 어른이 될 여러분들이 너무 당황하지 않았으면 좋겠습니다. 세상에는 기쁜 일, 예쁜 사연도 있지만, 슬픈 일, 아픈 상처도 있습니다. 한 작품 한 작품이 징검다리가 되어 더 넓은 세상을 경험할 수 있도록 도울 것입니다.

　이 책은 '보물찾기'입니다. 문학 감상에는 '정해진 답'이 없습니다. 여러분이 무엇이 될지 아무도 모르는 것처럼요. 그렇지만 이 책의 문제에는 '정답'이 있습니다. 다만 그 답은, 우리들의 머릿속이 아니라 작품 안과 보기 속에 있습니다. 모두 모두 숨겨진 답을 찾아내는 즐거움을 맛보길 바랍니다.

　이 책에는 1960년대 교과서에 수록되었던 작품부터 반세기 후 교과서에 처음 등장한 것까지, 다양한 작품들이 있습니다. 문학을 통해 나와 다른 삶에 '공감'하고, 엄마, 아빠, 선생님과 '소통'할 수 있기를 기도합니다.

송인우 선생님

　이 책은 초등학생들의 수준을 고려하여 작품을 선정하고 주제별로 제시하여 학생들이 작품을 이해하는 데 큰 도움을 줍니다. 또한 작품의 핵심을 묻는 문제를 통해 어떤 부분에 주목해서 글을 읽어야 할지 알 수 있습니다. 이 책을 바탕으로 중등은 물론 수능까지 흔들리지 않을 국어 실력을 쌓으시기 바랍니다.

초고필 독해를 추천합니다.

대학 수학 능력 시험(수능) 국어 영역은 주어진 글을 잘 읽고 이해하는 능력을 묻습니다. 이 능력은 결코 선천적으로 타고나는 것이 아닙니다. 어릴 때부터 꾸준하게 논리적으로 글 읽기 훈련을 해 온 학생들이 수능 국어 영역에서도 좋은 성적을 내는 경우가 많습니다.

'초고필 비문학 독해'와 '초고필 문학 독해'는 여러 분야의 글들을 영역별, 수준별로 두루 다루고 있어 초등학교 고학년 수준의 눈높이에서 논리적 독해력을 키우기에 좋은 교재입니다. 또한 최신 수능 경향을 반영한 트렌디한 주제를 다루고 있어서 배경 지식을 쌓고 낯선 지문도 어렵지 않게 접근할 수 있도록 해 줍니다.

메가스터디 국어 김동욱

"선생님, 우리 아이는 책을 많이 읽는데 왜 독해력이 부족할까요?" 제가 종종 듣는 질문입니다. 요즘은 독서의 중요성을 알고 있는 학부모님이 많습니다. 그래서 어렸을 때부터 아이들에게 많은 책을 읽히지만, 노력에 비해 국어 독해력이 따라 주지 않아 고민하는 경우를 종종 봅니다.

물론 독서는 독해력의 기본 바탕입니다. 그러나 무조건 많이 읽는 것만이 독해력 향상의 지름길은 아닙니다. 문학/비문학을 구별하여 다양한 영역의 독해를 골고루 해야 독해 역량이 성장합니다.

수많은 국어 독해 교재가 있지만 문학과 비문학을 나누어 체계적으로 다루는 국어 독해서는 부족했습니다. 초등 고학년부터는 영역별, 갈래별 독해가 꼭 필요합니다. '초고필 비문학 독해'와 '초고필 문학 독해'가 그 갈증을 채워 줄 것입니다.

글로 크는 아이들 논술 학원 정석영

초등 고학년은 예비 중학생에 가깝습니다. 중학교 국어 시험에서 문학 지문은 한 갈래만 나오지 않고, 비문학 지문은 묻는 문제의 깊이도 다릅니다. '초고필 국어 독해'는 다양한 지문과 문제를 다루고 있어서 실전 능력을 키우는 데 도움이 되는 교재입니다.

반포 현문 국어 학원 오성민

수능 국어 영역에서는 어휘와 개념을 잘 알고 있는지 제시문을 파악할 수 있는지 등을 평가합니다. 기본적으로 어휘력이 부족하면 문제를 풀 수 없습니다. 이 교재는 기본부터 시작하여 수능 어휘까지 접할 수 있는 문제를 출제하여 어휘 확장의 기회를 제공합니다. 중학교 교과서에 쓰이는 어휘나 문장 수준의 어휘들로 구성되어 바로바로 읽고 문제를 풀 수 있게 해 주어 큰 도움이 됩니다.

오쌤 국어 논술 오은정

'초고필 국어 독해'는 문학과 비문학의 분리 구성으로 국어 영역의 전문성을 갖춘 교재입니다. 비문학은 최근 이슈화된 주제를 지문으로 선택하여 더욱 탄탄한 구성으로 이루어져 있고, 문학은 소설의 줄거리를 그림으로 구조화하여 한눈에 쉽게 볼 수 있도록 하였습니다. 본격적으로 '국어 교과'를 대비해야 할 학생들에게 큰 도움이 되는 구성입니다.

승희쌤 국어 독서 논술 학원 이승희

같은 이동 수단이라도 자동차를 운전하는 방법과 비행기를 운전하는 방법이 전혀 다르듯이 문학과 비문학은 문제를 해결하는 데 필요한 능력이 전혀 다릅니다. '초고필 국어 독해'는 문학과 비문학을 나누어 다루는 교재로, 문학과 비문학 각각에 알맞은 독해 방법을 연습하기 가장 좋은 교재입니다.

영역별/갈래별로 나뉜 제시문과 유형별 문제를 통해 학생들이 출제 의도를 이해하고 문제를 해결하는 능력을 키울 수 있습니다.

책나무 생각숲 국어 이재진

제시문을 읽을 때에는 어휘 간, 문단 간의 관계를 파악하며 글을 읽어 나가야만 그 행간의 의미를 올바르게 잡아낼 수 있습니다. 나아가 지문 전체를 스캔하여 구조화하고, 단계별 문제로 확인하는 과정 역시 뒷받침되어야 올바른 자기 주도를 했다고 말할 수 있습니다. 작은 단위에서 큰 단위, 반대로 큰 단위에서 작은 단위로, '초고필 국어 독해'는 혼자만의 힘으로 채우기 어려운 '유기적 독해'를 보완해 주는 교재입니다.

국어자신감 정지은

요즘 아이들 독해력의 큰 걸림돌이 어휘력입니다. 그런데 '초고필 국어 독해'는 어휘 문제의 비중이 높고 어휘 활용 능력까지 키울 수 있어 중·고등 국어 실력 향상을 위한 내공을 단단하게 다져 줍니다. 또한 문제가 아이들의 사고 과정에 맞게 체계적으로 구성되어 있어 좋습니다. 체계적인 문제를 통해 사고력을 심화하고 확장할 수 있어 수능 문제에도 쉽게 적응할 수 있을 것입니다.

자우비 분당 학원 진희영

[초고필 비문학 독해 2] 6개 영역 35개 지문으로 구성한 비문학 전문 독해서

인문 — 사회 — 과학 — 기술 — 예술 — 융합

1 영역별 수록 작품 설명
• 짧은 소개와 그림으로 작품에 대한 흥미 유발

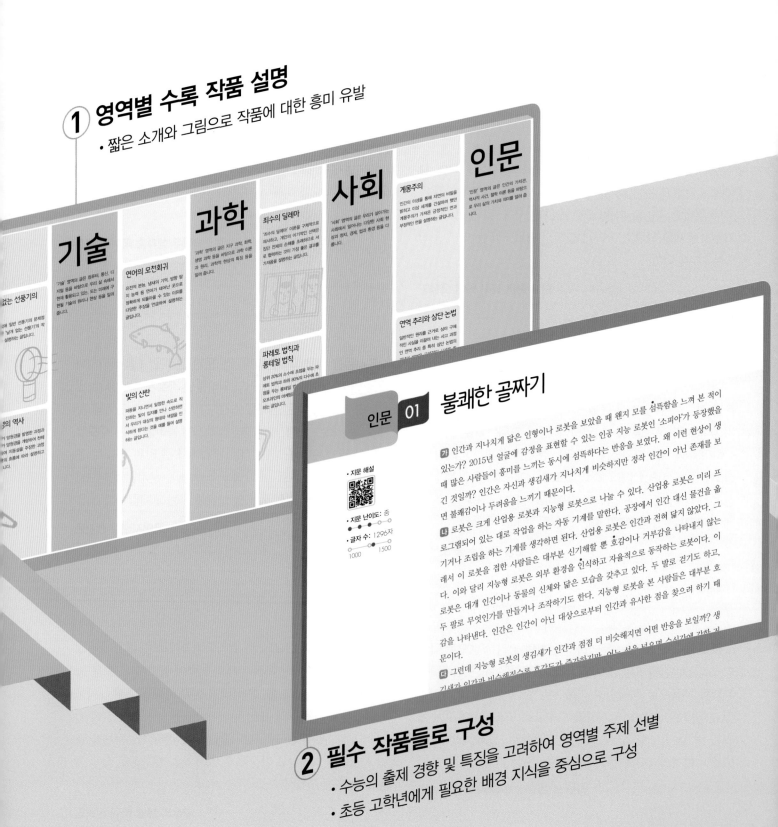

인문

'인문' 영역의 글은 인간의 가치관, 역사적 사건, 철학 이론 등을 바탕으로 우리 삶의 가치와 의미를 알려 줍니다.

계몽주의

인간의 이성을 통해 자연의 비밀을 밝히고, 이상 세계를 건설하려 했던 계몽주의가 가져온 긍정적인 면과 부정적인 면을 설명하는 글입니다.

사회

'사회' 영역의 글은 우리가 살아가는 사회에서 일어나는 다양한 사회 현상과 정치, 경제, 법과 환경 등을 다룹니다.

죄수의 딜레마

'죄수의 딜레마' 이론을 구체적으로 제시하고, 개인의 이기적인 선택은 집단 전체의 손해를 초래하므로 서로 협력하는 것이 가장 좋은 결과를 가져옴을 설명하는 글입니다.

연역 추리와 삼단 논법

일반적인 원리를 근거로 삼아 구체적인 사실을 이끌어 내는 사고 과정인 연역 추리 중 특히 삼단 논법의 과정을 설명한 글입니다.

과학

'과학' 영역의 글은 지구 과학, 화학, 생명 과학 등을 바탕으로 과학 이론과 원리, 과학적 현상이나 특징 등을 다룹니다.

연어의 모천회귀

유전적 본능, 냄새의 기억, 방향 탐지 능력 등 연어가 태어난 곳으로 정확하게 되돌아올 수 있는 이유를 다양한 주장을 언급하여 설명하는 글입니다.

빛의 산란

파동을 지니면서 일정한 속도로 직진하는 빛이 입자를 만나 산란되면서 우리가 대상의 형태와 색깔을 인식하게 되는 것을 들어 설명하는 글입니다.

기술

'기술' 영역의 글은 컴퓨터, 통신, 디지털 등을 바탕으로 우리 삶 속에서 현재 활용되고 있는, 또는 미래에 우리 현대 기술의 원리나 현상 등을 알려 줍니다.

~없는 선풍기의
~에 일반 선풍기의 문제점을
~'날개 없는 선풍기'의 작~
~설명하는 글입니다.

~의 역사
~이 안경을 발명한 과정과
~안경알을 개량하여 전체~
~지동설을 주장하는 과정~
~흐름에 따라 설명하는~
~니다.

2 필수 작품들로 구성
• 수능의 출제 경향 및 특징을 고려하여 영역별 주제 선별
• 초등 고학년에게 필요한 배경 지식을 중심으로 구성

인문 01 불쾌한 골짜기

• 지문 해설
• 지문 난이도: 중
• 글자 수: 1296자
  1000 — 1500

가 인간과 지나치게 닮은 인형이나 로봇을 보았을 때 왠지 모를 섬뜩함을 느껴 본 적이 있는가? 2015년 얼굴에 감정을 표현할 수 있는 인공 지능 로봇인 '소피아'가 등장했을 때 많은 사람들이 흥미를 느끼는 동시에 섬뜩하다는 반응을 보였다. 왜 이런 현상이 생긴 것일까? 인간은 자신과 생김새가 지나치게 비슷하지만 정작 인간이 아닌 존재를 보면 불쾌감이나 두려움을 느끼기 때문이다.

나 로봇은 크게 산업용 로봇과 지능형 로봇으로 나눌 수 있다. 산업용 로봇은 미리 프로그램되어 있는 대로 작업을 하는 자동 기계를 말한다. 공장에서 인간 대신 물건을 옮기거나 조립을 하는 기계를 생각하면 된다. 산업용 로봇은 인간과 전혀 닮지 않았다. 그래서 이 로봇을 접한 사람들은 대부분 신기해할 뿐 이질감이나 거부감을 나타내지 않는다. 이와 달리 지능형 로봇은 외부 환경을 인식하고 자율적으로 동작하는 로봇이다. 이 로봇은 대개 인간이나 동물의 신체와 닮은 모습을 갖추고 있다. 두 발로 걷기도 하고, 두 팔로 무엇인가를 만들거나 조작하기도 한다. 지능형 로봇을 본 사람들은 대부분 호감을 나타낸다. 인간은 인간이 아닌 대상으로부터 인간과 유사한 점을 찾으려 하기 때문이다.

다 그런데 지능형 로봇의 생김새가 인간과 점점 더 비슷해지면 어떤 반응을 보일까? 생김새가 인간과 비슷해질수록 호감도가 증가하지만, 어느 선을 넘으면 순식간에 강한 거~

차례

시대에 따른 옷차림 변화

우리나라의 옷차림이 변화되어 온 과정과 각 시대별 옷차림의 특징을 시대순으로 살피며 설명하는 글입니다.

불쾌한 골짜기

사람과 닮은 로봇을 보면 호감을 느끼지만, 오히려 사람과 흡사한 로봇에게는 불쾌감이나 거부감을 느끼는 심리 현상을 시각 매체를 활용하여 설명하는 글입니다.

동조 현상

아시의 실험을 바탕으로 하여 자신의 의견을 버리고 다른 사람들의 의견을 따르는 동조 현상이 나타나는 까닭을 설명하는 글입니다.

시각 장애인의 글자, 점자

루이 브라유가 시각 장애인의 문자인 점자를 발명하게 된 과정과 브라유의 점자를 바탕으로 박두성 선생이 한글 점자를 개발한 내용을 설명하는 글입니다.

인문

'인문' 영역의 글은 인간의 가치관, 역사적 사건, 철학 이론 등을 바탕으로 우리 삶의 가치와 의미를 알려 줍니다.

계몽주의

인간의 이성을 통해 자연의 비밀을 밝히고 이상 세계를 건설하려 했던 계몽주의가 가져온 긍정적인 면과 부정적인 면을 설명하는 글입니다.

도서 청구 기호에 담긴 정보

도서관에서 책을 찾을 때 사용하는 도서 청구 기호의 구성 요소를 분석하여 각각의 기호에 담긴 정보를 구체적인 사례를 들어 설명하는 글입니다.

연역 추리와 삼단 논법

일반적인 원리를 근거로 삼아 구체적인 사실을 이끌어 내는 사고 과정인 연역 추리 중 특히 삼단 논법의 개념과 방법을 구체적인 사례를 활용하여 설명하는 글입니다.

불쾌한 골짜기

- 지문 해설

- 지문 난이도: 중
●─●─○─○─○

- 글자 수: 1296자
○─●─○─○─○
1000   1500

가 인간과 지나치게 닮은 인형이나 로봇을 보았을 때 왠지 모를 섬뜩함을 느껴 본 적이 있는가? 2015년 얼굴에 감정을 표현할 수 있는 인공 지능 로봇인 '소피아'가 등장했을 때 많은 사람들이 흥미를 느끼는 동시에 섬뜩하다는 반응을 보였다. 왜 이런 현상이 생긴 것일까? 인간은 자신과 생김새가 지나치게 비슷하지만 정작 인간이 아닌 존재를 보면 불쾌감이나 두려움을 느끼기 때문이다.

나 로봇은 크게 산업용 로봇과 지능형 로봇으로 나눌 수 있다. 산업용 로봇은 미리 프로그램되어 있는 대로 작업을 하는 자동 기계를 말한다. 공장에서 인간 대신 물건을 옮기거나 조립을 하는 기계를 생각하면 된다. 산업용 로봇은 인간과 전혀 닮지 않았다. 그래서 이 로봇을 접한 사람들은 대부분 신기해할 뿐 호감이나 거부감을 나타내지 않는다. 이와 달리 지능형 로봇은 외부 환경을 인식하고 자율적으로 동작하는 로봇이다. 이 로봇은 대개 인간이나 동물의 신체와 닮은 모습을 갖추고 있다. 두 발로 걷기도 하고, 두 팔로 무엇인가를 만들거나 조작하기도 한다. 지능형 로봇을 본 사람들은 대부분 호감을 나타낸다. 인간은 인간이 아닌 대상으로부터 인간과 유사한 점을 찾으려 하기 때문이다.

다 그런데 지능형 로봇의 생김새가 인간과 점점 더 비슷해지면 어떤 반응을 보일까? 생김새가 인간과 비슷해질수록 호감도가 증가하지만, 어느 선을 넘으면 순식간에 강한 거부감으로 바뀐다. 인간과 같은 존재인 줄 알았는데 다른 점을 인식하는 순간 이 다른 점이 부각되어 불쾌한 마음이 생기기 때문이다. 이때는 생김새만이 아니라 표정이나 행동, 말투 등을 종합적으로 판단한다. 그러다가 로봇의 생김새와 행동 등이 인간과 거의 구별할 수 없을 정도로 똑같아지면 다시 호감도가 증가한다. 하지만 아직 이 정도 수준의 로봇은 개발되지 않았다.

라 앞서 설명한 로봇의 생김새 변화에 대한 인간의 심리 변화를 그래프로 나타내면 오른쪽 그림처럼 된다. 처음에는 서서히 상승하다가 어느 순간 급격하게 하강한 뒤, 다시 급상승하는 경향을 보인다. 호감도가 하락하는 구간이 마치 골짜기 같은 모양이 되는데, 이 때문에 이를 '불쾌한 골짜기' 현상이라고 한다.

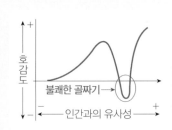

마 심리적으로 불쾌한 골짜기 현상이 나타나는 까닭은 사람들이 순간적으로 인간이라고 판단한 어떤 대상이 인간이 아니라는 것을 알면 그에 대한 거부감이 상대적으로 더 커지고 두려움이나 불쾌감을 느끼기 때문이다. 마치 좀비를 얼핏 보았을 때는 별다른 반응을 보이지 않다가 그것이 사람과 다르다는 것을 ㉠인식하면서 두려움을 느끼는 것과 같다. 이런 불쾌한 골짜기 현상은 로봇만이 아니라 3D 애니메이션이나 인형, 마네킹 같은 것에서도 나타난다.

- **섬뜩함** 갑자기 소름이 끼치도록 끔찍하고 무서움.

- **호감(好** 좋을 호, **感** 느낄 감) 상대방에게 느끼는 좋은 감정.

- **인식(認** 알 인, **識** 알 식)**하고** 사물을 분별하고 판단하여 알고.

- **부각되어** (어떤 사물이나 사물의 특징이) 두드러지게 나타나서 큰 관심의 대상이 되어.

- **상승(上** 위 상, **昇** 오를 승) 높아지거나 낮은 데서 위로 올라가는 것.

- **하강(下** 아래 하, **降** 내릴 강) 높은 데서 낮은 데로 내려오거나 떨어지는 것.

글의 구조 TIP

이 글은 총 다섯 개의 문단으로 이루어져 있습니다. 가문단에서 인간과 지나치게 닮은 대상을 보았을 때 섬뜩함을 느끼는 경험을 언급하고, 나~라문단에서 지능형 로봇의 생김새로 인해 일어나는 불쾌한 골짜기 현상을 설명하고 있습니다. 마문단에서는 불쾌한 골짜기 현상이 일어나는 까닭을 소개하고 있습니다.

글의 구조 문단 내용 정리하기

1 다음은 이 글을 읽고 내용을 정리한 것입니다. 빈칸에 들어갈 적절한 말을 쓰시오.

가 인간과 지나치게 닮은 로봇을 보고 ( )을 느낀 경험

나 산업용 ( )과 지능형 ( )의 특징

다 인간과 비슷하게 생긴 로봇에 대한 ( ) 변화

라 '( )' 현상의 개념

마 '불쾌한 골짜기' 현상이 나타나는 까닭

내용 이해 세부 정보 파악하기

2 이 글의 내용과 일치하는 것은 무엇입니까? ( )

① 지능형 로봇에 대한 인간의 호감도는 로봇의 생김새와는 관련이 없다.
② 사람들은 산업용 로봇에 대해서는 호감이나 거부감을 나타내지 않는다.
③ 인간은 인간이 아닌 대상에게서 인간과 다른 점을 찾으려 하는 경향이 있다.
④ '불쾌한 골짜기' 현상은 인간과 유사한 지능형 로봇에 대해서만 나타나는 현상이다.
⑤ 사람은 인간과 매우 유사하지만 인간이 아닌 존재를 보면 심리적으로 친밀감을 느낀다.

전개 방식 문단별 설명 방식 파악하기

3 가~마에 사용된 설명 방식으로 적절하지 <u>않은</u> 것은 무엇입니까? ( )

① 가: 대상을 대하는 반응의 원인을 제시하고 있다.
② 나: 대상을 일정한 기준에 따라 분류하고 있다.
③ 다: 구체적인 예를 들어 상세히 설명하고 있다.
④ 라: 핵심적인 용어의 개념을 정의하고 있다.
⑤ 마: 대상을 유사한 대상에 빗대어 설명하고 있다.

적용하기 구체적인 상황에 적용하기

4 이 글을 읽은 학생이 보기 에 대해 보인 반응으로 적절하지 않은 것은 무엇입니까? ( )

보기

　철수는 며칠 전에 길을 가다가 새로 개업한 가게 앞에서 사람이 지나갈 때마다 자동으로 인사하는 마네킹 로봇을 보았다. 마네킹 로봇은 그 식당의 직원들이 입는 유니폼을 입고 있었다. 그런데 철수는 그 마네킹 로봇을 보자 왠지 모를 불쾌감이 들었다.

① 마네킹 로봇이 동물 모양이라면 철수는 인간과 유사한 점을 찾으려 했겠군.
② 마네킹 로봇이 직원 유니폼 대신 평범한 옷차림을 했다면 호감이 생겼겠군.
③ 마네킹 로봇은 사람과 닮았지만 사람과 구별하지 못할 만큼 닮지는 않았겠군.
④ 마네킹 로봇이 아니라 진짜 사람이 인사를 했다면 불쾌감이 생기지 않았겠군.
⑤ 철수는 사람같이 생긴 마네킹 로봇을 보며 '불쾌한 골짜기' 현상을 경험한 것이겠군.

어휘·어법 어휘의 문맥적 의미 파악하기

5 ㉠'인식하면서'와 바꾸어 쓰기에 가장 적절한 것은 무엇입니까? ( )

① 모르면서
② 정리하면서
③ 깨달으면서
④ 가르치면서
⑤ 저울질하면서

어휘·어법 TIP

• 모르다　무엇을 알지 못함.

• 정리하다　흐트러진 것이나 어지러운 것을 가지런하고 바르게 함.

• 깨닫다　이해하여 환히 알게 됨.

• 가르치다　지식이나 기술을 일러주어 알게 하거나 익히게 함.

• 저울질하다　서로 비교하며 이익이나 손해를 헤아림.

낱말 이해 낱말 관계 낱말 적용 관용 표현

1 다음 빈칸에 들어갈 말로 가장 알맞은 것은 무엇입니까? (   )

인간은 어떤 대상을 보면 자신과 닮은 점을 찾아서 좋아하려고 한대.

우아, 귀여워! 이런 로봇을 보면 나도 모르게 (   )이/가 생기는 이유는 뭘까?

① 불만   ② 호감   ③ 슬픔   ④ 분노   ⑤ 긴장

낱말 이해 낱말 관계 낱말 적용 관용 표현

2 앞뒤 내용으로 보아 밑줄 그은 말과 바꿔 쓸 수 있는 한자어로 가장 적절한 것은 무엇입니까? (   )

> 인간과 지나치게 닮은 인형이나 로봇을 보았을 때 왠지 모를 섬뜩함을 느껴 본 적이 있는가?

① 감상했을   ② 관람했을   ③ 구독했을
④ 목격했을   ⑤ 판단했을

낱말 이해 낱말 관계 낱말 적용 관용 표현

3 다음에서 설명하는 심정을 나타내는 관용어로 적절한 것은 무엇입니까? (   )

> 사람은 같은 인간인 줄 알았는데 다른 점이 있는 대상을 보면 불쾌감이나 두려움을 느낀다. 마치 영화에서 귀신이나 좀비를 예상치 못하고 보았을 때 느끼는 놀람이나 섬뜩함과 비슷하다.

① 귀가 가렵다   ② 배알이 꼴리다
③ 오금이 쑤시다   ④ 간담이 서늘하다
⑤ 코가 납작해지다

어휘력 ➕

• **귀가 가렵다** 남이 제 말을 한다고 느낌.

• **배알이 꼴리다** 비위에 거슬려 아니꼬움.

• **오금이 쑤시다** 무슨 일을 하고 싶어 가만히 있지 못함.

• **간담이 서늘하다** 몹시 놀라서 섬뜩함.

• **코가 납작해지다** 무안을 당하거나 기가 죽어 위신이 뚝 떨어짐.

시대에 따른 옷차림 변화

• 지문 해설

• 지문 난이도: 하
●─○─○─○─○

• 글자 수: 1350자
○─○─○─●─○
1000   1500

우리 조상들은 어떤 옷을 입고 생활했을까? 조상들이 남긴 여러 가지 유물이나 벽화, 그림 등을 보면 각 시대별로 당시 사람들이 어떤 옷을 입었는지 짐작할 수 있다.

여러 고분 벽화를 보면, 고구려 사람들은 남녀 모두 상의와 하의를 구분해서 입었다는 것을 알 수 있다. 구체적으로는 위에는 저고리를 입고 아래에는 바지를 입었다. 그리고 여성들은 바지 위에 주름치마를 덧입는 경우가 많았다. 저고리는 소매가 좁고 엉덩이까지 내려올 정도로 길었으며, 단추가 없어 허리띠를 둘러매어 입었다. 왕족과 귀족들은 예의를 갖추어야 하는 자리에서 저고리와 바지 위에 두루마기를 걸쳤다. 윗옷의 깃과 앞단, 밑단 등에는 옷보다 짙은 색의 천을 길게 덧대어 옷 가장자리를 튼튼하게 하면서 미적인 요소를 강조하였다. 이렇게 위아래를 나누어 입는 옷차림은 고구려만이 아니라 백제와 신라에서도 하였으며 고려 시대까지 ㉠이어진 것으로 보인다.

삼국 시대 옷차림의 또 다른 특징은 귀족 계층과 평민 계층의 옷이 달랐다는 점이다. 이는 신분 제도가 강화되면서 사회적으로 높은 지위에 있는 사람들과 그렇지 못한 사람들을 구분하려는 의도에서 비롯된 것으로 짐작된다. 신라가 삼국을 통일한 뒤에 중국의 의복 양식이 우리나라로 들어왔는데, 귀족들이 점차 중국 양식의 옷차림을 입기 시작하였다.

고려 시대에 접어들면서 옷차림의 변화가 나타났다. 엉덩이까지 내려오던 여성의 저고리 길이는 점차 짧아져서 허리선까지 올라왔고, 저고리에는 허리띠 대신 옷고름을 달았다. 바지는 속옷과 겉옷으로 나누어졌으며, 치마는 삼국 시대보다 훨씬 길어졌다. 성별과 신분을 초월하여 하얀 모시로 만든 두루마기 같은 옷을 즐겨 입기도 하였다. 사회적 신분에 따른 옷차림은 여전히 존재했다. 왕을 비롯한 높은 계층은 중국 귀족들의 옷차림을 본뜬 옷을 입었다. 신분에 따른 옷차림의 차이는 고려가 중국 원나라의 지배를 받으면서 더욱 커졌다.

조선 시대가 되면서 오늘날의 한복과 같은 옷차림이 갖추어졌다. 남자는 바지와 저고리에 두루마기를 입었고, 여자는 치마와 저고리, 다양한 색깔의 장옷을 입었다. 두루마기나 장옷은 외출할 때 주로 입었다. 임진왜란 이후에는 여성들의 저고리가 매우 짧아지고 치마는 풍성해지기도 하였다. 조선 시대에는 신분에 따른 옷차림 규제가 매우 엄격하여 옷차림만 보고도 그 사람의 신분을 알 수 있을 정도였다. 예를 들어, 양반 여성의 치마는 폭이 넓고 길이도 발목 밑으로 내려올 정도로 길었지만 평민 여성의 치마는 발목이 나올 정도로 짧았다. 남성의 경우에는 양반 계층은 창옷과 도포를 입었지만, 평민 계층은 두루마기를 입었다. 남자가 머리에 쓰는 모자에도 신분 차이를 두었다. 갓은 양반만 쓸 수 있었으며, 평민은 패랭이 같은 모자만 쓸 수 있었다.

• **유물(遺** 남길 유, **物** 만물 물)
과거의 조상들이 후세에 남긴 물건.

• **깃** 사람의 목의 둘레를 덮는 옷의 부분으로, 주로 밖으로 접는 것.

• **의복(衣** 옷 의, **服** 입을 복)
옷.

• **모시** 희고 얇은 빳빳한 여름 옷감.

• **장옷** (옛날에) 여자들이 나들이할 때에 얼굴을 가리기 위해 머리에서부터 길게 내려쓰던 두루마기 모양의 옷.

• **규제(規** 법 규, **制** 억제할 제)
규칙, 법, 관습 등을 벗어나지 못하게 하는 것.

• **창옷** 예전에 입던 웃옷의 하나.

• **도포** 예전에 통상 예복으로 입던 남자의 겉옷.

• **패랭이** 평민 등이 쓰는 창이 여느 갓보다 좁은 갓

(출처: 국립 민속 박물관)

1 글의 구조 문단 내용 정리하기

다음은 이 글을 읽고 내용을 정리한 것입니다. 빈칸에 들어갈 적절한 말을 쓰시오.

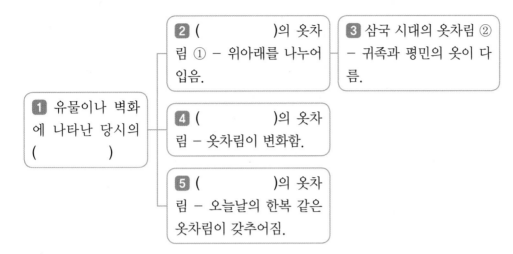

1 유물이나 벽화에 나타난 당시의 (   )

2 (   )의 옷차림 ① – 위아래를 나누어 입음.

3 삼국 시대의 옷차림 ② – 귀족과 평민의 옷이 다름.

4 (   )의 옷차림 – 옷차림이 변화함.

5 (   )의 옷차림 – 오늘날의 한복 같은 옷차림이 갖추어짐.

글의 구조 TIP

이 글은 총 다섯 개의 문단으로 이루어져 있습니다. 1문단에서 조상들의 옷차림에 대한 흥미를 유발하고, 2~5문단에서는 삼국 시대, 고려 시대, 조선 시대 각 시대별 옷차림의 특징을 설명하였습니다.

2 내용 이해 세부 정보 파악하기

이 글의 내용과 일치하지 않는 것은 무엇입니까? (   )

① 조상이 남긴 유물을 통해 당시의 옷차림을 짐작할 수 있다.

② 고려 시대부터 여성의 저고리가 점차 짧아지기 시작하였다.

③ 두루마기는 고려 시대부터 나타나 조선 시대까지 이어졌다.

④ 조선 시대에는 신분에 따른 옷차림 구분이 매우 엄격하였다.

⑤ 신라가 삼국을 통일한 뒤부터 중국 양식의 옷차림을 입기 시작하였다.

3 전개 방식 설명 방법 파악하기

이 글의 전개 방식에 대한 설명으로 가장 적절한 것은 무엇입니까? (   )

① 옷을 구성하는 요소를 분석한 뒤 각각 설명하고 있다.

② 옷차림의 변화 과정을 시간 순서에 따라 살피고 있다.

③ 전문가의 말을 인용하여 내용의 신뢰성을 높이고 있다.

④ 일정한 기준에 따라 옷의 종류를 나눈 뒤 비교하고 있다.

⑤ 구체적인 사례를 통해 옷의 사회적 기능을 설명하고 있다.

어휘

• **신뢰성** 굳게 믿고 의지할 수 있는 성질.

문제 풀이

수능형

④ 적용하기 시각 자료에 적용하기

이 글을 읽고 보기 의 자료에 대해 이해한 것으로 적절하지 <u>않은</u> 것은 무엇입니까?

(   )

• **무용총** 중국의 만주 지린성 남쪽에 있는 고구려 때의 무덤. 14명의 남녀가 춤을 추는 모습과 말을 탄 4명의 무사가 사냥하는 모습 등을 그린 벽화가 있음.

보기

▲ 고구려의 고분인 '**무용총**'에서 발견된 벽화의 일부

① 여성은 바지 위에 주름치마를 덧입기도 했겠군.

② 엉덩이까지 내려오는 저고리에는 단추가 없겠군.

③ 저고리에는 허리띠 대신 옷고름을 달기도 했겠군.

④ 신라 사람들도 벽화 속 옷차림과 비슷한 옷차림을 했겠군.

⑤ 고려 시대부터 벽화 속 옷차림과 다른 옷차림이 나타났겠군.

5 어휘·어법 어휘의 문맥적 의미 파악하기

㉠'이어진'과 바꾸어 쓰기에 가장 적절한 낱말은 무엇입니까? (   )

① 계승된

② 보급된

③ 상속된

④ 연결된

⑤ 추구된

어휘·어법 TIP

• **계승되다** 전에 있던 일을 이어서 하거나 이어받게 됨.

• **보급되다** 필요한 물자를 계속 대어 줌.

• **상속되다** 사람이 죽은 뒤에 그의 재산을 넘겨받거나 물려받게 됨.

• **연결되다** 사물과 사물이 서로 이어지거나 현상과 현상이 관계가 맺어짐.

• **추구되다** 원하는 것을 이루거나 얻으려고 계속하여 애쓰게 됨.

낱말 이해 낱말 관계 낱말 적용 관용 표현

1 다음 낱말에 알맞은 그림을 찾아 선으로 이으시오.

(1) 갓 •

(2) 장옷 •

(3) 패랭이 •

• ㉮

• ㉯

• ㉰

낱말 이해 낱말 관계 낱말 적용 관용 표현

2 다음 ㉠과 ㉡에 들어갈 말을 보기 에서 각각 찾아 쓰시오.

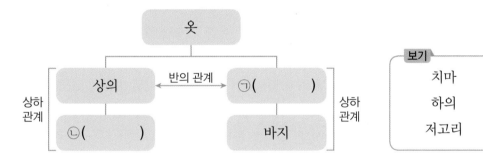

옷

상의 ←반의 관계→ ㉠( )

상하 관계

㉡( ) 바지

상하 관계

보기

치마

하의

저고리

낱말 이해 낱말 관계 낱말 적용 관용 표현

3 빈칸에 들어갈 관용어로 알맞은 것은 무엇입니까? ( )

조선 시대에는 신분에 따른 옷차림 규제가 매우 엄격하였다. 남성의 경우 양반 계층은 창옷과 도포를 입었지만, 평민 계층은 두루마기를 입었으며, 갓도 양반만 쓸 수 있었다. 이런 점을 볼 때 조선 시대에는 사회적 신분에 따른 대우가 ( )만큼 달랐음을 알 수 있다.

① 하늘과 땅 ② 용의 초리 ③ 꽃 본 나비
④ 고양이 낯짝 ⑤ 고양이와 개

어휘력 ➕

• **하늘과 땅** 둘 사이에 큰 차이나 거리가 있음.

• **용의 초리** 폭포에서 내리 쏟아지는 물줄기를 비유적으로 이르는 말.

• **꽃 본 나비** 사랑하는 사람을 만나서 기뻐하는 모습.

• **고양이 낯짝만 하다** 매우 좁음을 비유적으로 이르는 말.

• **고양이와 개** 서로 앙숙인 관계를 이르는 말.

시각 장애인의 글자, 점자

· 지문 해설

· 지문 난이도: 중
●─●─●─○─○

· 글자 수: 1426자
○───●───○
1000   1500

엘리베이터 버튼을 자세히 보면 볼록한 점들이 새겨져 있는 것을 알 수 있다. 시각 장애인을 위해 만든 점자이다. 점자는 음료수 캔이나 교통카드 판매기, 지하철 게이트, 화장실 입구 등 일상생활 곳곳에서 발견할 수 있다. 점자는 6개의 작게 튀어나온 점을 일정한 방식으로 조합한 문자로, 시각 장애인이 손가락으로 더듬어서 읽고 쓸 수 있도록 만든 것이다. 점자를 영어로 '브레일' 또는 '브라유'라고 하는데, 그 까닭은 점자를 발명한 사람의 이름이 루이 브라유(Louis Braille)이기 때문이다.

루이 브라유는 세 살 때 아버지의 작업실에서 놀다 송곳에 한쪽 눈을 찔리는 사고를 당해 실명하였다. 이듬해에는 다른 쪽 눈마저 감염되면서 완전히 실명하였다. 그래도 절망하지 않고 파리의 왕립 맹인 학교에 다니던 브라유는 손으로 책을 읽을 때 많은 불편함을 느꼈다. 당시에는 글자 모양의 구리선을 종이에 눌러 찍어서 시각 장애인용 책을 만들었다. 시각 장애인들은 손으로 그 흔적을 만져 글자를 구분해야 했으므로 글자 크기가 컸다. 책도 크고 두꺼워 한 권을 읽는 데 몇 달이 걸릴 정도였지만 ㉮다른 방법이 없었기에 어쩔 수 없이 그 책을 읽어야만 했다.

브라유가 열두 살이 되던 때, 프랑스 육군 장교였던 바르비에라는 사람이 가로 6점, 세로 2점으로 된 야간 문자를 만들어서 파리 맹인 학교 학생들에게 알려 주었다. 원래 군사용이었으나 이 문자가 시각 장애인들에게 도움이 될 것이라고 여긴 것이었다. 그가 알려준 야간 문자는 한 손가락으로 더듬기에 좋았으며, 글자를 구별하기도 쉬웠다. 브라유는 열심히 야간 문자를 배웠다. 하지만 점이 12개나 되어 점끼리의 조합을 모두 외우기 어려웠고, 숫자나 마침표 등 표현할 수 없는 기호도 많았다. 브라유는 12개였던 점의 수를 가로 3점, 세로 2점의 6개로 줄여 간단하게 나타낼 방법을 연구했다. 그리고 열다섯 살이던 1824년에 가로와 세로, 대각선 방향으로 점을 늘리거나 줄이는 방법으로 알파벳과 숫자까지 쓸 수 있는 점자를 만들었다.

그 후 점자 인쇄기가 발명되어 간편하게 책을 만들 수 있게 되었다. 그 결과 브라유가 만든 점자를 이용한 점자책이 널리 퍼졌고, 브라유의 점자는 유럽의 모든 맹인 학교에서 공식 문자로 인정받았다. 이 점자 덕분에 많은 시각 장애인이 정상적인 교육을 받을 수 있었다.

우리나라에도 한글 점자가 있다. 1926년 서울 맹학교 교사인 박두성 선생이 브라유가 고안한 점자를 이용하여 한글을 점자로 쓸 수 있게 만든 것이다. 박두성 선생은 이를 보통 사람들이 사용하는 '훈민정음(訓民正音)'에 빗대어 '훈맹정음(訓盲正音)'이라고 불렀다. '시각 장애인을 가르치는 바른 소리'라는 뜻이다. 박두성 선생이 남긴 말에는 한글 점자를 만들었던 그의 마음이 담겨 있다.

㉠"눈이 아니라 영혼과 두뇌가 사람 구실을 하는 것이니 시각 장애인들을 방 안에 가두지 말고 가르쳐야 한다."

· **점자** 종이 위에 도드라진 점들을 일정한 방식에 따라 배치해서 시각 장애인이 손가락으로 만져 보아 의미를 알아내게끔 한 글자.

· **조합한** 서로 다른 여럿을 모아 한 집단이 되게 한.

· **실명(失** 잃을 실, **明** 밝을 명) 눈이 보이지 않게 되는 것.

· **감염되면서** 병균이 몸에 옮아서 병에 걸리면서.

· **맹인(盲** 소경 맹, **人** 사람 인) '시각 장애인'을 달리 이르는 말.

· **야간** 밤사이. 밤 동안.

· **군사용(軍** 군사 군, **事** 일 사, **用** 쓸 용) 군대, 전쟁 등과 같은 군에 관한 일에 쓰임.

· **고안(考** 상고할 고, **案** 책상 안)**한** 연구를 하여 새로운 물건이나 방법을 생각해 낸.

글의 구조 문단 내용 정리하기

1 다음은 이 글을 읽고 내용을 정리한 것입니다. 빈칸에 들어갈 적절한 말을 쓰시오.

글의 구조 **TIP**

이 글은 총 다섯 개의 문단으로 이루어져 있습니다. **1** 문단에서는 점자를 소개하고. **2**, **3**, **4** 문단에서는 브라유가 점자를 발명한 과정을 설명하였습니다. **5** 문단에서는 우리나라의 점자인 '훈맹정음'을 소개하였습니다.

2 어린 시절에 ( )한 브라유

1 ( )의 뜻과 점자를 발명한 사람

3 ( ) 문자에서 영감을 얻어 점자를 발명한 브라유

5 우리나라의 한글 점자 '( )'

4 ( )의 공식 문자가 된 점자

내용 이해 세부 정보 파악하기

2 이 글의 내용과 일치하지 <u>않는</u> 것은 무엇입니까? ( )

① 점자는 6개의 작게 튀어나온 점을 일정한 방식으로 조합한 문자이다.

② 현재의 점자가 없었을 때는 시각 장애인이 책을 읽기가 매우 불편했다.

③ 우리나라의 '훈맹정음'은 브라유의 점자와 상관없이 **독자적**으로 만들었다.

④ 브라유가 만든 점자는 바르비에의 야간 문자를 **개량한** 것으로 볼 수 있다.

⑤ 브라유가 점자를 발명한 뒤에 점자 인쇄기가 발명되어 점자책이 만들어졌다.

어휘

• **독자적으로** 남의 것을 흉내 내지 않고 독특하게.

• **개량한** 질이나 기능을 고쳐서 더 좋게 만든.

추론하기 세부 내용 추론하기

3 ㉠에 담긴 의미로 가장 적절한 것은 무엇입니까? ( )

① 시각 장애인들에게 더 많은 점자책을 **보급해야** 한다.

② '훈맹정음'을 우리나라의 공식 점자로 지정해야 한다.

③ 시각 장애인들에 대한 사회적 보살핌을 확대해야 한다.

④ 시각 장애인들이 정상적인 교육을 받을 수 있게 해야 한다.

⑤ 시각 장애인들이 불편함을 겪지 않는 사회를 만들어야 한다.

어휘

• **보급해야** 골고루 여러 곳까지 미치게 퍼뜨려야. 필요한 물자를 계속 대어 주어야.

적용하기 시각 자료에 적용하기

4 ㉮의 '한글 점자 목록'에 따라 ㉯의 점자 낱말을 알맞게 읽은 것은 무엇입니까?

( )

어휘
- **초성** 음절에서 처음 소리인 자음.
- **종성** 음절에서 마지막 소리인 자음.

㉮ 한글 점자 목록

자음	초성 (첫소리)													
	ㄱ	ㄴ	ㄷ	ㄹ	ㅁ	ㅂ	ㅅ	ㅈ	ㅊ	ㅋ	ㅌ	ㅍ	ㅎ
	종성 (받침)													
	ㄱ	ㄴ	ㄷ	ㄹ	ㅁ	ㅂ	ㅅ	ㅇ	ㅈ	ㅊ	ㅋ	ㅌ	ㅍ	ㅎ

모음										
	ㅏ	ㅑ	ㅓ	ㅕ	ㅗ	ㅛ	ㅜ	ㅠ	ㅡ	ㅣ
	ㅐ	ㅔ	ㅚ	ㅘ	ㅝ	ㅢ	ㅞ			

※ 단, 초성(첫소리) 'ㅇ'은 표시하지 않음.

㉯ 점자 낱말

① 석류 ② 석수 ③ 석양

④ 성냥 ⑤ 성인

어휘·어법 속담으로 표현하기

5 ㉮의 상황을 표현하기에 가장 적절한 속담은 무엇입니까? ( )

① 개밥에 도토리
② 쇠귀에 경 읽기
③ 울며 겨자 먹기
④ 병 주고 약 준다
⑤ 밑 빠진 독에 물 붓기

어휘·어법 TIP
- **개밥에 도토리** 따돌림을 받아서 여럿의 축에 끼지 못함.
- **쇠귀에 경 읽기** 아무리 가르치고 일러 주어도 알아듣지 못함.
- **울며 겨자 먹기** 싫은 일을 억지로 마지못하여 함.
- **병 주고 약 준다** 교활하고 음흉함.
- **밑 빠진 독에 물 붓기** 아무리 애를 써도 보람이 없음.

낱말 이해 낱말 관계 낱말 적용 관용 표현

1 밑줄 그은 낱말의 뜻으로 알맞은 것을 찾아 선으로 이으시오.

(1) 페니실린의 <u>발견</u>으로 인류는 질병에 맞설 수 있었다. •

• ㉮ 아직까지 없던 기술이나 물건을 새로 생각하여 만들어 냄.

(2) 증기 기관의 <u>발명</u>으로 인류의 삶은 획기적으로 바뀌었다. •

• ㉯ 미처 찾아내지 못하였거나 아직 알려지지 아니한 사물이나 현상, 사실 따위를 찾아냄.

낱말 이해 낱말 관계 낱말 적용 관용 표현

2 다음 밑줄 그은 말과 뜻이 가장 비슷한 말은 무엇입니까? (   )

박두성 선생이 브라유가 고안한 점자를 이용하여 한글을 표현할 수 있는 점자를 만들고, 이를 <u>보통</u> 사람들이 사용하는 '훈민정음(訓民正音)'에 빗대어 '훈맹정음(訓盲正音)'이라고 불렀다.

① 어떤   ② 아무   ③ 모든
④ 애먼   ⑤ 여느

낱말 이해 낱말 관계 낱말 적용 관용 표현

3 다음과 같은 상황을 표현하기에 알맞은 속담은 무엇입니까? (   )

브라유는 바르비에가 가르쳐 준 야간 글자를 보다 편리하게 만들기 위해서 오랫동안 고심하였다. 알파벳 스물여섯 글자와 기호를 모두 표시할 방법은 쉽게 떠오르지 않았지만 포기하지 않고 끊임없이 연구한 결과 3년 만에 지금과 같은 점자를 완성하였다.

① 바늘 가는 데 실 간다   ② 무쇠도 갈면 바늘 된다
③ 바늘구멍으로 하늘 보기   ④ 바늘 도둑이 소도둑 된다
⑤ 급하면 바늘허리에 실 매어 쓸까

어휘력 ➕

• **바늘 가는 데 실 간다** 바늘이 가는 데 실이 항상 뒤따른다는 뜻으로, 사람의 긴밀한 관계를 비유적으로 이름.

• **무쇠도 갈면 바늘 된다** 꾸준히 노력하면 어떤 어려운 일이라도 이룰 수 있음.

• **바늘구멍으로 하늘 보기** 조그만 바늘구멍으로 넓디넓은 하늘을 본다는 뜻으로, 전체를 포괄적으로 보지 못하는 매우 좁은 소견이나 관찰을 이름.

• **바늘 도둑이 소도둑 된다** 자그마한 나쁜 일도 자꾸 해서 버릇이 되면 나중에는 큰 죄를 저지르게 됨.

• **급하면 바늘허리에 실 매어 쓸까** 일에는 일정한 순서가 있고 때가 있는 것이므로, 아무리 급해도 순서를 밟아서 일해야 함.

인문 04 동조 현상

• 지문 해설

• 지문 난이도: 중
●●●○○

• 글자 수: 1370자
○──○──●──○
1000   1500

솔로몬 애시라는 심리학자가 흥미로운 실험을 했다. 실험은 간단했다. 7명에서 9명 정도의 사람들을 모아 놓고 오른쪽과 같은 그림 두 개를 제시한 뒤, 그림 ①의 선과 길이가 같은 선을 그림 ②의 A, B, C 중에서 고르는 것이었다. 누가 봐도 그림 ①의 선과 길이가 같은 것은 그림 ②의 C이다. 한 명이 참여하는 실험에서는 99%의 정답률을 보였다.

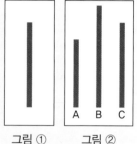

그림 ①   그림 ②

이번에는 여러 명이 참여하는 실험을 했다. 진짜 실험 대상자는 한 명뿐이고 나머지는 연구원들을 실험 대상자인 것처럼 꾸며 모두 A라고 대답하기로 미리 정했다. 진짜 실험 대상자는 자기 차례가 되면 C라고 대답할 준비를 하고 있었다. 그런데 첫 번째 사람이 A라고 대답하자 이 사람은 잠시 놀라다가 살짝 웃었다. 첫 번째 사람이 틀린 것이라고 여겼기 때문이다. 그런데 두 번째 사람도 A라고 대답하자 웃음기가 사라졌고, 세 번째 사람이 A라고 하자 몹시 당황해하는 모습을 보였다. 그렇게 앞사람들이 모두 A라고 대답한 뒤 드디어 진짜 실험 대상자가 대답할 차례가 되었을 때, 그는 과연 무엇이라고 대답했을까? 이 사람은 C라는 자신의 판단을 버리고 A라고 대답했다. 아마 이상하다고 느꼈지만 자신이 두 그림을 잘못 보았을 것이라고 생각한 것이다.

솔로몬 애시는 이와 비슷한 실험을 여러 번 했는데, 자기가 처음에 판단한 대로 처음부터 끝까지 바른 답을 한 사람은 25%에 불과했다. 75%가 앞에서 답한 사람들의 의견을 따라간 것이다. 이처럼 다른 사람들의 의견이나 행동을 따라 하는 것을 '동조'라고 한다. 선생님이나 의사처럼 권위 있는 사람이 시키는 대로 하는 복종과 달리, 동조는 자신이 복종하지 않아도 되는 사람과 똑같이 행동하는 것을 말한다.

동조 현상은 왜 일어나는 것일까? 사람들은 자기가 잘 알지 못하는 일에 대해서는 다른 사람들이 하는 대로 따라 하면 적어도 손해를 보지는 않는다고 생각하기 때문이다. 처음 방문한 지역에서 식당을 고를 때 손님들이 많은 곳을 선택하는 것을 예로 들 수 있다. 유원지나 박물관처럼 복잡한 곳에서 모르는 길을 찾을 때 사람들이 많이 가는 쪽을 따라가는 것도 마찬가지이다. 자신의 판단에 확신이 들지 않을수록 동조 현상은 더 강하게 나타난다.

그렇다면 애시의 실험에서처럼 정답이 빤히 보이는 상황에서조차 동조가 일어나는 이유는 무엇일까? 이는 집단에서 소외되지 않으려는 심리 때문이다. 사람들은 대부분 자신이 속해 있는 집단에서 고립되는 것을 무척 두려워한다. 그래서 학교처럼 자신이 오랫동안 소속되어 있어야 하는 집단에서 이런 동조 현상이 특히 자주 일어난다. 즉 혼자 있으면 거의 하지 않을 행동도 다른 사람들이 하면 그대로 따라 하는 것이다. 다만, 한 명이라도 자신과 같은 생각을 하는 사람이 있으면 자신의 주관대로 행동할 가능성이 커진다.

• 대상자(對 대답할 대, 象 코끼리 상, 者 놈 자) 무엇의 상대나 목표가 되는 사람.

• 연구원 연구에 종사하는 사람.

• 판단(判 판가름할 판, 斷 끊을 단) 어떤 사물에 대하여 여러 사정을 따져서 자기의 생각을 분명하게 정하는 것.

• 권위 특별한 능력·자격·지위 등으로 남을 복종시키는 힘.

• 소외되지 어떤 집단에 끼이지 못하고 따돌림을 당하지.

• 고립(孤 외로울 고, 효 설 립) 되는 외따로 혼자 떨어져 있게 되는.

• 소속되어 어떤 기관이나 조직에 속하여.

• 주관(主 주인 주, 觀 볼 관) 자기만의 생각, 관점, 또는 주장.

글의 구조 문단 내용 정리하기

1 다음은 이 글을 읽고 내용을 정리한 것입니다. 빈칸에 들어갈 적절한 말을 쓰시오.

글의 구조 TIP

이 글은 총 다섯 개의 문단으로 이루어져 있습니다. **1**, **2**문단에서 동조 현상에 대한 실험을 소개하고, **3**문단에서 동조의 개념을 소개하였습니다. **4**, **5**문단에서는 동조 현상이 일어나는 까닭 두 가지를 제시하고 있습니다.

- **1** 솔로몬 애시의 실험 ①
  - 한 명 참여

- **2** 솔로몬 애시의 실험 ②
  - ( ) 명 참여

- **3** 실험의 결과 및 ( )의 개념

- **4** ( )이 일어나는 까닭 ①

- **5** ( )이 일어나는 까닭 ②

내용 이해 핵심 개념 파악하기

2 '동조 현상'에 대한 설명으로 적절하지 <u>않은</u> 것은 무엇입니까? ( )

① 권위 있는 사람에 대한 복종 심리에서 비롯된다.

② 누구나 정답을 알 수 있는 상황에서도 나타날 수 있다.

③ 자신이 오랫동안 소속되어 있어야 하는 집단에서 자주 일어난다.

④ 타인의 판단을 따르는 것은 불확실한 상황을 해결하는 데 도움이 되기도 한다.

⑤ 솔로몬 애시의 실험에서 정답을 알고 있으면서도 다른 사람의 의견을 따라 말한 비율이 75%나 되었다.

내용 이해 세부 정보 파악하기

3 이 글에서 답을 찾을 수 <u>없는</u> 질문은 무엇입니까? ( )

① 동조 현상이 발생하는 까닭은 무엇일까?

② 동조 현상은 어떤 경우에 자주 일어날까?

③ 어떻게 하면 동조 현상을 없앨 수 있을까?

④ 동조를 하면 당사자에게 어떤 이익이 있을까?

⑤ 일상에서 볼 수 있는 동조 현상에는 어떤 것이 있을까?

어휘

• **당사자** 어떤 일에 직접 관계가 되어 있는 사람.

4 이 글을 참고하여 보기를 이해한 내용으로 적절하지 <u>않은</u> 것은 무엇입니까?

(   )

> **보기**
>
> 옛날에 **허영심**이 많은 임금이 있었다. 하루는 사기꾼들이 임금을 찾아와
> 멋진 옷을 만들어 주겠다고 하면서, 자기들이 만든 옷은 정직한 사람에게만
> 보인다고 했다. 임금은 옷을 주문하였고, 며칠 후 사기꾼들은 벌거벗은 임
> 금에게 옷을 입혀 주는 시늉을 하고는 옷이 아름답다고 칭찬하였다. 그러자
> 주위의 신하들도 따라서 같은 말을 하였다. 임금은 아무것도 볼 수 없었지
> 만 자신이 정직하지 않은 사람으로 여겨질까 봐 옷이 정말 훌륭하다고 칭찬
> 하였다. 그리고 옷을 자랑하려고 거리로 나섰다. 정직한 사람에게만 보이는
> 옷이 있다는 소문을 들은 백성들은 임금이 벌거벗은 모습을 보면서도 모두
> 옷이 참 아름답다고 말했다. 이때 한 소년이 큰 소리로 "임금님이 **벌거숭이**
> 예요!"라고 외쳤다.
>
> 그러자 여기저기서 "임금님이 벌거벗었다."라는 말이 들렸다.

① 임금이 옷을 자랑하려고 거리에 나선 것은 동조 현상 때문이다.

② 임금이 보이지 않는 옷을 훌륭하다고 한 것은 동조 현상에 해당한다.

③ 소년이 사실대로 말하자 자신의 주관대로 말하는 백성들이 나타났다.

④ 임금이 혼자 있었다면 옷이 보이지 않는다고 말하였을 가능성이 높다.

⑤ 백성들이 사실대로 말하지 않은 까닭은 집단에서 소외되기 싫어서일 것이다.

어휘·어법 속담으로 표현하기

5 솔로몬 애시의 동조 현상 실험에서 나타난 실험 대상자의 태도를 표현하기에 가장
적절한 속담은 무엇입니까? (   )

① 개천에서 용 난다   ② 아는 것이 병이다

③ 친구 따라 강남 간다   ④ 뛰는 놈 위에 나는 놈 있다

⑤ 달면 삼키고 쓰면 뱉는다

어휘
• **허영심** 자기의 경제적 능력, 지식, 자질에 어울리지 않게 지나치게 겉모양을 화려하게 꾸미는 것에 들뜬 마음.
• **벌거숭이** 벌거벗은 알몸뚱이.

어휘·어법 TIP
• **개천에서 용 난다** 보잘것없는 집안에서 큰 인물이 나옴.
• **아는 것이 병이다** 정확하지 못하거나 분명하지 않은 지식은 오히려 걱정거리가 될 수 있음.
• **친구 따라 강남 간다** 자기는 하고 싶지 아니하나 남에게 끌려서 덩달아 하게 됨.
• **뛰는 놈 위에 나는 놈 있다** 아무리 재주가 있어도 그보다 나은 사람이 있음.
• **달면 삼키고 쓰면 뱉는다** 옳고 그름이나 신의를 돌보지 않고 자기의 이익만 꾀함.

어휘력 완성

낱말 이해 낱말 관계 낱말 적용 관용 표현

1 다음 낱말의 뜻으로 알맞은 것을 찾아 선으로 이으시오.

(1) 당황하다 •

(2) 소외되다 •

(3) 소속되다 •

• ㉮ 어떤 기관이나 조직에 속함.

• ㉯ 놀라거나 다급하여 어찌할 바를 모름.

• ㉰ 어떤 집단에 끼이지 못하고 따돌림을 당함.

낱말 이해 낱말 관계 낱말 적용 관용 표현

2 다음 밑줄 그은 낱말과 뜻이 가장 비슷한 낱말은 무엇입니까? (   )

> 다른 사람들의 의견이나 행동을 따라 하는 것을 동조라고 한다.

① 동료   ② 동맹   ③ 동의
④ 동정   ⑤ 동기

낱말 이해 낱말 관계 낱말 적용 관용 표현

3 다음 상황을 표현하기에 알맞은 한자성어는 무엇입니까? (   )

> 진짜 실험 대상자는 자기 차례가 되면 C라고 대답할 준비를 하고 있었다. 그런데 첫 번째 사람이 A라고 대답하자 이 사람은 잠시 놀라다가 살짝 웃었다. 첫 번째 사람이 틀린 것이라고 여겼기 때문이다. 그런데 두 번째 사람도 A라고 하자 웃음기가 사라졌고, 세 번째 사람이 A라고 하자 몹시 당황해하는 모습을 보였다. 그렇게 앞사람들이 모두 A라고 대답한 뒤 드디어 진짜 실험 대상자가 대답할 차례가 되었다. 이 사람은 C라는 자신의 판단을 버리고 A라고 대답했다.

① 개과천선(改過遷善)   ② 내우외환(內憂外患)   ③ 삼인성호(三人成虎)
④ 언행일치(言行一致)   ⑤ 유구무언(有口無言)

어휘력 +

• **개과천선** 지난날의 잘못을 뉘우치고 고쳐 올바르고 착하게 됨

• **내우외환** 국내가 어지러운 시기에 외국과의 사이까지 어려운 상태. 나라 안팎의 걱정거리.

• **삼인성호** 세 사람이 짜면 거리에 범이 나왔다는 거짓말도 꾸밀 수 있다는 뜻으로, 근거 없는 말이라도 여러 사람이 말하면 곧이듣게 됨.

• **언행일치** 말과 행동이 하나로 들어맞음. 또는 말한 대로 실행함.

• **유구무언** 입은 있으나 할 말이 없다는 뜻으로, 변명할 말이 없음.

도서 청구 기호에 담긴 정보

도서관에서 책을 찾을 때는 도서 청구 기호를 보아야 한다. 숫자와 문자로 된 이 기호는 꽤 많은 정보를 담고 있어서, 이 정보를 알면 도서관에서 원하는 책을 쉽고 빠르게 찾을 수 있다. 도서 청구 기호는 책의 정보를 ㉠담고 있는 고유한 기호이자, 그 책이 있는 위치를 알려 주는 주소라고 할 수 있다. 대개 세 줄로 구성되며, 책등의 아래쪽에 붙어 있다. 0에서 9까지의 숫자 중 하나로 시작되는 첫 번째 줄은 '분류 기호'이고, 두 번째 줄은 '도서 기호'이다. 그리고 마지막 줄은 '부차적 기호'이다. 책에 따라 '별치 기호'가 추가되기도 한다.

책에 매어 놓은 옆면.

아	← 별치 기호
813.8	← 분류 기호
ㅂ398ㅈ	← 도서 기호
c.5	← 부차적 기호

▲ 도서 청구 기호

분류 기호는 책을 십진분류법에 따라 주제별로 분류해 놓은 것이다. 분류 기호의 번호는 000에서 999까지의 숫자로 구성되고, 필요에 따라 소수점 자리까지 사용하기도 한다. 분류 기호에서 가장 중요한 것은 첫 번째 숫자이다. 이 숫자는 책을 주제에 따라 10가지 범주로 나누어 각각 0에서 9까지의 번호를 붙인 것이다. 대부분의 도서관에서는 10가지 주제별로 분류된 서가를 기준으로 도서 청구 기호의 숫자, 자음과 모음, 알파벳 등의 순서에 따라 도서를 배치한다. 분류 기호의 번호를 정하는 기준은 '한국 십진분류표'를 따른다. 예를 들어, 문학 책은 모두 800번대이며, 문학 중에서 한국 문학은 810번대이고, 한국 문학 중에서 소설은 813으로 시작한다. 그리고 한국 소설 중에서 현대 소설은 813.6에, 동화는 813.8에 속한다.

번호	분류
000	총류
100	철학
200	종교
300	사회과학
400	자연과학
500	기술과학
600	예술
700	언어
800	문학
900	역사

▲ 한국 십진분류표

도서 기호는 책을 쓴 사람과 책 제목에 대한 정보를 ㉠담고 있다. 도서 기호의 처음에 있는 글자는 책을 쓴 사람의 이름 첫소리나 첫 글자이다. 저자 이름이 박○○이라면 'ㅂ'이나 '박'이 된다. 그리고 이어지는 숫자들은 이름의 두 번째 음절을 일정한 규칙에 따라 나열한 것이다. 숫자 뒤에 나오는 마지막 글자는 책 제목의 첫소리나 첫 글자이다. 예를 들어 책 제목이 『자전거 도둑』이라면 'ㅈ'이나 '자'가 된다.

부차적 기호는 추가 정보가 필요한 경우에 적는다. 대표적인 기호는 'v'와 'c'인데, 'v'는 이 책이 시리즈 중의 하나임을 나타내고, 'c'는 같은 책이 도서관에 여러 권 있음을 나타낸다. 예를 들어 'v.3'은 시리즈 중의 세 번째 책이라는 뜻이고, 'c.5'는 같은 책이 여러 권 있는데 그중에서 다섯 번째 책이라는 뜻이다.

'ㄷ5'라고도 표시함.

세 가지 기호 외에 한글이나 알파벳으로 된 '별치 기호'를 맨 위에 추가하기도 한다. 별치 기호는 책을 일반 서고가 아니라 다른 장소에 보관하고 있다는 뜻이다. 예를 들어 '아'나 '어'라고 적힌 책은 아동용이므로 '어린이실'에 가야 찾을 수 있다.

1 글의 구조 　문단 내용 정리하기

다음은 이 글을 읽고 내용을 정리한 것입니다. 빈칸에 들어갈 적절한 말을 쓰시오.

글의 구조 TIP

이 글은 총 다섯 개의 문단으로 이루어져 있습니다. **1**문단에서는 도서 청구 기호에 대해 소개하고, **2**, **3**, **4**, **5**문단에서는 도서 청구 기호에 있는 기호들에 담긴 정보를 하나하나 설명하고 있습니다.

1 (　　　　　　　)의 뜻과 구성

2 (　　　　　　　)에 담긴 정보 – 책의 주제

3 (　　　　　　　)에 담긴 정보 – 저자와 책 제목

4 (　　　　　　　)에 담긴 정보 – 추가 정보

5 (　　　　　　　)에 담긴 정보

2 내용 이해 　세부 정보 파악하기

'도서 청구 기호'에 대한 설명으로 적절하지 <u>않은</u> 것은 무엇입니까? (　　　　)

① 도서관에서 책이 있는 위치를 알 수 있다.
② 분류 기호의 번호는 책 제목에 따라 정한다.
③ 대개 책의 정보를 담고 있는 세 줄로 구성된다.
④ 한 도서관에 같은 책이 여러 권 있는지 알 수 있다.
⑤ 책을 쓴 사람과 책 제목에 대한 정보를 알 수 있다.

3 전개 방식 　서술 방식 파악하기

이 글의 서술상 특징으로 적절하지 <u>않은</u> 것은 무엇입니까? (　　　　)

① 구체적인 예를 들어 관련 내용을 쉽게 전달하고 있다.
② 대상에 담겨 있는 정보와 활용 방법을 소개하고 있다.
③ 시각적인 보조 자료를 활용하여 내용을 **보완하고** 있다.
④ 대상을 구성하는 요소로 나눈 뒤에 각각 설명하고 있다.
⑤ 일정한 기준에 따라 대상의 종류를 나누어 제시하고 있다.

어휘
• **보완하고** 　모자라는 것을 채워 완전하게 하고.

수능형

적용하기 구체적인 상황에 적용하기

④ 보기 에 나온 책의 도서 청구 기호에 대해 적절하게 말한 것은 무엇입니까?

(   )

어휘
• **출간하였다** 책을 인쇄하여 세상에 내놓았다.

> **보기**
>
> 홍길동이라는 화가가 『산골 마을 사람들』이라는 아동용 그림책을 출간하였다. 이 책은 작가가 사는 산골 마을의 일상생활을 직접 그린 그림을 모은 것이다. 우리 마을 도서관은 이 책을 두 권 주문하여 도서 청구 기호를 붙였다.

① '아'나 '어'라는 별치 기호가 붙을 수도 있겠군.

② 분류 기호의 첫 번째 숫자는 0으로 시작하겠군.

③ 도서 기호의 마지막 글자는 'ㅎ'이나 '홍'이 되겠군.

④ 도서 기호의 첫 번째 글자는 'ㅅ'이나 '산'이 되겠군.

⑤ 부차적 기호에는 책별로 각각 'v.1'와 'v.2'라는 기호가 붙겠군.

어휘·어법 어휘의 사전적 의미 파악하기

5 밑줄 그은 말이 ㉠'담고'와 같은 의미로 사용되지 **않은** 것은 무엇입니까? (   )

① 친구에게 마음을 담은 편지를 썼다.

② 이 소설에는 삶의 교훈이 담겨 있다.

③ 그녀는 밥을 도시락에 정성껏 담았다.

④ 정성을 담은 편지를 어머니께 드렸다.

⑤ 그는 눈앞의 경치를 화폭에 담고 있었다.

어휘·어법 TIP
• **담다**
「1」무엇을 그릇 속에 넣음.
「2」생각이나 내용을 글이나 그림 등에 나타냄.

어휘력 완성

1

낱말 이해 | 낱말 관계 | 낱말 적용 | 관용 표현

다음 그림을 보고, ㉠과 ㉡에 알맞은 낱말을 보기 에서 각각 찾아 쓰시오.

보기
| 서점 | 서가 | 청탁 | 청구 | 청소 |

㉠( )에 책이 정말 많아요! 이 중에서 어떻게 제가 원하는 책을 찾을 수 있나요?

도서 ㉡( ) 기호를 보면 책이 어디에 있는지 알 수 있단다.

2

낱말 이해 | 낱말 관계 | 낱말 적용 | 관용 표현

다음 낱말의 뜻으로 알맞은 것을 찾아 선으로 이으시오.

(1) 범주 •

(2) 부차적 •

(3) 고유하다 •

• ㉮ 주된 것이 아니라 그것에 곁딸린.

• ㉯ 동일한 성질을 가진 부류나 범위.

• ㉰ 오래된 집단이나 사물 등이 본래부터 지니고 있음.

3

낱말 이해 | 낱말 관계 | 낱말 적용 | 관용 표현

다음 밑줄 그은 낱말과 같은 의미로 사용된 것은 무엇입니까? ( )

도서 청구 기호는 대개 세 줄로 구성되며, 책등의 아래쪽에 붙어 있다.

① 대형 화재로 옆 아파트에까지 불이 붙었다.
② 방학 동안 먹기만 했더니 몸에 살이 붙었다.
③ 전신주마다 광고 쪽지가 덕지덕지 붙어 있다.
④ 저 두 사람은 어딜 가도 서로 꼭 붙어 앉는다.
⑤ 철수는 열심히 공부하여 원하는 대학에 붙었다.

어휘·어법 TIP

• 붙다
「1」 맞닿아 떨어지지 아니함.
「2」 시험 따위에 합격함.
「3」 불이 옮아 타기 시작함.
「4」 물체와 물체 또는 사람이 서로 바짝 가까이함.
「5」 어떤 것이 더해지거나 생겨남.

계몽주의

중세 유럽에는 세상의 모든 것은 신이 창조한 것이며 자연 현상이나 인간의 운명 또한 신이 미리 정해 둔 것이라고 여기는 사람이 많았다. 모든 것을 신의 뜻으로 생각하면 몇 명의 성직자에 의해 사회가 좌우되고, 운명론적 세계관에 빠져 인간이 스스로의 힘으로 세상을 더 좋게 만들 수 있다는 생각을 못 하게 된다. 그래서 자신에게 주어진 상황이 불합리하더라도 신의 뜻으로 여기며 희망 없이 받아들이게 되고 만다. 심지어 사람들의 목숨을 빼앗는 전염병이 유행해도 중세 사람들은 이것을 신의 뜻이라고 보았다.

16~18세기 유럽에서 시작된 계몽주의는 이런 신 중심의 사고를 부정하고 인간의 이성을 중요하게 여겼다. 신 자체를 인정하지 않은 것이 아니라 모든 것을 신의 뜻으로 여기는 생각을 부정한 것이다. 계몽주의자들은 점이나 굿 같은 미신에 반대하고 태어날 때부터 주어지는 신분 제도와 같은 불합리한 제도를 바꾸려 하였다. 그들은 인간의 이성을 통해 자연의 비밀을 밝히고 이상 세계를 실현할 수 있다고 믿었다.

'계몽'은 어리석은 사람을 일깨워 가르친다는 뜻으로, '밝게 하는 것'이라는 말에서 비롯되었다. 이 말 그대로 계몽주의는 종교와 신화라는 어둠 속에 빠져 세상을 제대로 알지 못했던 사람들에게 이성이라는 빛을 밝혀 줌으로써 세상을 똑바로 보고 자신의 길을 찾을 수 있도록 하였다. 이런 계몽주의의 흐름은 유럽이 아닌 다른 지역으로도 전파되었다. 조선 말기와 일제 강점기의 우리나라에서도 계몽주의의 영향을 찾아볼 수 있다.

비과학적이고 환상적인 요소를 거부한 계몽주의는 자연 과학의 성립으로 이어졌다. 과학을 이용한 기술도 급속하게 발전하였다. 그 결과 사람들은 자연을 적극적으로 개발하였고, 이전보다 훨씬 풍요로운 생활을 할 수 있었다. 계몽주의자들의 생각대로 이성은 그동안 신비하게만 여겨졌던 자연 현상을 과학적으로 설명해 주고, 인간이 살아가야 할 방향을 정해 줄 수 있는 가장 신뢰할 수 있는 도구가 되었다.

계몽주의는 인간을 무지와 종교적 지배에서 벗어나게 하였고, 물질적 발전과 사회 ㉠진보를 가져왔다. 그러나 다른 한편으로는 환경 파괴와 물질 만능주의를 초래하기도 하였다. 자연은 인간을 위해 존재한다는 생각으로 마구 개발하고, 재산을 많이 소유할수록 더 많이 노력한 것이라는 생각에 사로잡혔기 때문이었다. 인간을 수단으로 삼는 인간 소외 현상도 나타났으며, 전통적인 문화를 무조건 부정해야 하는 것으로 여기는 풍조도 나타났다. 이성을 바탕으로 하는 합리적인 사고가 자연과 인간이 지닌 고유한 가치를 훼손하는 부작용도 일으킨 것이다.

글의 구조 문단 내용 정리하기

1 다음은 이 글을 읽고 내용을 정리한 것입니다. 빈칸에 들어갈 적절한 말을 쓰시오.

글의 구조 TIP

이 글은 총 다섯 개의 문단으로 이루어져 있습니다. **1**, **2**문단에서는 계몽주의가 등장한 배경을 설명하고, **3**~**5**문단에서는 계몽주의가 미친 영향을 나열하고 있습니다.

```
1 중세 유럽의
(       )중
심 세계관
```
```
2 신 중심 사고를 부정
하는 (       )의
등장
```
```
3 계몽주의의 영향 ①
 – (       )의 빛을 밝힘.
```
```
4 계몽주의의 영향 ②
 – (       )의 성립
```
```
5 계몽주의의 문제점
 – 자연과 인간의 고유한 가치
 (       )
```

내용 이해 세부 정보 파악하기

2 이 글의 내용으로 적절하지 <u>않은</u> 것은 무엇입니까? (   )

① 계몽주의는 신 자체를 비과학적인 존재로 여기며 부정하였다.

② 계몽주의 이전의 사람들은 대개 운명론적 세계관을 지니고 있었다.

③ 유럽에서 시작된 계몽주의는 유럽 이외의 지역에도 영향을 주었다.

④ 인간의 이성을 중시한 계몽주의는 자연 과학의 발전으로 이어졌다.

⑤ 이성을 중시하는 합리적 사고가 인간의 고유한 가치를 훼손하기도 했다.

전개 방식 글의 서술 방식 파악하기

3 이 글의 전개 방식에 대한 설명으로 가장 적절한 것은 무엇입니까? (   )

① 시간의 흐름에 따라 계몽주의가 발전한 과정을 살피고 있다.

② 계몽주의에 대해 상반된 평가를 하는 이론들을 각각 소개하고 있다.

③ 계몽주의의 특성을 같은 시기의 다른 **사상**과 비교하며 **부각하고** 있다.

④ 서로 다른 사상이 형성된 과정을 제시한 뒤 공통점을 이끌어 내고 있다.

⑤ 계몽주의가 가져온 긍정적인 면을 설명하면서 부정적인 면을 지적하고 있다.

어휘

• **사상** 사회나 정치에 대한 일정한 견해.

• **부각하고** 어떤 특징이 두드러지게 나타나게 하고.

• **지적하고** 잘못된 점이나 허물을 가리켜 말하고.

적용하기 구체적인 상황에 적용하기

4 계몽주의자의 입장에서 보기 에 대해 보일 수 있는 반응으로 적절하지 <u>않은</u> 것은 무엇입니까? (   )

> 보기
>
> 　19세기 초 몇 명의 서양인들이 아프리카의 한 마을에 나타났다. 그 마을은 몹시 가난했다. 마을의 원주민들은 식물과 동물에도 영혼이 있다고 믿어 함부로 대하지 않았으며, 누군가가 아프면 온 마을 사람들이 모여 주술 의식을 하며 기도했다. 그리고 꿈과 현실을 구분하지 않았다. 그 때문에 꿈속에서 다른 사람에게 나쁜 짓을 했을 때는 꿈에서 깬 뒤 그 사람을 찾아가 사과하기도 하였다. 서양인들은 마을에 머물면서 원주민들에게 과학 지식을 가르치며 이들을 계몽시키려고 노력하였다. 그러나 원주민들이 자신들의 문화를 무시하는 서양인들의 말을 듣지 않자 서양인들은 **강제로** 그들의 문화를 금지해 버렸다.

① 원주민들의 삶은 불합리하고 비이성적이다.

② 서양인들은 어리석은 원주민들을 계몽하려 한 것이다.

③ 원주민들은 비과학적인 미신을 믿는 **미개한** 존재이다.

④ 서양인들이 원주민의 문화를 무시하고 금지한 것은 잘못된 행동이다.

⑤ 원주민들에게 식물과 동물을 과학적으로 이용하는 방법을 계속해서 가르쳐야 한다.

어휘 뜻이 반대인 낱말 찾기

5 ㉠'진보'와 반대되는 뜻을 지닌 낱말로 가장 적절한 것은 무엇입니까? (   )

① 개화

② 낙하

③ 진전

④ 퇴보

⑤ 활보

어휘

• **주술** 신이나 귀신의 힘을 빌려 재해나 불행을 막거나 일으키는 기술.

• **강제로** 힘으로 눌러 억지로.

• **미개한** 사회가 발전되지 않고 문화 수준이 낮은 상태인.

어휘·어법 TIP

• **개화** 외국의 새로운 사상, 제도, 물건을 받아들여 생각의 방법과 내용을 바꿈.

• **낙하** 높은 곳에서 떨어져 내림.

• **진전** 어떤 일이 새롭게 더 나아짐.

• **퇴보** 상태가 지금보다 못하게 되거나 뒤떨어짐.

• **활보** 자유롭게 성큼성큼 크게 걸음.

1 낱말 이해 낱말 관계 낱말 적용 관용 표현

다음 빈칸에 들어갈 말로 알맞은 것은 무엇입니까? (   )

> 근대화 과정에서 신에게 기원을 하는 굿이나 앞날의 운수를 미리 판단하는 점 등은 비과학적인 (   )(으)로 취급되어 물리쳐야 할 대상이 되기도 하였다.

① 계몽   ② 미신   ③ 신화   ④ 종교   ⑤ 진보

2 낱말 이해 낱말 관계 낱말 적용 관용 표현

다음 낱말의 뜻으로 알맞은 것을 찾아 선으로 이으시오.

(1) 풍조 •

(2) 무지 •

(3) 진보 •

• ㉮ 아는 것이 없음.

• ㉯ 어떤 현상이 계속해서 나아짐.

• ㉰ 세상에 퍼져 있는 바람직하지 않은 분위기.

3 낱말 이해 낱말 관계 낱말 적용 관용 표현

다음 상황을 표현하기에 적절한 한자성어는 무엇입니까? (   )

> 중세 유럽에는 세상의 모든 것은 신이 창조한 것이며 자연 현상이나 인간의 운명 또한 신이 미리 정해 둔 것이라고 여기는 사람이 많았다. 심지어 사람들의 목숨을 빼앗는 전염병이 유행해도 신의 뜻이라고 보았다. 이는 자연에 대한 과학적 지식이 부족했기 때문이다.

① 감언이설(甘言利說)   ② 동문서답(東問西答)
③ 마이동풍(馬耳東風)   ④ 무지몽매(無知蒙昧)
⑤ 일취월장(日就月將)

어휘력 +

• **감언이설** 남을 속이기 위하여 남의 비위에 맞게 이로운 듯이 꾸며서 하는 말.

• **동문서답** 묻는 말과는 관계가 없는 엉뚱한 대답.

• **마이동풍** 남의 의견이나 충고를 전혀 듣지 않음.

• **무지몽매** 아는 것이 없고 사리에 어두움.

• **일취월장** 날이 가고 달이 갈수록 발전함.

연역 추리와 삼단 논법

13년 수능 유사 주제

• 지문 해설

• 지문 난이도: 상
●━━━●━━━●

• 글자 수: 1337자
○━━●━━○
1000   1500

사람들은 시각으로 색깔을 보고, 청각으로 소리를 들으며, 후각으로 냄새를 맡고, 미각으로 음식을 맛본다. 그리고 촉각으로 부드럽고 딱딱함을 느낀다. 그리고 이러한 감각적 경험을 통해 여러 가지 사물이나 자연 현상이 어떠하다는 사실을 알게 된다. 그러나 인간은 감각적인 경험에 의지하지 않아도 '1 더하기 1은 2이다.'와 같은 수학적 사실이나 미처 경험하지 않은 새로운 사실을 알 수도 있다. 이렇게 실제로 경험하지 않더라도 여러 가지를 차근차근 따지고 앞뒤를 가려 파악할 수 있는 능력이 곧 이성이다.

이성이 하는 일 중에서 가장 중요한 것은 추리에 의한 논리적 사고이다. 논리적 사고란 사물을 사리에 맞게 차근차근 따지고 앞뒤를 가려 모순 없이 생각하는 과정을 말한다. 예를 들어, 우리는 "비가 내리면 땅이 젖을 것이다. 지금 비가 내린다. 그러므로 땅이 젖을 것이다."와 같이 생각할 수 있다. 추리는 기존에 알고 있는 어떤 사실을 바탕으로 그것과 관련 있는 새로운 사실을 이끌어 내는 사고 과정이다.

추리에는 연역 추리, 귀납 추리, 유비 추리 등이 있다. 이를 각각 연역법, 귀납법, 유추라고 이르기도 한다. 이 중에서 연역 추리는 옳다고 인정되는 보편적인 사실을 근거로 삼아서 그것보다 구체적인 사실을 이끌어 내는 추리를 말한다. 경험을 필요로 하지 않는 논리적 사고에 의해 이루어지는데, 대표적인 사고 방법은 삼단 논법이다.

삼단 논법은 대전제와 소전제를 바탕으로 결론을 이끌어 내는 추리다. 삼단 논법의 예를 들면 다음과 같다.

[대전제] 모든 사람은 죽는다.

[소전제] 소크라테스는 사람이다.

[결론] 그러므로 소크라테스는 죽는다.

'모든 사람은 죽는다.'라는 대전제는 누구도 의심하지 않는 사실이다. 그리고 '소크라테스'는 '사람'에 속한다. 이 두 가지 사실을 근거로 삼아서 '소크라테스는 죽는다.'라는 새로운 사실을 ⊙이끌어 낼 수 있다. 이때 결론의 내용은 대전제와 소전제에서 언급된 것이어야 한다. '모든 사람은 죽는다. 소크라테스는 사람이다. 따라서 소크라테스는 매우 똑똑하다.' 같은 삼단 논법은 올바른 추리가 아니다. 또한 대전제나 소전제 중 하나라도 참이 아니라면, 즉 거짓이라면 결론도 거짓이 된다.

조금만 더 생각해 보면 '모든 사람은 죽는다.'라는 대전제 속에 소크라테스가 죽는다는 사실이 이미 포함되어 있다는 것을 알 수 있다. 이처럼 일반적인 삼단 논법을 통해 얻어지는 지식은 새로운 진리는 아니다. 하지만 추리 과정이 복잡해지면, 거기서 얻어진 결론이 새로운 지식이 될 수도 있다. 예를 들어 아인슈타인은 수학적 이론을 바탕으로 하는 복잡한 연역 추리를 통해 상대성 이론을 주장하였고, 이후의 과학적 실험으로 그 이론이 틀리지 않았음이 검증되었다.

• 후각 냄새를 느끼는 감각.

• 미각 혀로 맛을 느끼는 감각.

• 촉각 살갗이 외부의 사물에 닿는 것을 느끼는 감각.

• 모순(矛 창 모, 盾 방패 순) 이치에 맞지 않는 것.

• 귀납 개별적인 특수한 사실이나 원리로부터 일반적이고 보편적인 명제 및 법칙을 유도해 내는 일.

• 유비 두 개의 사물이 여러 면에서 비슷하다는 것을 근거로 다른 속성도 유사할 것이라고 추론하는 일.

• 전제 어떤 일이 이루어지기 위해서는 먼저 되어 있어야 하거나 해결해야 하는 사실이나 조건.

• 결론(結 맺을 결, 論 논의할 론) 어떤 문제에 관한 말·생각·사정 등을 정리하여 마지막으로 내린 판단.

• 참 사실이나 진리에 어긋나지 않는 것.

• 검증(檢 검사할 검, 證 증거 증) 검사하여 사실이라는 것을 증명함.

글의 구조 TIP

이 글은 총 다섯 개의 문단으로 이루어져 있습니다. 1, 2문단에서 이성과 추리의 개념에 대해 설명하고, 3문단에서 그중 연역 추리와 삼단 논법에 대해 소개한 뒤, 4, 5문단에서 구체적인 사례를 들어 설명하고 있습니다.

1 글의 구조 문단 내용 정리하기

다음은 이 글을 읽고 내용을 정리한 것입니다. 빈칸에 들어갈 적절한 말을 쓰시오.

1 (   )의 개념

2 이성을 활용하는 논리적 사고와 (   )

3 (   )의 뜻

4 (   )의 뜻과 예시

5 (   )의 한계와 가능성

2 내용 이해 세부 정보 파악하기

이 글의 내용으로 적절하지 <u>않은</u> 것은 무엇입니까? (   )

① 일반적인 삼단 논법으로 완전히 새로운 지식을 얻기는 어렵다.

② 인간은 감각적인 경험을 통하지 않고서는 새로운 사실을 알 수 없다.

③ 삼단 논법은 대전제와 소전제를 근거로 구체적인 결론을 이끌어 낸다.

④ 삼단 논법에서 결론의 내용은 대전제와 소전제에서 언급된 것이어야 한다.

⑤ 추리는 기존의 사실을 바탕으로 새로운 사실을 이끌어 내는 사고 과정이다.

3 추론하기 세부 내용 추론하기

다음 중, 연역 추리가 <u>아닌</u> 것은 무엇입니까? (   )

① 곤충은 다리가 여섯 개다. 거미는 다리가 여덟 개다. 그러므로 거미는 곤충이 아니다.

② 동물은 언젠가는 죽는다. 호랑이는 동물이다. 그러므로 호랑이는 언젠가는 죽을 것이다.

③ 모든 포유동물은 척추동물이다. 모든 소는 포유동물이다. 그러므로 모든 소는 척추동물이다.

④ 저 꽃에는 가시가 있을 것이다. 왜냐하면 장미에는 가시가 있는데, 저 꽃은 장미이기 때문이다.

⑤ 나는 파란 옷을 입은 사람을 열 명 만났는데, 모두 불친절했다. 그러므로 파란 옷을 입은 사람은 불친절하다.

4 적용하기 다른 상황에 적용하기

이 글과 보기 의 ㉮를 참고하여, ㉯를 평가한 내용으로 적절한 것은 무엇입니까?

( )

보기

㉮ 형식적인 측면에서는 '타당'이라는 표현을 쓰고, 내용적인 측면에서는 '건전'이라는 표현을 쓴다. 삼단 논법 같은 연역 추리는 전제와 결론 간의 형식만 따지는 것이므로 추리 과정에 오류가 없으면 '타당하다'고 표현한다. 따라서 상식과 맞지 않는 결론이 나오더라도 '타당'할 수 있다. 그리고 과정이 '타당'한데 전제나 결론이 참일 경우에는 '건전하다'고 하며, 과정이 '타당'한데 전제나 결론이 거짓일 경우에는 '건전하지 않다'고 한다.

㉯ [대전제] 흔하지 않은 것은 비싸다.

　[소전제] 1원짜리 동전은 흔하지 않다.

　[결론] 그러므로 1원짜리 동전은 비싸다.

① 타당하면서 건전한 삼단 논법이다.

② 타당하지 않지만 건전한 삼단 논법이다.

③ 타당하지만 건전하지 않은 삼단 논법이다.

④ 타당하지 않고 건전하지도 않은 삼단 논법이다.

⑤ 대전제와 소전제는 참이지만 결론이 거짓인 추리이다.

5 어휘·어법 어휘의 문맥적 의미 파악하기

㉠'이끌어 낼 수 있다'와 바꿔 쓰기에 가장 적절한 말은 무엇입니까? ( )

① 노출할 수 있다

② 도출할 수 있다

③ 연출할 수 있다

④ 유출할 수 있다

⑤ 지출할 수 있다

어휘

• **타당** 이치에 맞아 옳음.

• **전제** 어떤 일이 이루어지기 위해서는 먼저 되어 있어야 하거나 해결해야 하는 사실이나 조건.

• **오류** 잘못이나 실수.

• **상식** 보통 사람이 대개 가지고 있을 만한 지식이나 판단력.

어휘·어법 TIP

• **노출** 겉으로 드러냄.

• **도출** 판단이나 결론 따위를 이끌어 냄.

• **연출** 각본에 따라 배우나 출연자의 행동, 무대 장치, 조명, 음향 효과 등을 지시하고 전체를 합하여 하나의 작품으로 만드는 일.

• **유출** 새어 나와 알려지게 되는 것.

• **지출** 어떤 목적을 위하여 돈을 치름.

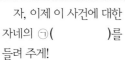

1 낱말 이해 낱말 관계 낱말 적용 관용 표현

다음 그림을 보고, ㉠과 ㉡에 알맞은 낱말을 보기 에서 각각 찾아 쓰시오.

보기

추리	추이	전제	검증	검사

자, 이제 이 사건에 대한 자네의 ㉠(   )를 들려 주게!

의외로 간단하네. 이 발자국과 용의자의 신발을 비교하면 범인이 누구인지 알 수 있지. 자, 신발을 가져와서 ㉡(   ) 해 볼까?

2 낱말 이해 낱말 관계 낱말 적용 관용 표현

낱말의 관계가 다음의 두 낱말과 <u>다른</u> 것은 무엇입니까? (   )

감각 - 시각

① 계절 - 봄   ② 과일 - 귤   ③ 안면 - 낮
④ 한식 - 비빔밥   ⑤ 동물 - 호랑이

3 낱말 이해 낱말 관계 낱말 적용 관용 표현

다음 이야기와 관계있는 한자성어는 무엇입니까? (   )

> 어느 장사꾼이 시장에서 방패와 창을 팔고 있었다.
> "자, 여기 이 방패를 보십시오. 이 방패는 어찌나 튼튼한지 어떤 창으로도 뚫지 못합니다."
> 이렇게 방패를 자랑한 장사꾼은 이번에는 창을 집어 들고 외쳤다.
> "자, 이 창을 보십시오. 이 창은 어찌나 날카로운지 어떤 방패로도 막지 못한답니다."
> 그때, 구경꾼들 중에 한 사람이 물었다.
> "그럼, 당신이 파는 창으로 당신이 파는 방패를 찌르면 어떻게 됩니까?"
> 그러자 장사꾼은 아무 대답도 하지 못했다.

① 모순(矛盾)   ② 백미(白眉)   ③ 동문서답(東問西答)
④ 죽마고우(竹馬故友) ⑤ 칠전팔기(七顚八起)

어휘력 +

- **모순** 이치에 맞지 않는 것.
- **백미** 여럿 가운데서 가장 뛰어난 것. 또는 그런 사람.
- **십시일반** 어떤 일에 도움을 주기 위해 여러 사람이 조금씩 힘을 합하는 것.
- **죽마고우** 어렸을 적부터 친하게 지내는 오랜 친구.
- **칠전팔기** 여러 번의 실패에도 굽히지 않고 다시 일을 시작하는 것.

호텔의 얼굴, 호텔리어

호텔리어의 어원과 명칭, 직업으로서의 전망과 갖추어야 할 자질, 관련 학과, 어려움 등 호텔리어에 대한 여러 가지 정보를 전달하는 글입니다.

유명 브랜드를 선호하는 이유

사람들이 유명 브랜드를 선호하는 이유가 그것을 보면 쾌감을 느끼기 때문이라는 것을 과학적으로 설명하고, 그런 심리가 부적절한 소비를 초래할 수도 있음을 지적하는 글입니다.

재활용품 분리배출 방법

재활용품을 분리배출하는 방법과 배출 과정에서 유의해야 할 점을 구체적으로 설명하고 있는 글입니다.

게임 과몰입은 질병이 아니다

게임 과몰입을 질병으로 보고 사회적 차원에서 치료해야 한다는 주장을 소개한 뒤, 청소년들의 일반적인 특성을 근거로 들어 게임 과몰입을 질병으로 보면 안 된다고 주장하는 글입니다.

사회

'사회' 영역의 글은 우리가 살아가는 사회에서 일어나는 다양한 사회 현상과 정치, 경제, 법과 환경 등을 다룹니다.

죄수의 딜레마

'죄수의 딜레마' 이론을 구체적으로 제시하고, 개인의 이기적인 선택은 집단 전체의 손해를 초래하므로 서로 협력하는 것이 가장 좋은 결과를 가져옴을 설명하는 글입니다.

기준 금리가 경제에 미치는 영향

중앙은행이 결정하는 기준 금리의 개념을 제시하고, 기준 금리가 경제에 큰 영향을 미친다는 것을 설명하는 글입니다.

파레토 법칙과 롱테일 법칙

상위 20%의 소수에 초점을 두는 파레토 법칙과 하위 80%의 다수에 초점을 두는 롱테일 법칙을 온라인과 오프라인의 마케팅을 중심으로 설명하는 글입니다.

유명 브랜드를 선호하는 이유

• 지문 해설

• 지문 난이도: 중
●━━●━━●━━○━━○

• 글자 수: 1342자
●━━━━━●━━━━○
1000   1500

몇 년 전에 청소년들 사이에서 특정 브랜드의 옷이 엄청난 인기를 끌었다. 특히 그 옷은 사회적으로 논란이 되기도 했다. 단지 유명 브랜드 로고가 붙어 있다는 이유로 동일한 품질의 다른 제품보다 훨씬 비쌌는데도 없어서 팔지 못했을 정도였기 때문이다. 이런 현상은 청소년만의 문제가 아니다. 어른들도 유명한 브랜드를 선호하는 경향이 강하다. 가까운 뒷산을 오르면서도 비싸고 유명한 등산복을 입는 경우가 많은 것이 그 예이다. 속칭 '명품'이라고 불리는 고가 브랜드에 대한 선호 현상도 심하다. 예를 들어, 흔히 볼 수 있는 평범한 모양의 가방도 명품 브랜드 로고가 붙어 있으면 가격이 수십만 원에서 수백만 원까지 한다. 비싸지 않은 다른 제품보다 실용성이 월등히 높은 것도 아니다. 그런데도 없어서 못 팔 만큼 잘 팔리는 이유는 무엇일까?

유명 브랜드를 선호하는 까닭은 남에게 잘 보이려는 심리 때문이기도 하지만, 무엇보다 사람들이 매력적인 브랜드에서 쾌감을 느끼기 때문이다. 음료수를 마실 때 우리 뇌가 어떤 반응을 보이는지 자기 공명 영상 장치(MRI)로 촬영하는 실험을 했다. 음료수의 브랜드를 모른 채 음료수를 마셨을 때에는 음료수의 단맛 때문에 뇌의 전두엽이 활성화되었다. 반면, 인기가 많은 특정 브랜드의 음료수라는 것을 알고 마셨을 때에는 전두엽 외에 쾌감을 관장하는 영역도 활성화되는 것으로 나타났다. 브랜드를 아는지 모르는지에 따라 쾌감을 느끼는 정도가 달라진 것이다.

유명 브랜드를 보면 왜 쾌감이 생기는 것일까? 이는 사람들이 매력을 느끼는 브랜드를 보면 그로 인해 얻을 가치나 보상을 예상하기 때문이다. 즉 그 브랜드가 붙은 물건을 가지고 있을 때 자신이 느낄 기분이나 다른 사람들이 자신에게 보일 반응에 대한 기대가 우리 몸속에서 특정 신호를 생성하고, 이 신호를 받은 뇌가 쾌감을 느끼게 하는 도파민이라는 물질을 분비해 흥분을 일으키는 것이다. 최근의 신경 과학 연구에 의하면 비싸고 유명한 브랜드일수록 뇌의 쾌감을 느끼는 부분을 더 강하게 자극하는 것으로 나타났다. 그리고 이런 자극이 그 브랜드에 대해 긍정적인 감정으로 이어지면서 그것을 가지고 싶다는 욕구를 느끼게 하고 결국에는 무리를 해서라도 그 브랜드 제품을 구매하게 하는 것이다.

브랜드만 보고 구매하는 태도에는 어떤 문제가 있을까? 이런 태도는 충동적이고 비합리적인 소비로 이어질 수 있다. 브랜드의 인기만 보고, 정말 자신에게 필요한지, 가격만큼의 실용성이 있는지, 수리나 수선은 쉬운지 등 어떤 것을 구매할 때 반드시 따져봐야 하는 선택 기준을 제대로 살피지 않는 잘못을 범하게 되는 것이다. 이처럼 매력적인 브랜드는 우리에게 쾌감을 주기도 하지만 부적절한 소비를 초래하기도 하는 양면성을 가지고 있다.

• 선호(選 가릴 선, 好 좋을 호)하는 여러 가지 중에서 특별히 좋아하는.

• 속칭 세상에서 보통 쓰는 이름.

• 고가(高 높을 고, 價 값 가) 비싼 값.

• 실용성 실제적인 쓸모가 있는 성질이나 특징.

• 월등히 수준이 정도 이상으로 뛰어나게.

• 전두엽 대뇌의 앞부분.

• 관장하는 기관이나 조직의 일을 맡아서 다루는.

• 생성(生 날 생, 成 이룰 성)하고 생겨나게 하고.

• 분비해 몸속의 일부 기관과 세포에서 여러 가지 생리 작용을 일으키는 물질을 만들어 몸에서 퍼지거나 나오게 해.

• 충동적 뚜렷한 판단 없이 갑자기 하고 싶은 마음이 생기는 것.

• 범하게 저지르게.

• 양면성(兩 두 양, 面 낯 면, 性 성품 성) 한 가지 사물에 속하여 있는 서로 맞서는 두 가지의 성질.

1 문단 내용 정리하기

다음은 이 글을 읽고 내용을 정리한 것입니다. 빈칸에 들어갈 적절한 말을 쓰시오.

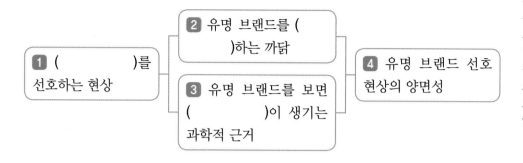

이 글은 총 네 개의 문단으로 이루어져 있습니다. **1**문단에서는 유명 브랜드를 선호하는 현상을 소개하고, **2**, **3**문단에서는 유명 브랜드를 왜 선호하는지 과학적인 근거를 들어 설명합니다. 그리고 **4**문단에서는 유명 브랜드 선호 현상의 양면성을 알리고 있습니다.

2 세부 정보 파악하기

이 글의 내용으로 적절하지 <u>않은</u> 것은 무엇입니까? (   )

① 청소년과 어른 모두 유명하고 비싼 브랜드를 선호하는 경향이 있다.

② 매력적인 브랜드를 보면 뇌에서 쾌감을 느끼게 하는 도파민이 분비된다.

③ 사람들은 실용성을 고려하여 비싼 가격을 주고 유명 브랜드를 구입한다.

④ 브랜드만 보고 구매하는 태도는 충동적인 소비로 이어질 가능성이 높다.

⑤ 유명 브랜드를 보면 뇌의 전두엽과 함께 쾌감을 느끼는 영역이 활성화된다.

3 설명 방식 파악하기

이 글에 대한 설명으로 적절한 것은 무엇입니까? (   )

① 유명 브랜드가 우리에게 주는 장점만을 제시하고 있다.

② 유명 브랜드를 선호하는 심리를 다른 것에 빗대어 설명하고 있다.

③ 유명 브랜드를 좋아하는 현상을 대조의 방법으로 보여 주고 있다.

④ 질문의 형식으로 이어질 내용을 안내하며 독자의 이해를 돕고 있다.

⑤ 설문 조사 결과를 인용하면서 유명 브랜드를 선호하는 까닭을 설명하고 있다.

적용하기 구체적인 상황에 적용하기

4 이 글을 읽은 학생이 보기 에 대해 보인 반응으로 적절하지 <u>않은</u> 것은 무엇입니까?

(   )

보기

> 서아는 학생들에게 큰 인기를 얻고 있는 유명 브랜드의 매장에서 상품을 구경하다가, 브랜드 로고를 큼지막하게 붙여 놓은 가방을 보았다. 그 가방의 가격은 매우 비쌌다. 서아는 그 가방을 너무 가지고 싶었다.

① 그 가방의 브랜드를 봤을 때 서아의 뇌에서 도파민이 분비되었을 것이다.

② 서아는 그 가방의 실용성이나 수선의 편리함 등은 생각하지 않았을 것이다.

③ 서아에게 돈이 있다면 꼭 필요하지 않아도 그 가방을 구매할 가능성이 높다.

④ 서아는 그 가방을 구매했을 때 얻을 수 있는 가치나 보상을 예상했을 것이다.

⑤ 그 가방이 유명 브랜드가 아니고 가격이 쌌다면 뇌의 쾌감을 느끼는 부분이 더 강하게 자극되었을 것이다.

어휘·어법 한자성어로 표현하기

5 이 글을 참고할 때, 유명 브랜드를 선호하는 사람들의 심리를 나타내는 한자성어로 적절한 것은 무엇입니까? (   )

① 견물생심(見物生心)

② 이심전심(以心傳心)

③ 작심삼일(作心三日)

④ 어부지리(漁夫之利)

⑤ 감언이설(甘言利說)

어휘·어법 TIP

- **견물생심** 물건을 보면 그것을 가지고 싶은 욕심이 생김.

- **이심전심** 직접 말을 하지 않아도 서로 마음으로 뜻이 통함.

- **작심삼일** 결심이 오래가지 못함.

- **어부지리** 둘이 다투고 있는 사이에 엉뚱한 사람이 그 이익을 가로챔.

- **감언이설** 남을 속이기 위하여 남의 비위에 맞게 이로운 듯이 꾸며서 하는 말.

어휘력 완성

정답 및 풀이 08쪽

`낱말 이해` `낱말 관계` `낱말 적용` `관용 표현`

1 다음 그림을 보고, ㉠과 ㉡에 알맞은 낱말을 보기 에서 각각 찾아 쓰시오.

보기

| 선거 | 선호 | 실용성 | 희귀성 | 양면성 |

이게 요즘 사람들이 ㉠(   ) 하는 점퍼야!

유행하는 옷은 멋있긴 하지만 너무 많은 사람들이 입는다는 ㉡(   )이/가 있지…….

`낱말 이해` `낱말 관계` `낱말 적용` `관용 표현`

2 낱말 간의 관계가 다음 두 낱말의 관계와 같은 것은 무엇입니까? (   )

수리 – 수선

① 계절 – 가을　　② 관장 – 주관　　③ 구매 – 판매
④ 고가 – 저가　　⑤ 유명 – 무명

`낱말 이해` `낱말 관계` `낱말 적용` `관용 표현`

3 다음 밑줄 그은 부분을 표현하는 관용어로 알맞은 것은 무엇입니까? (   )

유명한 브랜드일수록 뇌의 쾌감을 느끼는 부분을 더 강하게 자극한다. 그리고 이런 자극이 그 브랜드에 대해 긍정적인 감정으로 이어지면서 <u>그것을 가지고 싶다는 욕구를 느끼게 한다.</u>

① 눈에 나다　　② 입을 닦다　　③ 침을 삼키다
④ 혀를 내두르다　　⑤ 머리털이 곤두서다

어휘력 ➕

• **눈에 나다** 신임을 잃고 미움을 받게 됨.

• **입을 닦다** 이익 따위를 혼자 차지하거나 가로채고서는 시치미를 뗌.

• **침을 삼키다** 자기 소유로 하고자 몹시 탐냄.

• **혀를 내두르다** 몹시 놀라거나 어이없어서 말을 못 함.

• **머리털이 곤두서다** 무섭거나 놀라서 날카롭게 신경이 긴장됨.

호텔의 얼굴, 호텔리어

• 지문 해설

• 지문 난이도: 하
●━━●━━●━━●━━●

• 글자 수: 1379자
○━━○━━●━━○━━○
1000　　　1500

세계화가 급속하게 진행되면서 국가 간 이동이 활발해지고, 다양한 문화를 지닌 사람들 간의 교류가 빈번해지면서 호텔·관광 산업은 지속적으로 발전하고 있다. 이런 추세에서 주목받는 직업이 바로 호텔리어이다. 우리나라를 방문하는 외국인 관광객이 늘면서 숙련된 호텔리어에 대한 수요도 늘고 있다. 또한 고객마다 다른 맞춤 서비스가 이루어져야 하므로 기계로 대체할 수 없기 때문에 그 가치가 더욱 높아지고 있다.

[가] 원래 호텔리어는 호텔의 경영자나 지배인 등을 의미하는 용어였다. 그러나 최근에는 호텔의 각 부서에서 고객이 편리하게 호텔을 이용할 수 있도록 서비스하는 모든 종업원을 가리키는 의미로 사용되고 있다. 그렇기 때문에 현장에서 호텔리어는 어떤 부서에서 어떤 서비스를 담당하느냐에 따라 각기 다른 이름으로 불린다. 예를 들어, 객실부에서 관리자로 일하면 '객실 매니저', 서비스부에서 고객을 객실로 안내하고 호텔 시설과 관련한 정보를 제공하면 '벨맨', 호텔 전체의 업무를 관리하면 '총지배인'이라고 한다. 연회 같은 행사만을 담당하거나 귀빈만 담당하는 직원도 있다.

호텔리어에게는 서비스 정신이 필요하다. 호텔을 방문하는 사람에게 직접 서비스를 하는 직업이기 때문에 상대방을 배려하는 마음이 매우 중요하다. 이 때문에 식당이나 공연 예약, 교통 및 관광 정보 제공, 물품 구매 등 고객이 요청하는 거의 모든 서비스를 제공하는 '컨시어지'는 호텔 서비스의 꽃이라고 불린다. 컨시어지는 본래 고객의 다양한 요구를 들어주는 서비스를 의미하는 말이었으나 최근에는 '개인 비서처럼 고객이 필요로 하는 모든 서비스를 총괄적으로 제공하는 호텔리어'를 이르는 말로 쓰이고 있다. 호텔리어는 국제적인 매너와 외국어 실력도 갖추어야 한다. 호텔에는 다양한 나라에서 온 외국인들이 많이 방문하기 때문이다. 세계 여러 지역과 민족, 문화에 대한 지식을 갖추면 더 좋다.

최근에는 호텔리어의 전문성을 기를 수 있는 관련 학과들도 많아지고 있다. 대학의 관련 학과로는 호텔 경영학과, 관광 경영학과, 국제 관광학과, 관광 통역학과 등이 있다. 호텔 경영학과의 경우 크게 경영 분야 과목과 호텔 분야 과목을 배운다. 경영 분야에서는 호텔 사업을 운영하기 위한 과목을 배우고 호텔 분야에서는 객실 운영 관리부터 관광까지 실제 업무와 관련된 과목을 실습 중심으로 배운다.

영화나 방송 매체 등에서 호텔리어는 대개 전문적이면서 상대에 대한 정중함을 잃지 않는 멋진 모습으로 등장한다. ⟨ ㉠ ⟩ 늘 웃으면서 고객을 대하는 일은 사실 매우 어려운 일이다. 감정 표출을 제대로 하지 못해 심한 경우에는 우울증에 걸리기도 한다. ⟨ ㉡ ⟩ 육체적인 노동을 해야 하는 경우도 많고, 야간이나 주말에 일을 해야 하는 경우도 많다. 이런 점 때문에 호텔리어로 취업한 지 얼마 지나지 않아서 다른 진로를 고민하는 경우도 있다.

• 빈번해지면서 매우 잦아지면서.

• 추세 일이 어떤 방향으로 계속하여 변하여 나아가는 것.

• 숙련된 어떤 기술적인 일에 아주 익숙함.

• 대체(代 대신할 대, 替 바꿀 체)할 다른 것으로 대신할.

• 부서 일의 성격에 따라 여럿으로 나누어진 사무 단위.

• 연회 축하, 환영을 위하여 여러 사람이 모이는 잔치.

• 귀빈(貴 귀할 귀, 賓 손 빈) 귀하거나 중요한 손님.

• 총괄적으로 여러 가지를 하나로 합쳐서.

• 정중함 예의바르고 점잖음.

• 표출(表 겉 표, 出 날 출) 생각이나 감정이 남이 알게 겉으로 나타나는 것.

글의 구조 문단 내용 정리하기

1 다음은 이 글을 읽고 내용을 정리한 것입니다. 빈칸에 들어갈 적절한 말을 쓰시오.

- **1** 주목받는 직업 (   )
  - **2** (   )의 뜻과 하는 일
  - **3** 호텔리어가 갖추어야 할 자질
  - **4** 호텔리어와 관련된 대학 (   )
  - **5** 호텔리어의 (   )

글의 구조 TIP

이 글은 총 다섯 개의 문단으로 이루어져 있습니다. **1**문단에서는 주목받는 직업인 호텔리어를 소개하고, **2**∼**5**문단에서는 호텔리어의 뜻과 하는 일, 갖추어야 할 자질, 관련 학과, 호텔리어의 어려움 등 호텔리어와 관련한 다양한 정보를 나열하고 있습니다.

내용 이해 세부 정보 파악하기

2 호텔리어에 대해 이해한 내용으로 적절하지 <u>않은</u> 것은 무엇입니까? (   )

① 호텔리어는 원래 호텔의 경영자나 지배인 등을 일컫는 말이었다.

② 호텔리어가 되기 위해서는 반드시 관련 학교나 학과를 거쳐야 한다.

③ 호텔리어는 겉보기와 달리 정신적으로나 육체적으로 어려운 일이다.

④ 호텔리어는 호텔에서 일하는 부서에 따라 각기 다른 이름으로 불린다.

⑤ 세계화가 급속하게 진행되면서 호텔리어가 직업적으로 주목받고 있다.

전개 방식 설명 방식 파악하기

3 [가]에 사용된 설명 방식을 보기 에서 모두 골라 적절하게 짝 지은 것은 무엇입니까?

(   )

보기

㉮ 다른 대상과 비교하여 중심 대상의 특징을 강조한다.

㉯ 대상을 이루는 구성 요소를 나누고 각각을 설명한다.

㉰ 예시를 통해 독자가 내용을 쉽게 이해하도록 돕는다.

㉱ 핵심적인 용어의 뜻을 명백히 밝혀 개념을 정의한다.

① ㉮, ㉯   ② ㉮, ㉰   ③ ㉯, ㉰   ④ ㉯, ㉱   ⑤ ㉰, ㉱

수능형 **적용하기** 다른 상황에 적용하기

4 이 글을 읽은 학생이 보기 의 영화를 보고 했을 생각으로 적절하지 <u>않은</u> 것은 무엇입니까? (   )

문제 풀이

> **보기**
>
> 『그랜드 부다페스트 호텔』은 호텔을 배경으로 하는 영화이다. 총지배인인 '구스타브'와 고객의 짐을 날라 주는 벨맨인 '제로'가 영화의 주인공이다. 오랫동안 호텔에서 일을 해 온 '구스타브'는 귀빈이 호텔을 방문하면 마치 개인 비서처럼 그 귀빈의 서비스를 **전담하기도** 한다. 그러던 중 '구스타브'가 살인자라는 **누명**을 쓰고 교도소에 갇히게 되고, '제로'는 그의 누명을 풀어 주기 위해 노력한다.

① '제로'는 늘 웃으며 일을 하였지만 어려움도 있었을 거야.
② '구스타브'와 달리 '제로'는 호텔리어라고 부를 수 없겠어.
③ '제로'가 다른 부서에서 일을 했다면 **명칭**이 달라졌을 거야.
④ '구스타브'는 귀빈이 방문하면 컨시어지 역할도 하였을 거야.
⑤ '구스타브'가 하는 일이 호텔리어의 본래 의미에 가까울 거야.

어휘
- **전담하기도** 모두 다 맡아 하기도.
- **누명** 사실이 아닌 일 때문에 억울하게 얻은 나쁜 평판.
- **명칭** 무엇을 가리켜 부르는 이름.

어휘·어법 이어 주는 말

5 ㉠과 ㉡에 들어갈 이어 주는 말로 적절한 것끼리 짝 지어진 것은 무엇입니까?

(   )

	㉠	㉡
①	또한	하지만
②	그리고	한편
③	그러나	그래서
④	따라서	그리고
⑤	하지만	게다가

어휘·어법 TIP
- **또한, 그리고** 비슷한 내용이 나란히 올 때 사용함.
- **하지만, 그러나** 앞의 내용과 반대되는 내용이 나올 때 사용함.
- **따라서, 그래서** 앞의 내용과 이어지는 내용이 올 때 사용함.
- **한편** 앞의 내용과 상관 없는 내용이 나올 때 사용함.
- **게다가** 앞의 내용에 추가할 내용이 있을 때 사용함.

어휘력 완성

1 낱말 이해 낱말 관계 낱말 적용 관용 표현

다음 그림을 보고, ㉠과 ㉡에 알맞은 낱말을 보기 에서 각각 찾아 쓰시오.

보기

| 연주 | 연기 | 연회 | 고객 | 귀빈 |

경복궁 경회루는 임금이 신하들과
㉠(   )를 하거나 사신과 같
은 ㉡(   )을 접대하는 장소
로 이용되었습니다.

2 낱말 이해 낱말 관계 낱말 적용 관용 표현

다음 밑줄 그은 말과 바꿔 쓸 수 있는 낱말은 무엇입니까? (   )

세계화가 급속하게 진행되면서 국가 간 이동이 활발해지고, 다양한 문화를 지닌 사람들 간의 교류가 <u>빈번해지면서</u> 호텔·관광 산업은 지속적으로 발전하고 있다.

① 뜸해지면서   ② 빨라지면서   ③ 없어지면서

④ 잦아지면서   ⑤ 힘들어지면서

3 낱말 이해 낱말 관계 낱말 적용 관용 표현

다음 밑줄 그은 부분과 어울리는 한자성어를 찾아 선으로 이으시오.

어휘력 ⊕
• **각양각색** 서로 다른 여러 가지 모양과 색깔.
• **팔방미인** 여러 방면에 재주가 있는 사람.

(1) 컨시어지는 고객이 요청하는 다양한 서비스를 제공해야 하므로 <u>여러 가지 능력을 지니고 있어야 한다.</u> •

• ㉮ 각양각색 (各樣各色)

(2) 고급 호텔에는 <u>언어와 문화가 서로 다른, 다양한 국적의 외국인들</u>이 많이 방문한다. •

• ㉯ 팔방미인 (八方美人)

• 지문 해설

• 지문 난이도: 하
●─●─○─○─○

• 글자 수: 1367자
○─○─●─○─○
1000   1500

• **분리배출** 쓰레기를 종류에 따라 나누어 버리는 것.

• **최고급**(最 가장 최, 高 높을 고, 級 등급 급) 가장 높은 등급.

• **천연**(天 하늘 천, 然 그럴 연) 사람이 건드리지 않은 자연 그대로의 상태.

• **폐지** 쓸 데가 없어 버리는 종이.

• **별도**(別 다를 별, 途 길 도) 따로 마련된 것.

• **은박지** 은과 같은 빛깔이 나는 것을 종이처럼 얇게 만든 물건.

• **이물질** 함께 섞이면 안 될 다른 물질.

• **대야** 주로 세수할 때 물을 담아 쓰는 둥글고 넓적한 그릇.

• **재질**(材 재목 재, 質 바탕 질) 재료가 가지고 있는 성질.

• **내열** 높은 열에 견디는 것.

• **효율** 들인 노력과 얻은 결과의 비율.

• **현저히** 눈에 띄게 뚜렷이.

• **폐기해** 쓸모없는 것을 내버려.

    ⊙컵라면 용기의 은박 뚜껑은 재활용품으로 분리배출해야 할까? 아니면 일반 쓰레기로 버려야 할까? 재활용품과 일반 쓰레기를 분류하는 일은 까다롭지만 제대로 분리해서 배출하면 그만큼 자원도 아끼고 환경도 보호할 수 있다. 재활용 쓰레기를 분리배출하는 방법을 알아보자.

    재활용품은 크게 종이류, 캔·고철류, 비닐류, 플라스틱류, 유리류로 나눌 수 있는데, 종류별로 투명 비닐봉지에 담아 정해진 장소에 내놓으면 된다. 아파트의 경우에는 종류별로 분리배출을 하도록 만들어 둔 장소가 있으니 해당하는 곳에 두면 된다. 이때 제품에 표시된 삼각형 모양의 '분리배출 표시'를 확인하면 도움이 된다.

    일단 종이류는 대부분 재활용이 된다. 종이 재질의 우유갑이나 종이컵 등은 대개 수입되는 최고급 천연 펄프로 제작된 것이므로 일반 폐지와 별도로 배출하는 것이 좋다. 종이인 듯하지만 종이가 아닌 것들도 조심해야 한다. 예를 들어, 아이스크림콘을 감싸고 있는 포장지는 종이가 아니라 비닐류이다. 카드 영수증은 약품 처리되어 있어 재활용이 불가능하므로 쓰레기봉투에 담아서 버려야 한다. 음식물 등으로 지저분하게 오염된 종이나 코팅된 종이도 재활용되지 않는다.

    캔과 고철류는 거의 대부분 재활용 대상이다. 다만 알루미늄 포일 같은 은박지는 재활용할 수 없다. 비닐류와 플라스틱류는 대부분 재활용이 되므로 분리해서 배출하면 된다. 컵라면을 싸고 있는 얇은 투명 포장지와 은박으로 된 용기 뚜껑도 재활용 대상 비닐이다. 이물질이 묻었으면 깨끗이 씻어 배출해야 하며, 이물질을 제거하기 어려울 경우는 쓰레기봉투에 넣어 버려야 한다. 고무 대야와 고무장갑은 재활용 대상이 아니니 주의해야 한다. 그리고 페트병은 플라스틱에 속하지만 별도로 모아서 배출하는 것이 좋다. 이때 반드시 뚜껑과 라벨, 몸통을 분리해서 각각 배출해야 한다. 스티로폼도 기본적으로 재활용품이지만 색깔이 있거나 코팅이 된 것, 무늬가 있는 것, 이물질이 묻은 것 등은 일반 쓰레기로 버려야 한다.

    유리류는 깨어지지 않으면 기본적으로 모두 재사용이나 재활용 대상이니 분리배출하면 된다. 이때에도 뚜껑은 재질별로 따로 배출해야 한다. 냄비 뚜껑과 도자기 그릇, 전자레인지나 가스레인지에 사용하는 내열 유리 용기는 깨어지지 않았어도 분리배출 대상이 아니므로 일반 쓰레기로 버려야 한다. 깨진 유리도 재활용품이 아니다.

    플라스틱과 금속, 종이와 플라스틱 혹은 비닐 등 두 가지 이상의 재질로 이루어진 물품은 재질별로 분리해서 배출해야 한다. 만약 재질별로 분리가 불가능하다면 재활용품이 아니라고 보는 게 좋다. 재질별로 재활용하기 위해서는 손으로 일일이 분리해야 하는데 효율이 ⓛ현저히 떨어져 대개 폐기해 버리기 때문이다. 최근에 자주 나오는 아이스 팩은 포장된 그대로 일반 쓰레기로 버려야 하니 유의하자.

글의 구조 문단 내용 정리하기

1 다음은 이 글을 읽고 내용을 정리한 것입니다. 빈칸에 들어갈 적절한 말을 쓰시오.

1 재활용 쓰레기 ( )의 중요성

2 재활용품의 ( )

3 ( )류 분리배출 방법

4 캔과 ( )류, 비닐류, 플라스틱류 등의 분리배출 방법

5 ( )류 분리배출 방법

6 두 가지 이상의 재질로 된 물품 분리배출 방법

내용 이해 세부 정보 파악하기

2 이 글의 내용으로 적절하지 <u>않은</u> 것은 무엇입니까? ( )

① 아이스크림콘을 감싸고 있는 포장지는 비닐류로 분리배출해야 한다.

② 재활용 대상이라도 이물질이 많이 묻어 있을 경우에는 재활용하기 어렵다.

③ 두 가지 이상의 재질로 이루어진 물품은 재질별로 분리해서 배출해야 한다.

④ 아이스 팩은 포장지는 비닐류로 분리배출하고 내용물은 일반 쓰레기로 버린다.

⑤ 재활용 가능 여부가 궁금할 때는 삼각형 모양의 분리배출 표시를 참고하면 된다.

내용 이해 세부 정보 파악하기

3 ㉠에 대한 답으로 가장 적절한 것은 무엇입니까? ( )

① 재활용이 되므로 잘 찢어서 배출한다.

② 재활용이 되므로 비닐류로 분리배출한다.

③ 재활용이 되므로 종이류로 분리배출한다.

④ 재활용이 되므로 플라스틱류로 분리배출한다.

⑤ 재활용이 안 되므로 쓰레기봉투에 담아 버린다.

적용하기 다른 상황에 적용하기

이 글을 읽은 학생이 보기 에 대해 보인 반응으로 적절하지 <u>않은</u> 것은 무엇입니까?

(   )

> 보기
>
> 2020년부터 페트병이 확 달라진다. 환경부는 '포장재 재질·구조 개선 등에 관한 기준'을 개정하여 색깔이 들어가지 않은 투명 페트병에 접착제를 쓰지 않은 것에만 '최우수' 등급을 주기로 하였다. 투명한 페트병은 여러 번 재활용될 수 있는데 여기에 색이 있는 페트병이 섞이게 되면 품질이 떨어져 재활용될 수 있는 범위가 한정되기 때문이다.
>
> 또한 라벨은 물에 뜨는 비닐 재질로 만들되, 절취선을 만들어 분리하기 쉽도록 해야 한다. 최우수 등급을 받으면 국가에서 해당 업체에 여러 가지 혜택을 준다.
>
>

① 페트병의 재활용을 쉽게 하기 위해서 제도를 개선하였군.

② 제품을 만들 때부터 재활용을 고려하도록 유도하는 것이군.

③ 페트병을 분리배출하는 사람들에게 혜택을 주는 제도로군.

④ 라벨을 떼기 쉽게 한 것은 몸통과 라벨의 재질이 다르기 때문이겠군.

⑤ 색이 있는 페트병과 투명 페트병을 분리해서 배출하는 것이 좋겠군.

어휘·어법 어휘의 사전적 의미 파악하기

5

ⓒ'현저히'의 뜻으로 가장 적절한 것은 무엇입니까? (   )

① 단순하고 간략하게.

② 겨우 또는 가까스로.

③ 아주 크고 훌륭하게.

④ 뚜렷이 드러날 정도로.

⑤ 모자람이 없이 넉넉하게.

【낱말 이해】【낱말 관계】【낱말 적용】【관용 표현】

1 다음 그림을 보고, ㉠과 ㉡에 알맞은 낱말을 보기 에서 각각 찾아 쓰시오.

보기

| 재구성 | 재활용 | 재배치 | 오염 | 오용 |

플라스틱 컵을 ㉠(　　　　)해서 화분을 만들 수 있어!

재활용을 하면 환경 ㉡(　　　　)을 막을 수 있지!

【낱말 이해】【낱말 관계】【낱말 적용】【관용 표현】

2 다음 낱말의 뜻으로 알맞은 것을 찾아 선으로 이으시오.

(1) 폐지 •

(2) 폐기 •

(3) 이물질 •

• ㉮ 쓸 데가 없어 버리는 종이.

• ㉯ 함께 섞이면 안 될 다른 물질.

• ㉰ 쓸모없는 것을 내버리는 것.

【낱말 이해】【낱말 관계】【낱말 적용】【관용 표현】

3 다음 빈칸에 들어갈 속담으로 가장 알맞은 것은 무엇입니까? (　　　　)

　　우리는 일상생활에서 알게 모르게 많은 자원을 소비하고 있습니다. 지구에 있는 자원은 한정되어 있으므로 언젠가는 바닥을 드러낼 수밖에 없습니다. 그렇게 되면 인간의 생존 자체가 위협을 받게 됩니다. 따라서 '(　　　　)'라는 속담을 떠올리며 절약하는 생활을 해야 합니다. 이미 사용한 물건을 재사용하거나 재활용하는 것도 한정된 자원을 아끼는 방법입니다.

① 강물도 쓰면 준다　　　　　　② 한강에 돌 던지기

③ 산에서 물고기 잡기　　　　　④ 산이 높아야 골이 깊다

⑤ 산은 오를수록 높고 물은 건널수록 깊다

어휘력 ➕

• **강물도 쓰면 준다** 풍부하다고 하여 함부로 헤프게 쓰지 말아야 함.

• **한강에 돌 던지기** 어떤 사물이 지나치게 미미하여 일을 하는 데에 효과나 영향이 전혀 없음.

• **산에서 물고기 잡기** 도저히 불가능한 일을 하려고 애쓰는 어리석음.

• **산이 높아야 골이 깊다** 품은 뜻이 높고 커야 품은 포부나 생각도 크고 깊음.

• **산은 오를수록 높고 물은 건널수록 깊다** 갈수록 더욱 어려운 지경에 처하게 됨.

게임 과몰입은 질병이 아니다

가 청소년들이 컴퓨터 게임이나 스마트폰 게임에 몰두하는 현상을 걱정하며 게임 셧다운제보다 강력한 조치를 취해야 한다는 뉴스가 종종 나온다. 2019년에는 세계 보건 기구(WHO)가 게임 과몰입을 질병으로 보고 '게임 이용 장애'라는 질병 코드를 부여하기도 하였다. 의학적으로 이러한 중독을 행위 중독이라고 한다. 자신의 행위에 문제가 있는 것을 알면서도 자제하지 못한다는 것이다. 이런 점만 보면 청소년의 게임 과몰입 문제는 매우 심각하다.

〔0시~6시 동안 16세 미만의 청소년의 인터넷 게임을 제한하는 제도〕

나 청소년의 게임 과몰입, 속칭 게임 중독을 사회적 차원에서 관리해야 한다고 주장하는 사람들은 이를 도박 중독이나 약물 중독과 같은 정신적 질병으로 여긴다. 특히 청소년은 정신적으로 미성숙하여 자기 통제력이 부족하므로 사회가 나서서 적극적으로 치료해야 한다는 입장을 보인다. 하지만 이런 주장은 청소년을 보호의 대상으로만 여기는 데에서 비롯된 과도한 우려일 뿐이다.

다 대부분의 청소년들은 컴퓨터 게임이나 스마트폰 게임을 친교의 수단으로 삼거나 여가 시간을 보내는 놀이로 활용하고 있다. 또한 청소년들은 어떤 대상이나 행위에 빠르게 빠져들었다가도 그리 어렵지 않게 이전의 생활로 돌아온다. 학업을 내팽개치면서 특정 연예인을 쫓아다니던 청소년들이 시간이 지나면 자연스럽게 자신의 자리로 돌아오는 것이 그 예이다. 게임 과몰입 상태를 보였던 청소년의 대부분이 별다른 조치를 취하지 않아도 1년 이내에 원래의 생활로 돌아온다는 연구 자료도 있다. 그러므로 청소년의 게임 과몰입 현상을 자신의 의지로 중독 상태를 벗어날 수 없는 약물 중독과 같은 것으로 보는 것은 옳지 않다.

라 청소년이 게임에 과몰입하는 이유는 거의 대부분 부모와의 갈등이나 학업 스트레스 때문이다. 가족 관계나 학업으로 인한 스트레스를 풀기 위한 수단으로 게임에 몰두하는 것이다. 이런 상황을 고려할 때 게임을 하는 행위만 문제 삼는 것은 옳지 않다. 근본적인 원인을 ㉠도외시한 채 게임 과몰입 문제를 개인의 책임으로 돌리는 꼴이기 때문이다. 게다가 일시적인 게임 과몰입을 도박 중독이나 약물 중독 같은 질병으로 취급하면 해당 청소년에게 사회적으로 부정적인 낙인을 찍는 결과가 생길 수도 있다.

마 하지만 질병이 아니라고 하더라도 게임 과몰입 상황에 빠지면 일상생활에 좋지 않은 영향을 미치는 것은 사실이다. 밤늦게까지 게임을 하느라 지각을 하거나 수업 시간에 조는 등 학교생활에 지장이 생길 정도라면 이미 자기 통제력을 잃은 것이라고 볼 수 있다. 적당한 게임은 일상의 스트레스를 해소하거나 친교에 도움이 될 수 있지만 너무 지나치면 자신을 해칠 수도 있다. 게임하는 시간을 정해 놓는 등 평소에 스스로 절제하며 게임을 즐기는 자세가 필요하다.

글의 구조 문단 내용 정리하기

1
다음은 이 글을 읽고 내용을 정리한 것입니다. 빈칸에 들어갈 적절한 말을 쓰시오.

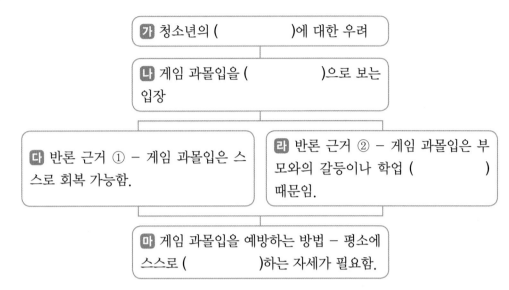

> **가** 청소년의 (   )에 대한 우려
>
> **나** 게임 과몰입을 (   )으로 보는 입장
>
> **다** 반론 근거 ① – 게임 과몰입은 스스로 회복 가능함.
>
> **라** 반론 근거 ② – 게임 과몰입은 부모와의 갈등이나 학업 (   ) 때문임.
>
> **마** 게임 과몰입을 예방하는 방법 – 평소에 스스로 (   )하는 자세가 필요함.

글의 구조 TIP

이 글은 총 다섯 개의 문단으로 이루어져 있습니다. **가**, **나** 문단에서는 청소년의 게임 과몰입 문제에 대한 사회적 분위기와 글쓴이의 의견을 밝히고, **다**, **라** 문단에서 그 근거를 제시하고 있습니다. **마** 문단에서는 게임 과몰입을 예방하는 방법을 제안하고 있습니다.

내용 이해 세부 정보 파악하기

2
청소년들의 '게임 과몰입'에 대한 글쓴이의 의견으로 적절하지 <u>않은</u> 것은 무엇입니까?

(   )

① 청소년들은 어떤 대상에 빠져들었다가도 곧 자연스럽게 빠져나온다.
② 청소년의 게임 과몰입을 정신적 질병으로 여기는 것은 과도한 생각이다.
③ 게임 과몰입은 약물 중독처럼 스스로 자신을 통제하지 못하는 상태이다.
④ 청소년이 게임에 과몰입하게 만드는 근본적인 원인을 먼저 해결해야 한다.
⑤ 게임 과몰입을 질병으로 분류하면 사회적 낙인을 찍는 결과가 생길 수 있다.

전개 방식 문단별 서술 방식 파악하기

3
각 문단의 서술 방식으로 적절하지 <u>않은</u> 것은 무엇입니까? (   )

① **가**: 게임 과몰입에 대한 사회 분위기를 제시하며 글을 시작하고 있다.
② **나**: 핵심적인 용어에 대한 **개념**을 정리하여 독자의 이해를 돕고 있다.
③ **다**: 연구 결과를 인용하면서 게임 과몰입이 질병이 아님을 주장하고 있다.
④ **라**: 게임 과몰입을 질병으로 취급할 때 예상되는 **부작용**을 지적하고 있다.
⑤ **마**: 게임의 양면성을 강조하며 당부의 말로 끝내고 있다.

어휘
• **개념** 어떤 사실에 대한 많은 구체적인 예나 복잡한 내용과 뜻을 하나로 요약한 생각.
• **부작용** 목적했던 일과 함께 일어나는 바람직하지 못한 일.

적용하기 다른 상황에 적용하기

4 이 글의 글쓴이가 [보기]의 자료를 활용하여 글의 내용을 보완하려고 할 때, 가장 적절한 방법은 무엇입니까? (   )

보기

리셋(Reset) 증후군은 현실과 게임 세계를 구분하지 못하고 다시 시작할 수 있다고 생각하는 **증상**이다. 인터넷이나 컴퓨터 게임에 지나치게 빠져들면서 현실과 가상 세계를 **혼동하는** 바람에, 컴퓨터 게임이 잘 진행되지 않을 때 리셋 버튼을 눌러 새롭게 시작하는 것처럼 '현실도 리셋이 가능하다'라고 생각하는 것이다. 현실에서 하기 싫은 일이나 **곤란한** 상황을 마주쳤을 때 이를 해결하려 하지 않고 무작정 **회피하려는** 모습을 보이는 것이 대표적인 사례이다.

① 게임 과몰입이 아직 자라고 있는 청소년들의 건강을 해칠 수 있다는 내용을 추가한다.

② 청소년들은 게임에 과몰입하였다가도 그리 어렵지 않게 빠져나온다는 내용을 추가한다.

③ 어려움이 생겼을 때 포기하지 말고 스스로의 힘으로 해결해야 한다는 내용을 추가한다.

④ 친구와 갈등이 생겼을 때에는 함께 그것을 해결할 방법을 찾아야 한다는 내용을 추가한다.

⑤ 게임 과몰입이 인간관계나 사회생활에 심각한 문제를 초래할 수도 있다는 내용을 추가한다.

어휘·어법 어휘의 사전적 의미 파악하기

5 ㉠'도외시한'의 의미로 가장 적절한 것은 무엇입니까? (   )

① 상관하지 아니하거나 무시한.

② 업신여기거나 하찮게 여겨 깔본.

③ 등급이나 수준 따위의 차이를 두어서 구별한.

④ 논의하거나 해결해야 할 문제의 대상으로 삼은.

⑤ 가볍게 여길 수 없을 만큼 매우 크고 중요하게 여긴.

어휘력 완성

낱말 이해 │ 낱말 관계 │ 낱말 적용 │ 관용 표현

1 다음 그림을 보고, ㉠과 ㉡에 알맞은 낱말을 **보기** 에서 각각 찾아 쓰시오.

> **보기**
>
> 몰두   집착   과중   과도   과열

내 동생은 너무 만화영화에 ㉠(   ) 해 있어.

텔레비전을 ㉡(   ) 하게 보면 눈이 나빠질 텐데.

낱말 이해 │ 낱말 관계 │ 낱말 적용 │ 관용 표현

2 다음 밑줄 그은 낱말과 바꿔 쓸 수 있는 낱말은 무엇입니까? (   )

> 적당한 게임은 일상의 스트레스를 해소하거나 친교에 도움이 될 수 있지만 너무 지나치면 자신을 해칠 수도 있다. 따라서 게임하는 시간을 정해 놓는 등 평소에 스스로 절제하는 자세가 필요하다.

① 벼르는   ② 삼가는   ③ 움츠리는

④ 갈무리하는   ⑤ 설레발치는

낱말 이해 │ 낱말 관계 │ 낱말 적용 │ 관용 표현

3 다음 밑줄 그은 부분에 나타난 게임에 몰두하는 청소년의 심리를 표현한 관용어로 알맞은 것은 무엇입니까? (   )

> 청소년이 게임에 과몰입하는 것도 거의 대부분 부모와의 갈등이나 학업 스트레스 때문이다. 즉 가족 관계나 학업으로 인한 스트레스를 풀기 위한 수단으로 게임에 몰두하는 것이다.

① 속이 트이다   ② 속에 얹히다

③ 속을 태우다   ④ 속이 내려가다

⑤ 속이 시커멓다

어휘력 +

• **속이 트이다** 마음이 넓고 언행이 대범함.

• **속에 얹히다** 마음에 걸리는 일이 있어 언짢음.

• **속을 태우다** 몹시 걱정이 되어 마음을 졸임.

• **속이 내려가다** 화를 냈거나 토라졌던 감정이 누그러짐.

• **속이 시커멓다** 마음이 깨끗하지 아니하고 엉큼하거나 음흉함.

기준 금리가 경제에 미치는 영향

• 지문 해설

• 지문 난이도: 상
●━●━●━●━○

• 글자 수: 1265자
━━━━●━━━━
1000   1500

은행에서 돈을 빌린 사람은 돈을 갚을 때 빌린 돈인 원금 외에 돈을 쓴 데 대한 대가를 치러야 하는데 이를 이자라 한다. 원금에 대한 이자의 비율을 이자율 또는 금리라고 하는데, 금리는 대개 1년을 기준으로 한다. 예를 들어 은행에서 3%의 금리로 100만 원을 빌렸다면, 원금 100만 원에 대한 1년 동안의 이자는 3만원이다. 반대로 은행에 일정 기간 동안 돈을 예금하면 예금한 돈 외에 이자를 추가로 받을 수 있다. 은행에 예금하는 것은 자신이 가진 돈을 은행에 빌려주는 것과 같기 때문이다.

은행의 금리는 어떻게 정해지는 것일까? 대부분의 은행은 기준 금리를 기준으로 삼아 대출과 예금에 대한 금리를 정한다. 즉 기준 금리에 일정한 이자율을 더하는 것이다. 기준 금리란 각 나라의 중앙은행이 경제 상황을 고려하여 결정하는 금리로, 시중의 일반 은행이 중앙은행에서 돈을 빌리거나 중앙은행에 예금할 때 적용하는 금리이다. 일반적으로 기준 금리가 오르면 일반 은행의 금리도 오르고, 기준 금리가 떨어지면 일반 은행의 금리도 떨어진다. 우리나라에서는 한국은행이 중앙은행의 역할을 맡고 있다.

중앙은행의 기준 금리 조정은 그 나라의 경제에 큰 영향을 ㉮미친다. 중앙은행은 일반적으로 물가가 상승하고 투자가 과열될 때에는 기준 금리를 올리고, 돈이 잘 돌지 않는 불경기에는 기준 금리를 내린다. 왜 그럴까? 경기가 과열되었을 때 중앙은행이 기준 금리를 올리면 기업이나 개인이 일반 은행에서 돈을 빌릴 때 이전보다 많은 이자를 내야 한다. 대신 은행에 돈을 저축하면 이전보다 더 많은 이자를 받을 수 있다. 이 결과 시중의 통화량이 줄어든다. 쉽게 말해 돈이 귀해지는 것이다. 이렇게 되면 기업의 투자와 개인의 소비가 줄어들면서 경기가 안정된다. 하지만 통화량이 지속적으로 감소하면 경제 상황이 좋지 않아질 수도 있다. 이때에는 중앙은행이 기준 금리를 내려 경기를 활성화시키는데, 기준 금리를 내리면 기준 금리를 올렸을 때와는 반대의 현상이 일어나게 된다.

이자율 하락 → 통화량 증가 → 투자와 소비 증가 → 경기 상승

기준 금리는 국내의 경제 상황뿐 아니라 세계 경제와도 밀접하게 연관된다. 미국과 한국의 기준 금리가 동일하다고 생각해 보자. 그런데 세계 경제에 큰 영향을 미치는 미국에서 기준 금리를 올리면 두 나라 간에 금리 차이가 발생한다. 그러면 ㉠우리나라에 있던 돈이 미국으로 빠져나갈 가능성이 크다. 이는 우리나라의 경제에 좋지 않은 영향을 주게 되므로 우리나라도 기준 금리를 올린다. 물론 반대의 경우도 가능하다. 이처럼 우리나라를 비롯한 각국의 기준 금리는 세계 경제의 흐름에 영향을 주기도 하고 받기도 한다.

• 원금(元 으뜸 원, 金 쇠 금) 꾸어 주거나 맡긴 돈에 이자를 붙이지 않은 돈.

• 예금 금융 기관에 돈을 맡기는 일.

• 대출(貸 빌릴 대, 出 날 출) 금융 기관에서 돈을 빌려주는 것.

• 조정 어떤 기준이나 상태에 알맞게 맞추는 것.

• 물가(物 만물 물, 價 값 가) 한때의 한 지역의 중요한 상품들의 평균 가격.

• 과열(過 지날 과, 熱 더울 열) 될 어떤 기운이나 상태가 지나치게 되어 바람직하지 않은 정도에 이르게 될.

• 불경기(不 아닐 불, 景 경치 경, 氣 기운 기) 한 사회의 상업이나 생산 활동이 활기가 없는 상태.

• 활성화 기능을 활발하게 함.

글의 구조 문단 내용 정리하기

1 다음은 이 글을 읽고 내용을 정리한 것입니다. 빈칸에 들어갈 적절한 말을 쓰시오.

```
┌──────────────┐   ┌──────────────┐   ┌──────────────────────────┐
│ 1 (        ) │   │ 2 (        ) │   │ 3 기준 금리가 (       )에  │
│   의 개념     │   │   의 개념     │   │   미치는 영향              │
└──────────────┘   └──────────────┘   └──────────────────────────┘
                                       ┌──────────────────────────┐
                                       │ 4 기준 금리와 세계 경제의   │
                                       │   연관성                   │
                                       └──────────────────────────┘
```

글의 구조 TIP

이 글은 총 네 개의 문단으로 이루어져 있습니다. **1**문단에서 금리의 개념을 설명하고, **2**문단에서 금리가 기준 금리를 바탕으로 정해진다는 점을 소개합니다. **3**, **4**문단에서는 기준 금리가 경제에 미치는 영향을 설명하고 있습니다.

내용 이해 세부 정보 파악하기

2 이 글에서 확인할 수 있는 내용이 <u>아닌</u> 것은 무엇입니까? (   )

① 우리나라는 한국은행이 중앙은행의 기능을 한다.

② 시중의 통화량이 줄어들면 개인의 소비가 줄어든다.

③ 기준 금리가 오르면 일반 은행의 이자율이 떨어진다.

④ 물가가 상승할 때는 중앙은행이 기준 금리를 올린다.

⑤ 세계 각국의 기준 금리는 세계 경제에 영향을 끼친다.

어휘
• **시중** 사람들이 생활하는 공개된 공간을 비유적으로 이르는 말.

추론하기 세부 내용 추론하기

3 이 글의 내용을 참고할 때, ㉠의 이유를 가장 적절하게 추론한 것은 무엇입니까?

(   )

① 미국 기업의 투자와 미국 사람들의 소비가 우리나라보다 더 늘어나기 때문이다.

② 미국 은행에 예금하면 우리나라 은행보다 더 많은 이자를 받을 수 있기 때문이다.

③ 미국 은행에서 돈을 빌리면 우리나라 은행보다 더 적은 이자를 내도 되기 때문이다.

④ 미국의 금리가 높아지면 우리나라의 금리가 낮아져서 돈의 가치가 올라가기 때문이다.

⑤ 세계 경제가 좋지 않을 때에는 강대국의 은행에 예금하는 것이 더 안전하기 때문이다.

어휘
• **강대국** 경제적·군사적인 힘이 세고 큰 나라.

적용하기 구체적인 상황에 적용하기

4 이 글을 읽은 학생이 보기 에 대해 보일 반응으로 적절한 것은 무엇입니까?

( )

보기

　　코로나19 바이러스의 **여파**로 세계 주요 국가의 전력 생산량이 14년 만에 **최저치**로 떨어졌다. 기업의 생산 활동이 활발하면 전력 생산량이 많아지므로, 전력 생산량은 경기를 **가늠하는** 기준이 될 수 있다. 전력 생산량이 최저치로 하락한 것은 그만큼 경기 **침체**가 심각하다는 의미이다. 이 때문에 미국과 우리나라의 기준 금리도 같아졌다. 우리나라의 경우 수출이 16.6% **급감**하였으며, 수입도 7.4% 감소하였다.

① 세계 주요국의 은행 예금 이자율이 높아지겠군.

② 우리나라에 있던 돈이 미국으로 빠져나가겠군.

③ 은행에서 돈을 빌릴 때 이자 **부담**이 적어지겠군.

④ 우리나라는 한국은행에서 기준 금리를 올리겠군.

⑤ 시중의 통화량을 감소시킬 수 있는 정책을 펴겠군.

어휘

• **여파**　어떤 일이 일어난 뒤에 그로 인해 미치는 영향.

• **최저치**　가장 낮은 값

• **가늠하는**　사물이나 일이 되어 가는 형편을 헤아리는.

• **침체**　활동이 멎어 발전하지 못함.

• **급감**　짧은 기간 안에 갑자기 줄어드는 것.

• **부담**　어떤 일·의무·책임 등을 떠맡는 것.

어휘·어법 어휘의 사전적 의미 파악하기

5 다음 문장의 밑줄 그은 낱말이 ㉮'미친다'와 같은 뜻으로 사용된 것은 무엇입니까?

( )

① 동생은 작년부터 그 가수에게 미쳐 있다.

② 그 사건의 여파가 우리에게까지 미치고 있다.

③ 어린 자식을 잃은 그녀는 끝내 미치고 말았다.

④ 일주일 넘게 집에만 있었더니 심심해 미치겠다.

⑤ 그 선수는 결승점에 못 미쳐서 넘어지고 말았다.

어휘·어법 TIP

• **미치다**

「1」 정신에 이상이 생겨 말과 행동이 보통 사람과 다르게 됨.

「2」 정신이 나갈 정도로 매우 괴로워함.

「3」 어떤 일에 지나칠 정도로 열중함.

「4」 공간적 거리나 수준 따위가 일정한 선에 닿음.

「5」 영향이나 작용 따위가 대상에 가하여짐.

정답 및 풀이 12쪽

사회 05

1 낱말 이해 낱말 관계 낱말 적용 관용 표현

다음 낱말의 뜻으로 알맞은 것을 찾아 선으로 이으시오.

(1) 투자 •

(2) 과열 •

(3) 물가 •

• ㉮ 한때의 한 지역의 중요한 상품들의 평균 가격.

• ㉯ 어떤 기운이나 상태가 지나치게 되어 바람직하지 않은 정도에 이름.

• ㉰ 이익을 얻기 위하여 어떤 일이나 사업에 자본을 대거나 시간이나 정성을 쏟음.

2 낱말 이해 낱말 관계 낱말 적용 관용 표현

밑줄 그은 낱말과 반대의 뜻을 가진 낱말은 무엇입니까? (   )

중앙은행은 일반적으로 물가가 <u>상승</u>하고 투자가 과열될 때에는 기준 금리를 올리고, 돈이 잘 돌지 않는 불경기에는 기준 금리를 내린다.

① 부상   ② 상하   ③ 승강
④ 인상   ⑤ 하강

3 낱말 이해 낱말 관계 낱말 적용 관용 표현

다음 문장의 밑줄 그은 낱말이 ㉠과 같은 뜻으로 쓰인 것은 무엇입니까? (   )

경기가 과열되었을 때 중앙은행이 기준 금리를 올리면 기업이나 개인이 일반 은행에서 돈을 빌릴 때 이전보다 많은 이자를 ㉠<u>내야</u> 한다.

① 마을 뒷산의 숲속에 산책로를 <u>냈다</u>.
② 신문에 직원을 구한다는 광고를 <u>냈다</u>.
③ 우리 집은 학교 앞에 작은 책방을 <u>냈다</u>.
④ 그 회사는 몇 년 동안 계속 적자를 <u>냈다</u>.
⑤ 그는 주차 위반으로 여러 번 벌금을 <u>냈다</u>.

어휘력 ➕

• 내다
「1」 길, 통로, 창문 따위를 만들다.
「2」 신문, 잡지 따위에 어떤 내용을 싣다.
「3」 가게 따위를 새로 차리다.
「4」 돈이나 물건 따위를 주거나 바치다.
「5」 어떤 작용에 따른 효과, 결과 따위의 현상을 이루어 드러내다.

• 지문 해설

• 지문 난이도: 상
• 글자 수: 1390자
1000   1500

범죄자 A와 B가 체포되어 서로 다른 취조실에서 심문을 받고 있다. 두 사람은 체포되기 전에 자신들이 지은 범죄를 말하지 않기로 약속했지만 서로를 믿지 않았다. 현재 A와 B는 서로 의사소통이 불가능한 상황이며, 범죄 사실을 자백하느냐에 따라 다음 세 가지 결과 중 하나를 맞이하게 될 것이다. 첫째, 두 사람 중 하나가 죄를 자백하면 자백한 사람은 즉시 풀어 주고 나머지 한 명은 5년 동안 교도소에 갇힌다. 둘째, 둘 다 죄를 자백하면, 두 사람은 모두 3년 동안 교도소에 갇힌다. 셋째, 두 사람 다 죄를 자백하지 않으면, 두 사람은 모두 1년 동안 교도소에 갇힌다.

이런 상황에서 A와 B는 어떤 선택을 할까? 먼저, A의 선택을 살펴보자. B가 침묵할 것이라고 판단했다면, A는 자백하는 것이 유리하

	A 침묵	A 자백
B 침묵	A 1년, B 1년	A 석방, B 5년
B 자백	A 5년, B 석방	A 3년, B 3년

▲ A와 B의 선택에 따른 결과

다. 왜냐하면 B가 침묵하는 상황에서 A가 자백할 경우, A는 바로 풀려나기 때문이다. B가 자백할 것이라고 판단할 경우에는 어떻게 해야 할까? 그때도 A는 자백하는 것이 유리하다. B가 자백했는데 A가 침묵할 경우, A만 5년 동안 갇혀 있어야 하지만 A도 자백할 경우에는 3년만 갇혀 있으면 되기 때문이다. 따라서 A는 B가 어떤 선택을 하든지 자백을 선택하는 것이 유리하다고 판단하게 된다. 그렇다면 B는 어떨까? B의 경우도 A와 똑같은 상황이므로, A와 똑같은 판단 과정을 거칠 것이다. 그리고 B 또한 A의 선택과 관계없이 자백을 선택하는 것이 유리하다고 판단할 것이다.

결국 ㉠A와 B는 둘 다 자백을 선택하고 각각 3년씩 교도소에 갇히게 된다. 풀려나지는 못했지만 5년보다는 3년이 낫다고 여길 수도 있다. 하지만 A와 B를 한 집단으로 보았을 경우에는 가장 나쁜 선택을 한 것이다. 만약 두 사람 모두 약속을 지켰다면 각각 1년씩, 합해서 2년만 교도소에 갇혀 있으면 된다. 한 사람만이라도 약속을 지켰다면 합해서 5년을 갇혀 있으면 된다. 그런데 두 사람 모두 자기만 생각하는 선택을 함으로써 각각 3년씩, 합해서 6년을 갇혀 있어야 하는 것이다. 다시 말해 A와 B가 이기적인 선택을 함으로써 전체적으로는 손해 보는 결과를 초래한 셈이다. 이를 '죄수의 딜레마'라고 한다.

'죄수의 딜레마'는 한 집단에 속해 있는 사람들이 다른 사람을 배려하지 않고 개인적인 이익만 추구하면 결과적으로 그 집단 전체의 피해를 초래하게 된다는 것을 보여 준다. 우리 주변에서 흔히 볼 수 있는 님비 현상에서부터 전 세계적 문제인 환경 오염에 이르기까지 '죄수의 딜레마'와 같은 상황은 어렵지 않게 찾아볼 수 있다. '죄수의 딜레마'는 자기 자신을 포함하여 집단 전체에 이익을 가져오려면 서로 협력하는 것이 가장 좋은 방법임을 알려 준다. 당장은 자신이 손해 보는 듯이 느껴지더라도 다른 사람을 믿고 이타적으로 행동하는 것이 장기적으로는 가장 좋은 결과를 가져온다는 것이다.

• 취조실 범죄 사실을 밝히기 위하여 죄인이나 범죄의 혐의가 있는 사람을 조사하는 방.

• 심문 용의자를 다그쳐 자세히 따져서 묻는 것.

• 의사소통(意 뜻 의, 思 생각 사, 疏 토일 소, 通 통할 통) 가지고 있는 생각이나 뜻이 서로 통함.

• 자백하느냐 숨기고 있던 자기의 잘못을 모두 말하느냐.

• 침묵할 아무 말 없이 잠잠히 있을.

• 유리(有 있을 유, 利 이로울 리)하다 이롭다.

• 이기적(利 이로울 이, 己 몸 기, 的 과녁 적) 자기의 이익만 생각하는.

• 딜레마(dilemma) 이러지도 저러지도 못하는 어려운 지경.

• 님비(NIMBY) 공공의 이익에는 부합하지만 자신이 속한 지역에는 이롭지 아니한 일을 반대하는 이기적인 행동.

• 이타적(利 이로울 이, 他 다를 타, 的 과녁 적) 자기의 이익보다 다른 사람의 이익을 더 꾀하는.

1 글의 구조 문단 내용 정리하기

다음은 이 글을 읽고 내용을 정리한 것입니다. 빈칸에 들어갈 적절한 말을 쓰시오.

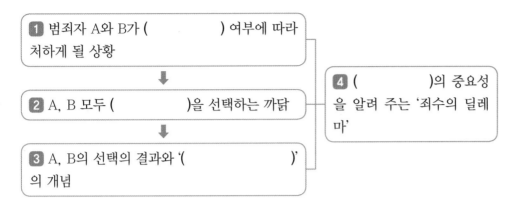

1 범죄자 A와 B가 (   ) 여부에 따라 처하게 될 상황

↓

2 A, B 모두 (   )을 선택하는 까닭

↓

3 A, B의 선택의 결과와 '(   )' 의 개념

4 (   )의 중요성을 알려 주는 '죄수의 딜레마'

글의 구조 **TIP**

이 글은 총 네 개의 문단으로 이루어져 있습니다. **1**~**3**문단에서 '죄수의 딜레마'가 무엇인지를 자세히 설명하고, **4**문단에서 그 교훈을 정리하고 있습니다.

2 내용 이해 세부 정보 파악하기

'죄수의 딜레마' 상황에 대해 이해한 내용으로 적절하지 <u>않은</u> 것은 무엇입니까?

(   )

① 두 사람이 서로를 믿지 못하면 둘은 각각 가장 긴 교도소 생활을 하게 된다.

② 두 사람이 모두 자백을 한 것은 두 사람 모두 이기적으로 판단했기 때문이다.

③ 두 사람이 서로를 믿고 약속을 지켰다면 둘 다 1년만 교도소 생활을 했을 것이다.

④ 한 명은 자백하지 않고 한 명은 자백했다면 자백을 한 사람은 바로 풀려났을 것이다.

⑤ 만약 두 사람이 서로 의사소통을 할 수 있었다면 두 사람 모두 자백을 안 했을 것이다.

3 전개 방식 글의 서술 방식 파악하기

이 글의 서술 방식으로 적절하지 <u>않은</u> 것은 무엇입니까? (   )

① 핵심 용어의 개념을 정리하여 독자의 이해를 돕고 있다.

② 질문을 던지는 형식으로 독자의 호기심을 자극하고 있다.

③ **가상**의 상황을 가정하여 전달하려는 바를 뒷받침하고 있다.

④ 권위 있는 사람의 견해를 들어 주장의 **타당성**을 높이고 있다.

⑤ 특정 이론을 바탕으로 현실의 문제점과 대안을 제시하고 있다.

어휘

• **가상** 진짜가 아니고 생각으로 지어낸 것.

• **타당성** 이치에 맞아 옳은 성질.

4 적용하기 다른 상황에 적용하기
이 글과 보기 에서 공통적으로 이끌어 낼 수 있는 교훈이 <u>아닌</u> 것은 무엇입니까?

( )

보기

어느 마을 한가운데에 무성한 풀밭이 있었다. 이 풀밭은 공유지라서 누구나 양들을 끌고 와서 풀을 먹일 수 있었다. 하지만 풀이 다시 자라날 수 있도록 한 번에 먹이는 양의 수를 제한해야 했다. 마을 사람들은 한 집에서 한 번에 열 마리의 양만 이 풀밭에 풀어 놓기로 약속하였다. 하지만 한두 집이 약속보다 더 많은 양을 풀어 놓기 시작했고, 곧 모든 집이 열 마리보다 많은 양을 풀어 놓게 되었다. 풀밭은 양들로 가득 찼고, 풀이 자라는 속도보다 양이 풀을 뜯는 속도가 더 빨라졌다. 결국 풀밭에는 풀이 더 자라지 못했고, 마을 사람들은 더 이상 양에게 풀을 먹일 수 없게 되었다.

① 공동체의 구성원들이 모여 서로 약속한 것은 모두가 지켜야 한다.
② 공동체의 이익을 위해서는 개인이 손해를 보는 것을 감수해야 한다.
③ 서로 협력하는 것이 장기적으로 자신을 포함하여 모두에게 이익이다.
④ 서로를 믿고 약속을 지킬 때 개인과 공동체 모두 이익을 얻을 수 있다.
⑤ 이기적으로 행동하면 단기적으로는 이익이지만 결국 손해를 보게 된다.

5 어휘·어법 한자성어로 표현하기
㉠의 행동에 대해 평가할 수 있는 한자성어로 가장 적절한 것은 무엇입니까?

( )

① 사면초가(四面楚歌)
② 소탐대실(小貪大失)
③ 용두사미(龍頭蛇尾)
④ 임기응변(臨機應變)
⑤ 이심전심(以心傳心)

어휘
• **무성한** 풀이나 나무 등이 우거진.
• **공유지** 두 사람 이상이 공동으로 소유하는 땅.
• **공동체** 같은 이념이나 목적을 가지고 있는 집단.
• **감수해야** (괴롭거나 힘든 일을) 어쩔 수 없어서 받아들여야.
• **단기적** 짧은 기간.

어휘·어법 TIP
• **사면초가** 누구의 도움도 받을 수 없이 외롭고 곤란한 상태.
• **소탐대실** 작은 것을 탐하다가 큰 것을 잃음.
• **용두사미** 처음에는 대단했으나 끝이 미미하고 약함.
• **임기응변** 자주 변하는 사정이나 형편에 따라 재빠르게 대응하여 일을 처리함.
• **이심전심** 직접 말을 하지 않아도 서로 마음으로 뜻이 통함.

낱말 이해 낱말 관계 낱말 적용 관용 표현

1 다음 그림을 보고, ㉠과 ㉡에 알맞은 낱말을 보기 에서 각각 찾아 쓰시오.

보기

| 자문 | 심문 | 입문 | 침묵 | 친목 |

김 형사, ㉠( )
은 잘 되고 있나?

이렇게 입을 꾹 다물고 ㉡( )을 지키고 있어서, 아무것도 알아내지 못했네.

낱말 이해 낱말 관계 낱말 적용 관용 표현

2 다음 낱말의 뜻으로 알맞은 것을 찾아 선으로 이으시오.

(1) 이기적 •

(2) 이타적 •

(3) 장기적 •

• ㉮ 오랜 기간에 걸치는 것.

• ㉯ 자기 자신의 이익만을 꾀하는 것.

• ㉰ 자기의 이익보다는 다른 이의 이익을 더 꾀하는 것.

낱말 이해 낱말 관계 낱말 적용 관용 표현

3 다음 상황을 표현하기에 적절한 한자성어는 무엇입니까? ( )

'죄수의 딜레마'라는 가상 상황에서, 범죄자 A와 B는 체포되기 전에 자신들이 지은 범죄를 말하지 않기로 약속했다. 하지만 체포된 뒤 두 사람은 서로를 믿지 않고 자신의 이익만 생각하여 둘 다 상대방 몰래 범죄 사실을 자백하였다.

① 견원지간(犬猿之間)　② 동병상련(同病相憐)　③ 동상이몽(同床異夢)

④ 부화뇌동(附和雷同)　⑤ 혼비백산(魂飛魄散)

어휘력 ＋

• **견원지간** 사이가 매우 나쁜 두 관계.

• **동병상련** 같은 어려움을 겪는 사람끼리 서로 불쌍히 여김.

• **동상이몽** 겉으로는 같이 행동을 하면서 속으로는 각각 딴생각을 함.

• **부화뇌동** 자기 생각이나 주장 없이 남의 의견을 따름.

• **혼비백산** 몹시 놀라 정신을 잃음.

파레토 법칙과 롱테일 법칙

• 지문 해설

• 지문 난이도: 상
●●●●●

• 글자 수: 1370자
○――――○
1000   1500

• **불과하고** 그 수량에 지나지
않고.

• **소음** 시끄러운 소리.

• **수치** 계산하거나 재어서 얻
은 수.

• **마케팅** 상품을 생산자로부
터 소비자에게 잘 전달되게
하는 판매 활동.

• **매출**(賣 팔 매, 出 날 출) 물
건을 파는 일.

• **창출하고** 전에 없던 것을
처음으로 생각하여 지어내거
나 만들어 내고.

• **품목**(品 물건 품, 目 눈 목)
물품 종류의 이름.

• **소외시킨다는** 어떤 집단에
끼이지 못하고 따돌림을 당하
게 된다는.

• **주도권**(主 주인 주, 導 이끌
도, 權 권세 권) 앞장서서 어
떤 일을 이끌거나 지도하는
권리.

• **한정**(限 한계 한, 定 정할 정)
된 수량이나 범위가 제한되
어 정해진.

• **맞먹게** 서로 같거나 비슷한
정도가 되게.

• **잠재적인** 겉으로 드러나지
않고 숨은 상태로 존재하는.

• **수요** 어떤 제품을 사려고
하는 요구.

경제학자 파레토는 어느 날 개미들을 관찰했다. 모든 개미가 부지런히 일하는 줄 알았는데, 유심히 살펴보니 정작 열심히 일을 하는 개미는 20% 정도에 불과하고 나머지 80%는 그냥 왔다 갔다 하는 것을 발견했다. 흥미가 생긴 파레토는 열심히 일하는 개미만을 따로 모아서 관찰했다. 그런데 그 집단에서도 일하는 개미와 일하지 않는 개미가 나타났으며, 그 비율은 또 다시 20 대 80 정도였다. 게으른 개미만을 따로 모아 놓은 집단에서도 마찬가지였다. 이것은 인간 사회에도 적용되는데, 이를 '파레토 법칙'이라고 한다. 즉 20%의 사람이 80%의 일을 하는 것이다. 예를 들어, 우리가 공부하는 교실에서 나는 소음의 80%는 20%의 학생들에 의해 일어난다. 이때 20%는 일정한 수치가 아니라 핵심적인 일부를 의미한다.

경제적인 측면에서 '파레토 법칙'은 마케팅 전략을 세우는 데 중요한 역할을 한다. 20%의 상품이 총 매출의 80%를 창출하고, 20%의 고객이 총 매출의 80%를 차지하기 때문이다. 이는 결국 우수 고객과 핵심 품목에 마케팅을 집중하는 것으로 이어진다. 매출에 큰 도움이 되지 않는 80%의 비핵심적인 고객이나 상품보다는 핵심적인 20%의 우수 고객이나 잘 팔리는 상품에 집중함으로써 비용은 줄이고 매출은 최대화하는 전략을 펼치는 것이다. 백화점에서 우수 고객에게 서비스 쿠폰 등의 여러 가지 편의를 제공하는 것이 좋은 예이다.

하지만 이런 마케팅은 많은 소비자와 제품을 소외시킨다는 한계가 있다. 또한 소비자와 판매자가 얼굴을 마주하지 않는 온라인에서는 효과적이지 않다. 이 때문에 1인당 매출이 적은 80%의 고객이나 많이 팔리지 않는 제품도 20%의 우수 고객이나 잘 팔리는 제품만큼 중요하다는 인식이 생겨났다. 인터넷을 이용하는 시대에 상위 20%에만 집중해서는 시장에서 주도권을 잡을 수 없기 때문이다. 이처럼 하위 80%에 주목하는 이론을 '롱테일 법칙'이라고 한다.

롱테일 법칙을 적용한 마케팅은 온라인에서 쉽게 찾아볼 수 있다. 공간이 한정된 오프라인 매장은 상품 진열 비용이 많이 들기 때문에 잘 팔리는 상품을 주로 진열하지만 온라인 매장은 진열 비용이 거의 들지 않기 때문에 많이 팔리지 않는 상품도 얼마든지 판매 대상으로 삼을 수 있다. 또한 자주 오지 않는 고객도 얼마든지 관리할 수 있다. 오프라인 매장에 비해 마케팅 비용이 거의 들지 않기 때문이다. 이러한 마케팅 결과 하위 80%에 의한 매출이 상위 20%에 의한 매출과 맞먹게 되었다. 실제로 인터넷 쇼핑몰인 아마존은 수익의 절반 이상을 비인기 상품에서 내고 있다.

롱테일 법칙은 겉으로 드러나지 않는 잠재적인 수요가 중요하다는 점을 일깨워 줬다는 점에서 그 가치를 찾을 수 있다. 누구나 당연하다고 여겼던 상식의 벽을 무너뜨린 것이다.

1 <u>글의 구조</u> 문단 내용 정리하기

다음은 이 글을 읽고 내용을 정리한 것입니다. 빈칸에 들어갈 적절한 말을 쓰시오.

글의 구조 **TIP**

이 글은 총 다섯 개의 문단으로 이루어져 있습니다. **1**~**2**문단에서는 파레토 법칙의 뜻과 마케팅 방법, **3**~**5**문단에서는 롱테일 법칙의 뜻과 의의를 설명하고 있습니다.

1 (　　　　　　) 법칙의 개념

2 파레토 법칙을 적용한 (　　　　) 전략

3 하위 80%에 주목하는 (　　　　) 법칙

4 롱테일 법칙을 적용한 온라인 (　　　　)

5 롱테일 법칙의 가치와 의의

---

2 <u>내용 이해</u> 세부 정보 파악하기

이 글의 내용과 일치하지 <u>않는</u> 것은 무엇입니까? (　　　)

① 온라인 매장에서는 상품을 진열하는 비용이 거의 들지 않는다.

② 파레토 법칙은 적은 사람들이 많은 영향을 끼친다는 이론이다.

③ 파레토 법칙만 따르는 것은 온라인 시장에서는 효과적이지 않다.

④ 온라인 시장에서는 하위 20%의 매출이 상위 20%의 매출보다 훨씬 적다.

⑤ 파레토 법칙을 적용한 마케팅은 다수의 상품과 소비자를 소외시킬 수 있다.

---

3 <u>추론하기</u> 세부 내용 추론하기

다음 중 '롱테일 법칙'을 설명하는 데 사용할 수 있는 예로 적절한 것은 무엇입니까?

(　　　)

① 민수는 스마트폰의 배달 업체 앱을 통해 먹고 싶은 음식을 주문한다.

② 영희는 대형 서점에서 구할 수 없었던 오래된 소설책을 온라인 서점에서 구하였다.

③ 통계 자료에 따르면 어떤 국가는 20%의 **상류층**이 국가 전체 **부**의 대부분을 소유하고 있다고 한다.

④ 현주는 해외 구매 **대행** 서비스를 활용하여 국내에서 비싸게 팔리고 있는 수입 상품을 **저렴하게** 구매한다.

⑤ 우리 동네 피자집은 단골 손님에게는 할인 쿠폰을 보내 주고 새로운 메뉴를 공짜로 먹을 기회를 주기도 한다.

어휘

• **상류층** 사회적 지위, 생활 수준, 교양 등이 높은 사람들.

• **부** 특정한 경제 주체가 가지고 있는 재산의 전체.

• **대행** 남을 대신하여 함.

• **저렴하게** 값이 싸게.

4 적용하기 시각 자료에 적용하기

이 글을 읽은 학생이 보기 를 이해한 내용으로 적절하지 **않은** 것은 무엇입니까?

문제 풀이

( )

> **보기**
>
>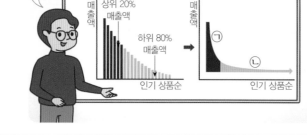
>
> 가로축은 많이 팔리는 상품순, 세로축은 **매출액**을 나타내는 그래프를 그리면, 다음 그래프처럼 오른쪽으로 낮아지는 그래프가 완성됩니다. 빨간색 부분과 노란색 부분을 합치면 전체 매출액이 됩니다.

① 공간이 한정된 매장에서는 ㉠의 영향력을 높게 볼 것이다.

② 롱테일 법칙을 따를 경우에는 ㉡에 **초점**을 두는 마케팅을 할 것이다.

③ 오프라인 매장도 ㉡에 초점을 둔 판매를 해야 매출이 늘어날 것이다.

④ 파레토 법칙을 따를 경우에는 ㉠에 초점을 두는 마케팅을 할 것이다.

⑤ 온라인 매장에만 집중할 경우에는 ㉡을 ㉠만큼 중요하게 생각할 것이다.

5 어휘·어법 속담으로 표현하기

'롱테일 법칙'을 표현할 수 있는 속담으로 가장 적절한 것은 무엇입니까? ( )

① 백지장도 맞들면 낫다

② 벼룩의 간을 내어 먹다

③ 무쇠도 갈면 바늘이 된다

④ 먼지도 쌓이면 큰 산이 된다

⑤ 개같이 벌어서 정승같이 산다

어휘

• **매출액** 물건을 내다 팔아서 생긴 총액.

• **초점** 사람들의 관심이 집중되는 대상.

어휘·어법 TIP

• **백지장도 맞들면 낫다** 아무리 쉬운 일이라도 서로 도와서 하면 훨씬 수월하게 할 수 있음.

• **벼룩의 간을 내어 먹다** 염치없이 가난하거나 약한 사람의 이익을 가로챔.

• **무쇠도 갈면 바늘이 된다** 불가능하게 보이는 일도 끈기를 가지고 꾸준히 노력하면 언젠가는 이룰 수 있음.

• **먼지도 쌓이면 큰 산이 된다** 아무리 작은 것이라도 모이면 큰 덩어리가 됨.

• **개같이 벌어서 정승같이 산다** 돈을 벌 때는 열심히 벌고 쓸 때는 떳떳하게 씀.

1 낱말 이해 낱말 관계 낱말 적용 관용 표현

다음 그림을 보고, ㉠과 ㉡에 알맞은 낱말을 보기 에서 각각 찾아 쓰시오.

보기

| 창작 | 창출 | 창피 | 수치 | 수요 |

이 사업으로 많은 수익을 ㉠(   )하셨다고 하던데 구체적으로 어느 정도입니까?

네. ㉡(   )로 보면 백억 원 대 수출을 달성하였습니다.

○○ 사업가   백억 원 대 수출 달성

2 낱말 이해 낱말 관계 낱말 적용 관용 표현

밑줄 그은 낱말과 반대의 뜻을 가진 낱말은 무엇입니까? (   )

'파레토 법칙'은 경제적인 측면에서 <u>우수</u> 고객과 핵심 품목에 마케팅을 집중하는 전략으로 이어진다.

① 개량   ② 열등   ③ 선량
④ 우세   ⑤ 우월

3 낱말 이해 낱말 관계 낱말 적용 관용 표현

다음 밑줄 그은 상황을 표현하기에 적절한 고유어는 무엇입니까? (   )

파레토는 어느 날 개미들을 관찰했다. 모두가 부지런히 일하는 줄 알았는데, 유심히 살펴보니 정작 열심히 일을 하는 개미는 20% 정도에 불과하고 나머지는 <u>그냥 왔다 갔다 하는</u> 것이었다.

① 비실비실   ② 아등바등   ③ 엉거주춤
④ 어영부영   ⑤ 어리바리

어휘력 +

• **비실비실** 흐느적흐느적 힘없이 자꾸 비틀거리는 모양.

• **아등바등** 무엇을 이루려고 애를 쓰거나 우겨 대는 모양.

• **엉거주춤** 아주 앉지도 서지도 아니하고 몸을 반쯤 굽히고 있는 모양.

• **어영부영** 뚜렷하거나 적극적인 의지가 없이 되는대로 행동하는 모양.

• **어리바리** 정신이 또렷하지 못하거나 기운이 없어 몸을 제대로 놀리지 못하고 있는 모양.

글의 짜임

설명문의 짜임

설명문은 일반적으로 '처음 – 중간 – 끝'의 짜임으로 이루어집니다. '처음' 부분에서는 독자의 관심과 흥미를 유발하면서 글의 목적이나 설명 대상을 제시합니다. 그리고 '중간' 부분에서는 적절한 설명 방법을 사용하여 대상에 대해 예상 독자가 충분히 이해할 수 있도록 구체적으로 설명합니다. 마지막으로 '끝' 부분에서는 앞에서 설명한 내용을 간단히 요약하고 정리하며 글을 마무리합니다.

설명문의 이런 짜임을 알고 있으면 글의 전개 과정과 핵심 내용을 파악하기 쉽습니다. '처음' 부분에서는 글의 화제를 찾을 수 있고, '중간' 부분에서는 각 문단의 중심 내용을 통합하여 전체 주제를 짐작할 수 있습니다. 그리고 '끝' 부분에서 이를 정리하고 더 알아볼 점 등을 생각해 볼 수 있습니다.

논설문의 짜임

논설문은 일반적으로 '서론 – 본론 – 결론'의 짜임으로 이루어집니다. '서론' 부분에서는 독자의 흥미와 관심을 유발하면서 문제 상황이나 궁극적인 주장을 제시합니다. 그리고 '본론' 부분에서는 주장을 명확히 세우고 타당한 근거를 논리적으로 제시하여 독자를 설득합니다. 마지막으로 '결론' 부분에서는 본론의 내용을 요약·정리하거나 주장을 강조합니다. 앞으로의 전망이나 당부를 덧붙이기도 합니다.

논설문을 읽을 때는 무엇보다 주장의 적절성과 근거의 타당성을 따져 보는 것이 중요합니다. 주장은 문제 상황과 밀접한 관련이 있어야 하며, 근거는 객관적이면서 주장을 충분히 뒷받침할 수 있어야 합니다. 그리고 객관적인 사실과 글쓴이의 주관적인 의견을 구분하며 읽어야 합니다.

장기 이식

환자에게 이식할 장기가 부족한 문제 상황을 제시하고, 이를 해결할 수 있는 대표적인 방안인 인공 장기와 이종 이식의 연구 현황과 각각의 문제점을 설명하는 글입니다.

설탕의 유혹

우리 몸은 당분을 필요로 하지만 당분을 과다하게 섭취하면 오히려 신체 이상이 생긴다는 점을 과학적으로 설명하고, 설탕 섭취량을 조절해야 함을 당부하는 글입니다.

물의 중요성과 물맛

물의 중요성을 강조하고 물맛이 물의 온도와 물속에 함유된 무기 염류에 따라 달라진다는 점을 구체적인 수치를 활용하여 설명하는 글입니다.

과학

'과학' 영역의 글은 지구 과학, 화학, 생명 과학 등을 바탕으로 과학 이론과 원리, 과학적 현상의 특징 등을 알려 줍니다.

연어의 모천회귀

유전적 본능, 냄새의 기억, 방향 탐지 능력 등 연어가 태어난 곳으로 정확하게 되돌아올 수 있는 이유를 다양한 주장을 언급하며 설명하는 글입니다.

살아 있는 지구, 가이아 이론

지구를 거대한 하나의 생명체로 보고, 다른 생명체와 마찬가지로 지구 또한 항상성을 유지하기 위해 스스로 노력한다는 가이아 이론에 대해 설명하는 글입니다.

빛의 산란

파동을 지니면서 일정한 속도로 직진하는 빛이 입자를 만나 산란하면서 우리가 대상의 형태와 색깔을 인식하게 된다는 것을 예를 들며 설명하는 글입니다.

장기 이식

20년 수능 유사 주제

가 장기 이식은 질병이나 사고로 기능이 떨어지거나 소실된 장기를 같은 기능을 할 수 있는 다른 장기로 바꾸어 넣는 것이다. 조건만 맞으면 심장, 폐, 간, 신장, 각막 등 거의 모든 장기를 이식할 수 있다. 1950년 미국에서 죽은 사람의 신장을 환자에게 이식하는 수술이 최초로 이루어진 후 지금은 전 세계에서 매년 수십만 건 이상의 장기 이식이 이루어지고 있다.

나 하지만 이식할 장기가 필요한 환자들에 비하면 기증되는 장기의 수는 늘 부족하다. 우리나라의 경우 2019년 기준으로 장기 이식 대기자가 기증자의 12배에 이를 정도이다. 특히 심장처럼 하나밖에 없어서 뇌사자에게 기증받을 수밖에 없는 장기는, 신장처럼 두 개가 있어서 하나를 떼어 줄 수 있거나 간처럼 일부만 잘라서 이식할 수 있는 장기에 비하면 이식할 수 있는 장기의 수 자체가 매우 적다.

다 환자에게 이식할 장기가 턱없이 부족하자 과학자들은 인간의 장기를 대체할 수 있는 방법을 연구했다. 그중 대표적인 방법이 인공 장기와 이종 이식이다. 인공 장기는 몸의 장기나 조직을 대신할 수 있도록 인공적으로 만든 기계 장치로, 과학자들은 인공 관절이나 인공 판막, 인공 심장, 인공 신장 등 인체 대부분의 장기와 조직을 개발하고 있다. 아직은 비용이 많이 드는 등의 문제가 있어 널리 이용되지 못하지만 앞으로 생체 장기를 대체할 유력한 방법으로 기대되고 있다.

라 이종 이식은 돼지나 침팬지 같이 종이 다른 동물의 장기를 인간에게 이식하는 것이다. 1905년 돼지의 신장을 이식하는 시도를 시작으로 다양한 동물의 장기를 인간에게 이식하는 실험이 계속되었다. 하지만 우리 몸의 면역 거부 반응 때문에 거의 대부분 실패하였다. 면역은 우리 몸속에 들어온 병원균이나 바이러스, 이물질 등을 공격하여 신체를 지키는 방어 체제이다. 원래 자신의 몸의 일부가 아니었던 장기가 몸속에 들어오면 면역 체계가 마구 공격을 하여 죽게 만드는 것이다. 이런 면역 반응은 사람끼리의 장기 이식에서도 일어난다. 사람마다 면역 체계가 다르기 때문이다. 따라서 종이 다를 경우에는 더욱 격렬하게 일어날 수밖에 없다. 이종 이식에서 격렬한 면역 반응이 일어나자 과학자들은 거부 반응을 ㉠일으키는 유전자가 없는 동물을 연구했다. 이 연구는 일부 성과를 거두어 인체에 거부 반응을 일으키는 요소를 ㉡없앤 무균 돼지를 만들어 내기도 하였다. 앞으로 기술이 더 발전하면 안전한 장기를 ㉢얻을 수 있을 것이다.

마 하지만 면역 반응을 없애더라도 이종 이식에 아무런 문제가 없는 것은 아니다. 이종 이식으로 인해 인류가 알지 못하는 바이러스나 병원균에 노출될 수 있기 때문이다. 실제로 유인원의 장기를 이식받은 사람의 몸에서 유인원에게만 발견되는 바이러스가 ㉣나온 적도 있었다. 종을 뛰어넘는 바이러스의 이동은 새로운 질병을 ㉤가져올 수 있다. 따라서 오랜 시간이 걸리더라도 철저한 연구와 폭넓은 실험이 선행되어야 한다.

정답 및 풀이 15쪽

글의 구조 문단 내용 정리하기

1 다음은 이 글을 읽고 내용을 정리한 것입니다. 빈칸에 들어갈 적절한 말을 쓰시오.

가 장기 (   )
의 뜻

나 장기 (   )
실태

다 인간의 장기를 대체
할 수 있는 방법 ①
– (   )

라 인간의 장기를 대체
할 수 있는 방법 ②
– (   )

마 이종 이식의 한계와
개선점

글의 구조 TIP

이 글은 총 다섯 개의 문단으로 이루어져 있습니다. **가**, **나**문단에서 장기 이식의 뜻과 장기가 부족한 상황을 설명한 후, **다**, **라**문단에서 인간의 장기를 대체할 수 있는 방법을 소개하고, **마**문단에서는 **라**문단의 내용을 추가 설명하고 있습니다.

내용 이해 세부 정보 파악하기

2 이 글을 읽고 해결할 수 있는 질문이 <u>아닌</u> 것은 무엇입니까? (   )

① 인공 장기가 널리 이용되지 못하는 이유는 무엇일까?

② 인간의 장기를 대체할 수 있는 방법에는 어떤 것들이 있을까?

③ 이종 이식을 할 때 인체의 면역 거부 반응 외에 다른 문제는 없을까?

④ 인간의 장기를 환자에게 이식하는 수술은 언제 최초로 이루어졌을까?

⑤ 과학자들은 어떤 방법으로 거부 반응을 일으키는 유전자를 제거했을까?

어휘

• **제거했을까** 없애 버렸을까.

전개 방식 문단별 서술 방식 파악하기

3 **가**~**마**의 서술 방식에 대한 설명으로 적절하지 <u>않은</u> 것은 무엇입니까? (   )

① **가**: 장기 이식의 개념을 정의의 설명 방식으로 설명하고 있다.

② **나**: 장기 이식의 실태를 언급하면서 근본적인 문제점을 지적하고 있다.

③ **다**: 장기 이식의 한계를 해결할 수 있는 방법을 나누어서 소개하고 있다.

④ **라**: 비유적인 표현으로 앞으로 이종 이식의 발전 방향을 제시하고 있다.

⑤ **마**: 실제 사례를 근거로 들며 이종 이식의 다른 문제점을 설명하고 있다.

적용하기 구체적인 상황에 적용하기

4 이 글을 읽은 학생이 보기 에 대해 보인 반응으로 가장 적절한 것은 무엇입니까?

( )

어휘

• **턱없이** 수준이나 분수에 맞지 않게.

• **밑돈다** 어떤 정도가 수준에 미치지 못한다.

• **면역 체계** 면역 세포가 만들어지고 반응하는 체계.

보기

우리나라는 2018년 기준으로 약 3만여 명의 환자가 장기 이식을 받기 위해 대기하고 있다. 하지만 장기 기증자는 그에 **턱없이** 못 미치는 수준으로, 장기 이식 비율이 10%를 **밑돈다.** 이 때문에 장기 이식을 기다리다 사망한 환자 수가 2010년 900여 명에서 2014년 1100여 명, 2018년 1900여 명으로 증가하고 있다.

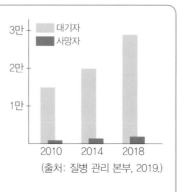

(출처: 질병 관리 본부, 2019.)

① 신장보다 심장을 기증하는 수가 더 많겠군.

② 사회적으로 장기 기증에 대한 인식이 높은 상태군.

③ 우리 몸의 **면역 체계**를 없애는 방법을 찾아야겠군.

④ 이종 이식에 대한 연구를 더욱 적극적으로 해야겠군.

⑤ 인공 장기에 대한 투자가 성공적으로 이루어지고 있군.

어휘·어법 TIP

• **유발하는** 어떤 사건이나 현상을 일어나게 하는.

• **제거한** 바람직하지 않은 것을 없애버린.

• **적중할** 정확히 들어맞을.

• **검출된** (해로운 성분이나 요소 등이) 검사하여 찾아진.

• **초래할** (어떤 나쁜 결과를) 일으키거나 생기게 할.

어휘·어법 어휘의 문맥적 의미 파악하기

5 ㉠~㉤과 바꿔 쓰기에 적절하지 않은 것은 무엇입니까? ( )

① ㉠: 유발하는   ② ㉡: 제거한

③ ㉢: 적중할   ④ ㉣: 검출된

⑤ ㉤: 초래할

낱말 이해 낱말 관계 낱말 적용 관용 표현

1 다음 그림을 보고, ㉠과 ㉡에 알맞은 낱말을 보기 에서 각각 찾아 쓰시오.

보기

| 소실 | 손실 | 분실 | 분출 | 노출 |

아빠, 여기 있던 문화재는 ㉠(   )되었나 봐요.

탑이 있던 터

외부에 ㉡(   )되다 보니 전쟁 중에 없어진 것 같구나. 안타까운 일이지.

낱말 이해 낱말 관계 낱말 적용 관용 표현

2 낱말 간의 관계가 다음 두 낱말의 관계와 <u>다른</u> 것은 무엇입니까? (   )

이종 – 동종

① 공격 – 방어   ② 내부 – 외부   ③ 신장 – 장기
④ 실패 – 성공   ⑤ 지속 – 중단

낱말 이해 낱말 관계 낱말 적용 관용 표현

3 다음 밑줄 그은 부분을 표현할 수 있는 속담으로 알맞은 것은 무엇입니까?

(   )

종을 뛰어넘는 바이러스의 이동은 새로운 질병을 가져올 수 있다. 따라서 <u>오랜 시간이 걸리더라도 철저한 연구와 폭넓은 실험이 선행되어야 한다.</u>

① 달걀로 바위 치기
② 백지장도 맞들면 낫다
③ 고양이 목에 방울을 달다
④ 돌다리도 두들겨 보고 건너라
⑤ 부뚜막의 소금도 집어넣어야 짜다

어휘력 ➕

• **달걀로 바위 치기** 대항해도 도저히 이길 수 없음.

• **백지장도 맞들면 낫다** 쉬운 일이라도 협력하여 하면 훨씬 쉬움.

• **고양이 목에 방울을 달다** 실행하기 어려운 것을 공연히 의논함.

• **돌다리도 두들겨 보고 건너라** 잘 아는 일이라도 세심하게 주의를 해야 함.

• **부뚜막의 소금도 집어넣어야 짜다** 아무리 좋은 조건이 마련되었거나 손쉬운 일이라도 힘을 들이어 이용하거나 하지 아니하면 안 됨.

설탕의 유혹

• 지문 해설

• 지문 난이도: 상
●━━●━━●━━●━━○

• 글자 수: 1296자
○━━━●●━━━○
1000   1500

• **당분**(糖 사탕 당, 分 나눌 분)
단맛이 있는 성분.

• **에너지원**(源 근원 원) 에너
지의 근원이 되는 것.

• **수치** 계산하거나 재어서 얻
은 수.

• **식욕**(食 먹을 식, 慾 욕심 욕)
음식을 먹고 싶은 마음.

• **억제하는** 더 이상 커지거나
일어나지 못하게 억누르는.

• **분비** 몸속의 일부 기관과
세포에서 여러 가지 생리 작
용을 일으키는 물질을 만들어
몸에서 퍼지거나 나오는 일.

• **섭취** 생물체가 양분 등을
몸속에 빨아들이는 일.

• **과다**(過 지날 과, 多 많을 다)
한 너무 많은.

• **성인병** 주로 중년기 이후에
일어나는 여러 가지 생리적인
병.

• **지방간** 간에 중성 지방이
비정상적으로 축적된 상태.

• **권장량** 식사량, 섭취량 등
적당하다고 생각되어 권하는
양.

당분은 생명을 유지하는 데 꼭 필요하다. 우리 몸은 당분의 일종인 포도당을 에너지원으로 삼고 있기 때문이다. 우리가 먹은 음식물은 소화 과정을 거치면서 포도당으로 분해된 뒤, 혈액을 통해 우리 몸 곳곳으로 전달된다. 이 과정에서 인슐린같이 혈액 속 당분 수치를 낮추는 호르몬이나 식욕을 억제하는 호르몬, 기분이 좋아지게 하는 호르몬 등 여러 가지 호르몬이 자연스럽게 분비된다. 그런데 혈액 속 당분 수치가 정상보다 너무 높으면 우리 몸의 호르몬 분비가 혼란스럽게 되어 신체 기능이 떨어진다. 즉 당분 섭취는 너무 적어도 안 되고, 너무 많아도 안 된다.

일상에서 단맛을 느낄 수 있는 가장 쉬운 재료는 설탕이다. 설탕은 천연 재료인 사탕수수나 사탕무로 만들지만, 만드는 과정에서 좋은 영양소는 모두 사라지고 고칼로리의 단맛만 남는다. 입에는 당기지만 몸에는 그리 좋지 않다.

설탕은 포도당과 과당으로 이루어져 있다. 일반 음식물이나 과일 같은 천연 식품 속에 들어 있는 포도당은 우리 몸속에서 천천히 흡수되면서 적당한 선에서 음식물 섭취를 멈추게 한다. 이와 달리 설탕에 들어 있는 포도당은 먹자마자 흡수되어 혈액 속의 당분 수치를 빠르게 높인다. 피곤하거나 우울할 때 설탕이 많이 들어간 과자나 케이크를 먹으면 금세 기분이 좋아지는 것은 이 때문이다. 하지만 과다한 설탕 섭취는 인슐린의 급격한 분비를 ㉠초래하여 혈액 속 당분 수치를 금방 떨어지게 하고 그러면 우리 몸은 다시 단것을 찾는다. 설탕을 너무 많이 먹어서 우리 몸의 당분 수치가 마치 롤러코스터처럼 급격하게 오르내리게 되는 것이다. 또한 설탕에 들어 있는 과당은 우리 몸속으로 들어오면 간으로 이동하는데 이 양이 일정한 수치를 넘어서면 간이 제대로 처리하지 못해 과당이 간 속에 그대로 쌓이게 된다. 이는 성인병의 한 종류인 지방간으로 이어질 수 있다.

세계 보건 기구(WHO)가 권장하는 설탕의 하루 섭취량은 성인 기준 25~50g이다. 보통 각설탕 하나가 3g 정도이므로 25g은 약 8~9개 분량으로 생각할 수 있다. 이 양은 하루에 먹는 모든 음식물과 음료수에 들어 있는 당분을 모두 포함한 것이다. 그런데 콜라 한 캔에 들어 있는 설탕의 양은 약 27g이고, 초코파이 1개에 들어 있는 설탕의 양은 약 25g이다. 많은 청소년들이 알게 모르게 권장량을 초과하는 설탕을 섭취하고 있을 가능성이 높다.

단것을 아예 먹지 않을 수는 없다. 정 단맛이 당길 때는 과자나 탄산음료를 적절한 양만 섭취하거나 과일을 대신 먹는 것이 좋다. 군것질거리를 사 먹을 때에는 제품 겉면에 있는 성분을 살펴서 설탕이 적게 들어간 것을 고르는 현명함이 필요하다.

글의 구조 문단 내용 정리하기

1 다음은 이 글을 읽고 내용을 정리한 것입니다. 빈칸에 들어갈 적절한 말을 쓰시오.

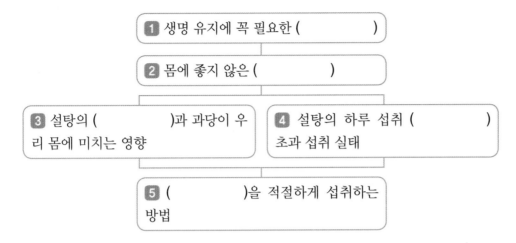

1 생명 유지에 꼭 필요한 (　　　　　)

2 몸에 좋지 않은 (　　　　　)

3 설탕의 (　　　　)과 과당이 우리 몸에 미치는 영향

4 설탕의 하루 섭취 (　　　　) 초과 섭취 실태

5 (　　　　)을 적절하게 섭취하는 방법

글의 구조 TIP

이 글은 총 다섯 개의 문단으로 이루어져 있습니다. **1**, **2**문단에서는 당분과 설탕에 대해 소개하고, **3**, **4**문단에서는 설탕의 구성과 설탕을 과다 섭취하는 현상에 대해 알리고 있습니다. **5**문단에서는 설탕을 적절하게 먹는 방법을 소개하였습니다.

내용 이해 세부 정보 파악하기

2 이 글의 내용과 일치하지 <u>않는</u> 것은 무엇입니까? (　　　　)

① 설탕은 기분을 좋게 만들지만 영양소는 거의 없는 물질이다.

② 혈액 속에 포도당이 들어오면 우리 몸은 인슐린을 분비한다.

③ 설탕의 포도당과 과당은 몸속에서 소화 과정을 거쳐 흡수된다.

④ 세계 보건 기구에서는 설탕 하루 섭취량을 정하여 권장하고 있다.

⑤ 천연 식품 속에 들어 있는 포도당은 우리 몸속에서 천천히 흡수된다.

전개 방식 설명 방법 파악하기

3 이 글에 쓰인 설명 방법으로 적절하지 <u>않은</u> 것은 무엇입니까? (　　　　)

① 구체적인 예를 들어 내용에 대한 이해를 돕고 있다.

② 구체적인 수치를 언급하면서 내용을 전달하고 있다.

③ 인과의 방식으로 문제가 되는 상황을 설명하고 있다.

④ 서로 다른 두 대상을 비교하여 공통점을 강조하고 있다.

⑤ 대상을 구성 요소로 나눈 뒤에 각각의 문제점을 설명하고 있다.

추론하기 세부 내용 추론하기

4 이 글을 참고하여 보기 에 대해 이해한 내용으로 적절하지 <u>않은</u> 것은 무엇입니까?

(　　　)

보기

　당분은 포도당과 과당처럼 당 분자 하나로만 구성된 단당류, 설탕이나 맥아당처럼 당 분자 두 개가 결합한 이당류, **녹말**처럼 당 분자 세 개 이상이 결합한 다당류로 나누어진다. 일반적으로 단당류와 이당류에서 단맛을 쉽게 느낄 수 있으며, 단당류일수록 체내 흡수가 빠르다. 현대인이 일상생활에서 쉽게 섭취하는 당분은 설탕과 **액상** 과당이다. 설탕은 포도당 분자 하나와 과당 분자 하나가 같은 비율로 결합한 이당류이다. 이와 달리 액상 과당은 옥수수 녹말에서 추출한 포도당과, 이를 변환시킨 과당이 일정한 비율로 섞여 있는 단당류이다. 액상 과당은 설탕보다 가격이 저렴하고, 물에 잘 녹아서 탄산음료, 빵, 과자 등의 가공식품을 만들 때 많이 사용된다.

① 설탕보다 액상 과당이 몸속에서 더 빨리 흡수되겠군.

② 액상 과당을 많이 먹으면 인슐린 분비가 **촉진**되겠군.

③ 건강을 위해 액상 과당을 설탕 대신 사용하면 되겠군.

④ 설탕을 먹지 않더라도 당분을 과다 섭취할 수 있겠군.

⑤ 액상 과당과 설탕은 모두 단맛을 내지만 원료가 다르군.

어휘·어법 어휘의 문맥적 의미 파악하기

5 ㉠'초래하여'와 바꿔 쓰기에 가장 적절한 말은 무엇입니까? (　　　)

① 들어가서　　　　　② 불러와서

③ 뽑아내어　　　　　④ 자아내어

⑤ 찾아와서

어휘

• **분자** 물질에서 화학적 형태와 성질을 잃지 않고 분리될 수 있는 최소의 입자.

• **녹말** 녹색식물의 엽록체 안에서 광합성으로 만들어져 뿌리, 줄기, 씨앗 따위에 저장되는 탄수화물. 맛도 냄새도 없는 백색 분말로, 인간과 동물에게 없어서는 안 될 영양소임.

• **액상** 물질이 액체로 되어 있는 상태.

• **촉진** 다그쳐 빨리 나아가게 함.

1 낱말 이해 | 낱말 관계 | 낱말 적용 | 관용 표현

다음 그림을 보고, ㉠과 ㉡에 알맞은 낱말을 [보기] 에서 각각 찾아 쓰시오.

[보기]

당분   염분   호르몬   권장량   배출량

㉠( )은 꼭 필요한 거니까 많이 먹어야지.

설탕 하루 섭취 ㉡( )을 지키지 않으면 건강을 해칠 수 있으니 적당히 먹어야 해.

2 낱말 이해 | 낱말 관계 | 낱말 적용 | 관용 표현

다음 낱말의 뜻으로 알맞은 것을 찾아 선으로 이으시오.

(1) 급격하다   •

(2) 분비되다   •

(3) 에너지원   •

• ㉮ 에너지의 근원이 되는 것.

• ㉯ 변화의 움직임 따위가 급하고 격렬함.

• ㉰ 몸속의 일부 기관과 세포에서 여러 가지 생리 작용을 일으키는 물질을 만들어 몸에서 퍼지거나 나오게 됨.

3 낱말 이해 | 낱말 관계 | 낱말 적용 | 관용 표현

[보기] 를 참고할 때, '당분'을 대하는 우리의 자세를 표현하는 한자성어로 알맞은 것은 무엇입니까? ( )

[보기]

당분은 생명을 유지하는 데 꼭 필요하다. 우리 몸은 당분의 일종인 포도당을 에너지원으로 삼고 있기 때문이다. 우리가 먹은 음식물은 소화 과정을 거치면서 포도당으로 분해된 뒤, 혈액을 통해 우리 몸 곳곳으로 전달된다. 그런데 혈액 속 당분 수치가 정상보다 너무 높으면 우리 몸의 호르몬 분비가 혼란스럽게 되어 신체 기능이 떨어지게 된다. 즉 당분 섭취는 너무 적어도 안 되고, 너무 많아도 안 된다.

① 과유불급(過猶不及)   ② 다다익선(多多益善)   ③ 우유부단(優柔不斷)
④ 외유내강(外柔內剛)   ⑤ 조삼모사(朝三暮四)

어휘력 ➕

• **과유불급** 지나친 것은 부족한 것보다 못함.

• **다다익선** 많으면 많을수록 더욱 좋음.

• **우유부단** 얼른 결정하거나 행동하지 못하고 우물쭈물함.

• **외유내강** 겉으로는 부드럽고 순하게 보이나 속은 곧고 굳셈.

• **조삼모사** 간사한 꾀로 남을 속여 희롱함.

물의 중요성과 물맛

• 지문 해설

• 지문 난이도: 중
●——●——○——○——○

• 글자 수: 1322자
1000 ——— 1500

가 물이란 무엇일까? 일상적으로 마시거나 씻을 수 있는 것을 포함하여 호수나 바다, 강 등을 두루 가리키는 말이다. 우리 인간에게 물은 단순한 물질이 아니라 생명을 ㉠유지하는 데 필수적인 요소이다. 인간은 물을 이용하여 영양분을 섭취하고 그것을 혈액과 체액으로 몸 곳곳에 전달하기 때문이다.

나 또한 우리 몸의 많은 부분이 물로 이루어진다. 평균적으로 우리 몸의 3분의 2 이상은 물로 이루어진다. 어머니 뱃속에서 수정되는 수정란은 99%가 물이고, 갓난아기는 약 80%가 물로 이루어져 있다. 청소년은 약 75%, 성인 남자는 약 70%, 성인 여자는 약 60%, 죽기 직전의 노인은 약 50%가 물로 이루어진다. 우리 몸에서 물이 1~2% 부족하면 심한 갈증을 느끼게 되고, 5%가 부족하면 혼수상태에 빠지게 되며, 11~12%가 부족하면 죽음에 이르게 된다. 물은 그 자체가 몸의 핵심 요소이면서 영양분을 전달하는 매개체이기도 하다. 비유하자면 물은 생명 유지에 필요한 에너지를 몸 구석구석까지 운반해 주는 화물차라 할 수 있다. 화물차에 쓰레기가 가득 쌓이면 운반하는 물건은 물론 화물차도 오염되고 말 것이다. 그러므로 물은 늘 깨끗해야 한다.

다 물이 이처럼 중요하다 보니 사람들은 마시는 물을 까다롭게 고르는 경향이 있다. 어떤 사람들은 몸에 좋다는 성분이 든 생수를 마시기도 하고, 또 어떤 사람들은 매일 약수터 물을 길어다가 마시기도 한다. 마시는 방법도 사람마다 다르다. 그냥 마시는 사람도 있고, 반드시 끓여서 마시는 사람도 있으며, 보리나 찻잎 같은 다른 재료를 넣어서 마시는 사람도 있다. 이처럼 사람들은 마시는 물을 중요하게 생각한다.

라 그렇다면 우리가 매일 마시는 물은 과연 무슨 맛일까? 사실 순수한 물에서는 아무 맛을 느낄 수 없지만 여러 요인에 따라 물맛이 조금씩 달라지기도 한다. 물맛을 결정하는 핵심적인 요소는 두 가지이다. 첫째는 물에 녹아 있는 칼슘이나 탄산 같은 무기 염류이다. 어떤 성분이 포함되어 있느냐에 따라 물맛이 조금씩 달라진다. 탄산이 많이 포함된 물은 톡 쏘는 맛이 나서 마치 사이다 같은 청량감을 준다.

마 물맛을 결정하는 둘째 요소는 물의 온도이다. 무기 염류보다는 온도가 물맛을 더 많이 좌우한다는 것이 과학자들의 대체적인 의견이다. 그렇다면 가장 맛있는 물의 온도는 과연 몇 도일까? 차가운 물은 4도 정도일 때, 따뜻한 물은 70도 정도일 때가 가장 맛있다. 수돗물도 냉장고에 넣어 두었다가 마시면 비싼 가격의 생수와 맛의 차이를 느끼지 못할 정도이다. 그렇다면 가장 맛없는 물의 온도는 몇 도일까? 사람의 체온과 가까운 35~45도가 가장 맛이 없다. 쉽게 말해 미지근한 물이 가장 맛이 없게 느껴지는 것이다.

• **영양분** 영양이 되는 성분.

• **체액** 몸속에 있는 여러 가지 액체.

• **수정되는** 암과 수의 생식 세포가 서로 합쳐져 새 개체를 이루는.

• **갈증** 목이 말라 물을 마시고 싶은 느낌.

• **혼수상태** 의식이 없어진 상태.

• **무기 염류** 칼슘·철·나트륨과 같이 에너지를 내지 않지만 몸의 조직을 만드는 데 필요한 물질.

• **청량감**(淸 맑을 청, 涼 서늘한 량, 感 느낄 감) 맑고 시원한 느낌.

글의 구조 문단 내용 정리하기

1 다음은 이 글을 읽고 내용을 정리한 것입니다. 빈칸에 들어갈 적절한 말을 쓰시오.

가 생명을 유지하는 데 필수적인 (   )

나 우리 (   ) 에서 물이 차지하는 비율과 물의 역할

다 (   ) 을 중요하게 생각하는 사람들

라 물맛을 결정하는 요소 ① – (   )

마 물맛을 결정하는 요소 ② – 물의 (   )

글의 구조 TIP

이 글은 총 다섯 개의 문단으로 이루어져 있습니다. **가**, **나**문단 에서는 물의 중요성을 설명하고, **다**문단에서는 사람들이 물을 중 요하게 생각한다는 것을 소개했 습니다. **라**, **마**문단에서는 물맛 을 결정하는 요소를 설명하고 있 습니다.

내용 이해 세부 정보 파악하기

2 이 글의 내용과 일치하지 <u>않는</u> 것은 무엇입니까? (   )

① 나이가 들수록 신체에서 차지하는 물의 비율이 점점 낮아진다.

② 우리 몸에서 물이 1~2%만 부족해도 심한 갈증을 느끼게 된다.

③ 과학자들은 물의 온도가 물맛을 더 많이 결정한다는 입장을 보인다.

④ 물에 포함되어 있는 무기 염류의 종류나 양에 따라 물맛이 달라진다.

⑤ 일반적으로 사람의 체온과 비슷한 온도의 물을 가장 맛있다고 느낀다.

전개 방식 문단별 서술 방식 파악하기

3 **가**~**마**에 쓰인 설명 방법으로 적절하지 <u>않은</u> 것은 무엇입니까? (   )

① **가**: 우리가 아는 물의 일반적인 개념을 정의하고 있다.

② **나**: 물이 우리 몸에서 하는 역할을 화물차에 빗대어 설명하고 있다.

③ **다**: 사람들이 물을 마시는 방법을 다양한 예를 들어 설명하고 있다.

④ **라**: 물에 들어 있는 무기 염류의 성분을 분석하고 있다.

⑤ **마**: 질문을 던져서 이어질 내용을 제시하고 있다.

적용하기 다른 상황에 적용하기

4 보기 를 활용하여 이 글을 보완할 방안으로 가장 적절한 것은 무엇입니까?

( )

> **보기**
>
> 몸에 물이 부족해지면 몸의 신진대사가 원활하게 이루어지지 않아 몸이 나른해지는 느낌이 들면서 기분이 우울해지기도 한다. 따라서 괜히 우울하거나 짜증이 날 때는 물을 두세 잔 천천히 마시면 편안한 마음을 되찾을 수 있다. 물을 충분하게 마시면 불안 증상이나 스트레스를 해소하는 데에도 도움이 된다.

① 물에도 우리 몸에 필요한 영양소가 들어 있다는 내용을 추가한다.

② 물은 건강을 유지하는 데 중요한 역할을 한다는 내용을 추가한다.

③ **불순물**이 섞여 있지 않은 깨끗한 물을 마셔야 한다는 내용을 추가한다.

④ **카페인**이 든 음료수보다 물이 집중력 향상에 더 좋다는 내용을 추가한다.

⑤ 물은 신체적인 부분만이 아니라 정신적인 부분에도 영향을 끼친다는 내용을 추가한다.

어휘·어법 어휘의 사전적 의미 파악하기

5 다음 문장의 밑줄 그은 낱말 중 ㉠'유지'와 같은 뜻으로 쓰이지 않은 것은 무엇입니까? ( )

① 이 상태로 나가다가는 현상 유지도 어려울 것 같다.

② 바닷가 사람들은 대개 물고기를 잡아 생계를 유지한다.

③ 저 할아버지는 이 마을에서 가장 영향력이 큰 유지이다.

④ 경찰은 치안 유지에 최선을 다하여 국민을 보호해야 한다.

⑤ 좋은 성적을 유지하는 방법은 꾸준하게 공부를 하는 것이다.

어휘력 완성

낱말 이해 | 낱말 관계 | 낱말 적용 | 관용 표현

1 다음 그림을 보고, ㉠과 ㉡에 알맞은 낱말을 [보기]에서 각각 찾아 쓰시오.

> **보기**
> 일상적   평균적   매체   매개체   물체

㉠( )인 모습을 찍은 사진인데 지금 보니 새롭고 좋다.

응, 사진은 추억을 불러일으키는 ㉡( )가 되어 주는 것 같아.

낱말 이해 | 낱말 관계 | 낱말 적용 | 관용 표현

2 다음 밑줄 그은 낱말과 뜻이 비슷한 한자어는 무엇입니까? ( )

> 물은 늘 깨끗해야 한다.

① 보통   ② 수시   ③ 왕왕
④ 종종   ⑤ 항상

낱말 이해 | 낱말 관계 | 낱말 적용 | 관용 표현

3 다음 밑줄 그은 부분을 표현하기에 적절한 한자성어는 무엇입니까? ( )

> 화물차가 더러우면 그 차로 운반되는 물건도 오염될 가능성이 매우 높다. 사람도 이와 마찬가지다. 좋지 않은 친구를 사귀면 자신도 나쁜 버릇에 물들기 쉽다.

① 개과천선(改過遷善)   ② 근묵자흑(近墨者黑)
③ 독야청청(獨也靑靑)   ④ 문일지십(聞一知十)
⑤ 표리부동(表裏不同)

어휘력 ➕

- **개과천선** 지난 날의 잘못을 뉘우치고 고쳐 올바르게 착하게 됨.
- **근묵자흑** 나쁜 사람과 가까이 지내면 나쁜 버릇에 물들기 쉬움.
- **독야청청** 남들이 모두 절개를 꺾는 상황 속에서도 홀로 절개를 굳세게 지키고 있음.
- **문일지십** 하나를 듣고 열 가지를 미루어 안다는 뜻으로, 지극히 총명함.
- **표리부동** 마음이 음흉하고 겉과 속이 다름.

살아 있는 지구, 가이아 이론

• 지문 해설

• 지문 난이도: 중
●━━●━━●━━○━━○

• 글자 수: 1342자
○━━●━━○
1000   1500

• **생존**(生 날 생, 存 있을 존) 죽지 않고 살아 있는 것, 또는 살아남는 것.

• **표면**(表 겉 표, 面 낯 면) 사물의 가장 바깥쪽.

• **무생물**(無 없을 무, 生 날 생, 物 만물 물) 돌, 물, 공기와 같이 생명이 없는 물건.

• **유지하려는** 어떤 상태나 현상을 그대로 이어가거나 계속하려는.

• **상호 작용**(相 서로 상, 互 서로 호, 作 지을 작, 用 쓸 용) 생물체 부분들의 기능 사이나, 생물체의 한 부분의 기능과 개체의 기능 사이에서 이루어지는 일정한 작용.

• **빙하기**(氷 얼음 빙, 河 강물 하, 期 기약할 기) 빙하가 지구의 대부분을 덮고 있었던 시기.

• **일환** 여러 관련된 일 중의 하나.

• **가설** 어떤 사실을 설명하기 위하여 임시로 이용하지만, 아직 확실하게 증명이 되지 않은 이론.

• **무분별**(無 없을 무, 分 나눌 분, 別 다를 별)**한** 사리에 맞게 판단하는 능력이 없는.

영국의 과학자 제임스 러브록은 지구를 하나의 살아 있는 생명체로 보는 '가이아 이론'을 주장했다. 이 이론은 크고 작은 생명체가 생명을 유지하기 위해 노력하는 것처럼 지구 또한 지구 자체의 생존을 위해 스스로 노력하는 존재라고 보는 것이다. 제임스 러브록은 지구가 생명체임을 나무에 빗대어 설명한다. 그에 따르면 지구는 거대한 나무와 같다. 매우 크고 오래된 나무를 보면, 살아 있는 세포로 이루어진 부분은 나무 표면 가까이에 있는 일부 조직에 불과하며 나무의 안쪽은 대부분 죽은 세포로 되어 있다. 그러나 죽은 세포로 이루어진 부분이 더 많다고 하더라도 잎이 자라는 나무 자체는 분명히 생명체이다. 지구도 이와 같다는 것이다. 지구 전체를 보면 땅과 바다 등 무생물로 이루어진 부분이 사람이나 동식물 등 생물로 이루어진 부분보다 훨씬 많지만, 그렇다고 해서 지구 전체를 생명체로 보지 못할 이유가 없다는 것이다.

생명체는 생존을 위해 환경을 일정한 상태로 유지하려는 속성이 있다. 예를 들어 인간은 체온을 36.5도로 유지해야 살 수 있다. 이 때문에 외부 기온이 높아지면 땀을 흘리는 등의 방법으로 체온을 유지한다. 또는 선풍기나 에어컨을 이용해 외부 온도를 낮춘다. 생명체의 이러한 작용을 항상성이라고 하는데, 지구도 항상성을 갖고 있다. 지구도 생존하기에 적합한 환경을 유지하려고 노력하는 것이다. 이런 노력은 지구에 존재하는 생물들에 의해 자연스럽게 이루어진다. 마치 우리 몸을 구성하고 있는 여러 조직이 자연스럽게 상호 작용하는 것과 같다.

이런 관점에서 볼 때, 지구의 항상성을 심각하게 위협하는 존재가 있다면 지구는 살아남기 위해 그 존재를 공격할 수도 있다. 마치 바이러스나 세균 같은 질병을 일으키는 존재가 우리 몸 안에 들어왔을 때 우리 몸이 자체적으로 그것을 공격하거나 몸 밖으로 내보내려 하는 것과 같다. 지진이나 화산 폭발, 빙하기, 급격한 날씨 변화 같은 자연 현상이 그러한 작용의 일환이다. 우리의 몸에 상처가 생겼을 때 딱지가 앉듯이 지구도 스스로 자신의 병을 치료하는 것이다. 가이아 이론을 믿는 사람들은 그 공격 대상이 인간이 될 수도 있다고 경고한다. 인간은 지속적으로 자연 생태계를 파괴해 왔기 때문이다.

가이아 이론은 아직 하나의 가설에 불과하다. 하지만 가이아 이론은 지구에 존재하는 모든 것이 서로 밀접한 관계를 맺고 있다는 관점으로 지구를 바라보게 했다는 점에서 의의가 있다. 다시 말해 인간은 지구를 마음대로 지배하는 존재가 아니라 다른 생물들처럼 지구 생태계의 일부일 뿐이고, ㉠인간의 편리만을 생각하는 무분별한 개발과 환경 파괴는 지구 전체의 건강을 위협하여 결국은 인류 전체의 생존을 위협하는 부메랑으로 돌아올 수 있다는 깨달음을 주는 것이다.

글의 구조 문단 내용 정리하기

1

다음은 이 글을 읽고 내용을 정리한 것입니다. 빈칸에 들어갈 적절한 말을 쓰시오.

1 지구를 생명체로 보는 ( )

2 ( )을 갖고 있는 지구

3 항상성을 위협하는 존재를 ( )하는 지구

4 가이아 이론의 의의 – 인간이 지구 ( )의 일부분이라는 깨달음을 줌.

글의 구조 TIP

이 글은 총 네 개의 문단으로 이루어져 있습니다. **1**문단에서는 가이아 이론에 대해 소개하고, **2**, **3**문단에서는 지구도 하나의 생명체임을 인간과 비교하며 설명하고 있습니다. **4**문단에서는 가이아 이론의 의의를 설명하며 마무리하였습니다.

내용 이해 세부 정보 파악하기

2

이 글의 내용과 일치하지 <u>않는</u> 것은 무엇입니까? ( )

① 지구는 무생물로 이루어진 부분이 생물로 이루어진 부분보다 많다.

② 가이아 이론은 지구를 생존을 위해 스스로 노력하는 생명체로 본다.

③ 우리 몸은 몸속에 바이러스가 들어오면 자체적으로 그것을 공격한다.

④ 가이아 이론은 인간이 지구의 항상성을 유지하는 기능을 한다고 본다.

⑤ 생명체는 자신의 생존 환경을 일정한 상태로 유지하려는 경향이 있다.

전개 방식 설명 방식 파악하기

3

이 글의 내용 전개 방식으로 가장 적절한 것은 무엇입니까? ( )

① 묻고 답하는 형식을 활용하여 내용을 전개하고 있다.

② 특정 현상의 원인을 과학적인 관점에서 분석하고 있다.

③ 여러 가지 사례를 제시한 뒤 공통점을 이끌어 내고 있다.

④ 다양한 이론을 제시한 뒤 각각의 문제점을 지적하고 있다.

⑤ 어려운 개념을 익숙한 대상에 빗대어 쉽게 설명하고 있다.

비판하기 외부 자료를 바탕으로 비판하기

보기를 참고하여 이 글을 비판하려고 할 때, 가장 적절한 내용은 무엇입니까?

( )

어휘
• **번성** 세력이 커지고 널리 퍼짐.
• **멸종시켰다** 생물의 한 종류가 지구에서 완전히 없어지게 함.
• **행태** 행동하는 양상. 주로 부정적인 의미로 씀.

보기

과학 연구에 따르면, 지진이나 화산 폭발, 빙하기 같은 급격한 기후 변화 등의 수많은 자연 현상들은 인류와 아무런 관계없이 수십억 년 동안 꾸준히 발생했으며, 인류가 지구에 나타나기 전에도 이런 현상은 있었다. 또한 이런 자연 현상들이 지구 생태계에 긍정적인 영향을 끼쳤다고 볼 만한 근거가 없다. 지진, 화산 폭발, 빙하기 등은 오히려 생명체들의 생존과 번성에 불리한 환경을 만들어 지구에 사는 많은 생물들을 멸종시켰다.

① 인간의 이기적인 **행태**가 계속되면 지구 전체의 생물들이 멸종될 수도 있다.

② 인간의 잘못으로 지구 환경이 급격하게 변했다는 주장은 과장된 측면이 있다.

③ 지구는 지구상에 존재하는 모든 생물들이 서로 영향을 미치며 살아가는 공간이다.

④ 지구에서 일어나는 대규모의 자연 현상은 잘못된 생태계를 바로잡는 계기가 된다.

⑤ 인간은 높은 지능으로 인해 짧은 시간에 지구의 모든 것을 지배하는 존재가 되었다.

어휘·어법 TIP
• **누워서 침 뱉기** 자기에게 해가 돌아올 짓을 함.
• **공든 탑이 무너지랴** 힘을 다하고 정성을 다하여 한 일은 그 결과가 반드시 헛되지 아니함.
• **냉수 먹고 이 쑤시기** 실속은 없으면서 무엇이 있는 체함.
• **망둥이가 뛰니까 꼴뚜기도 뛴다** 남이 한다고 하니까 무작정 따라나섬.
• **간에 붙었다 쓸개에 붙었다 한다** 자기에게 조금이라도 이익이 되면 지조 없이 이편에 붙었다 저편에 붙었다 함.

어휘·어법 속담으로 표현하기

5 ㉠을 표현하는 속담으로 가장 적절한 것은 무엇입니까? ( )

① 누워서 침 뱉기

② 공든 탑이 무너지랴

③ 냉수 먹고 이 쑤시기

④ 망둥이가 뛰니까 꼴뚜기도 뛴다

⑤ 간에 붙었다 쓸개에 붙었다 한다

1 낱말 이해 | 낱말 관계 | 낱말 적용 | 관용 표현

다음 낱말의 뜻으로 알맞은 것을 찾아 선으로 이으시오.

(1) 위협하다 •

(2) 불과하다 •

(3) 무분별하다 •

• ㉮ 그 수준을 넘지 못한 상태임.

• ㉯ 두려워하게 하다. 겁을 내게 함.

• ㉰ 세상 물정에 대한 바른 생각이나 판단이 없음.

2 낱말 이해 | 낱말 관계 | 낱말 적용 | 관용 표현

다음 밑줄 그은 부분을 표현할 수 있는 한자어는 무엇입니까? (   )

> 지구도 생존하기에 적합한 환경을 유지하려고 노력하는 것이다. 이런 노력은 지구에 존재하는 생물들에 의해 자연스럽게 이루어진다. 마치 우리 몸을 구성하고 있는 여러 조직이 자연스럽게 상호 작용하는 것과 같다.

① 엽기적   ② 유기적   ③ 이기적
④ 주기적   ⑤ 획기적

3 낱말 이해 | 낱말 관계 | 낱말 적용 | 관용 표현

빈칸에 들어갈 수 있는 한자성어로 알맞은 것은 무엇입니까? (   )

> 가이아 이론은 아직 하나의 가설에 불과하다. 하지만 가이아 이론은 지구에 존재하는 모든 것이 서로 밀접한 관계를 맺고 있다는 (   )의 관점에서 지구를 바라보게 했다는 점에서 의의가 있다.

① 정저지와(井底之蛙)   ② 초록동색(草綠同色)
③ 순망치한(脣亡齒寒)   ④ 상전벽해(桑田碧海)
⑤ 구밀복검(口蜜腹劍)

어휘력➕

• **정저지와** 우물 안의 개구리.

• **초록동색** 풀색과 녹색은 같은 색임.

• **순망치한** 입술이 없으면 이가 시림.

• **상전벽해** 뽕나무밭이 변하여 푸른 바다가 됨.

• **구밀복검** 입에는 꿀이 있고 배 속에는 칼이 있음.

연어의 모천회귀

• 지문 해설

• 지문 난이도: 중
●━━●━━●━━○━━○

• 글자 수: 1370자
○━━━━●━━━○
1000   1500

• **모천**(母 어미 모, 川 내 천)
고기가 태어나서 바다로 내려갈 때까지 자란 하천.

• **회귀**(回 돌아올 회, 歸 돌아올 귀) 멀리 떠나 있다가 본래의 자리로 돌아오는 것.

• **진입**(進 나아갈 진, 入 들 입)**한** 목적한 장소나 상태에 들어선.

• **민물** 강이나 시내의 물처럼 짜지 않은 물.

• **일체**(━ 하나 일, 切 모두 체) 모든 것. 관련된 것 모두.

• **후각** 냄새를 느끼는 감각.

• **분간할** 사물의 옳고 그름, 좋고 나쁨, 크고 작음 등을 가려낼.

• **선천적**(先 먼저 선, 天 하늘 천, 的 과녁 적) 태어날 때부터 지니고 있는 것.

• **탐지** 비밀스러운 것이나 알려지지 않은 사실을 몰래 조사하여 밝혀내는 것.

• **방류된** 어린 물고기로 물에 놓여진.

• **천체**(天 하늘 천, 體 몸 체) 우주에 있는 모든 물체.

• **유력**(有 있을 유, 力 힘력)**한** 가능성이 있거나 기대할 만한.

연어는 강에서 태어나 먼 바다로 나가서 살다가, 알을 낳을 때가 되면 자신이 태어난 곳으로 ㉠돌아와 알을 낳는다. 이를 모천회귀라고 한다. 모천은 자신이 태어난 강을 말한다. 연어는 대부분 3~4년 만에 자신이 태어난 모천으로 돌아와 알을 낳는다. 연구 결과 모천과 연결된 강에 진입한 연어의 90~98%는 정확하게 자신이 태어난 곳으로 돌아온다고 한다. 바다에서 일생의 대부분을 보낸 연어들은 모천으로 돌아오기 위해 민물에 들어서면서부터는 일체의 먹이 활동을 중단한다. 대신 자신이 태어난 장소를 찾아 그곳에서 알을 낳는 일에만 집중한다. 이 일은 매우 어렵다. 물결의 흐름을 거슬러서 점차 얕은 곳으로 올라와야 하기 때문이다. 이 때문에 목적지에 도착한 연어는 상처투성이가 된다. 태어난 곳으로 돌아온 연어는 너비 1m, 깊이 30cm 정도의 크기로 강바닥을 파서 그곳에 알을 낳고는 죽는다. 연어가 모천회귀를 하는 이유는 오로지 알을 낳기 위해서이다.

연어는 어떻게 그 먼 거리의 바다와 강을 거치며 자신이 태어난 곳을 찾을 수 있는 것일까? 여기에는 몇 가지 주장이 있다. 먼저, 유전적인 본능이라는 주장이다. 염색체에 자신이 태어난 장소가 입력되어 있어 알을 낳을 때가 되면 자신이 태어난 곳으로 돌아온다는 것이다. 이 주장은 연어가 모천으로 돌아오는 날짜가 미리 약속된 것처럼 정확하며, 같은 종류의 연어는 부모 세대의 연어가 돌아왔던 시기와 거의 같은 시기에 모천으로 돌아온다는 사실에 근거한다.

연어가 자신이 태어난 강의 냄새를 기억하고 있다가 그 냄새를 따라 돌아온다는 주장도 있다. 이 주장은 연어가 자신이 태어난 강 근처에 이르면 헤엄쳐 갈 방향을 결정하기 위해 후각을 이용한다는 것에 근거한 것이다. 각각의 하천은 독특한 성분을 가지고 있어 마치 개가 주인의 냄새를 기억하듯이 연어도 그 냄새를 기억하고는 자신이 태어난 지점을 찾을 수 있다는 것이다. 실제로 연어는 물속에 녹아 있는 아주 미세한 냄새까지도 분간할 수 있을 정도로 후각이 발달해 있다.

연어는 선천적으로 몸속에 나침반 같은 탐지 능력을 지니고 있다는 주장도 있다. 연어의 모천회귀를 연구한 한 실험에 따르면, 북태평양의 서로 다른 지점에 방류된 연어들이 수천 킬로미터 떨어진 모천으로 정확하게 돌아왔다. 이 실험을 근거로 연어가 방향 탐지 능력을 지니고 있을 것이라고 추측한 것이다.

이외에도 태양의 위치나 천체의 움직임을 보고 모천의 위치를 파악한다는 주장, 바닷물과 강물의 소금기 차이를 감지하여 돌아온다는 주장 등 다양한 주장이 있지만 아직 과학적으로 확실한 해답을 얻지는 못하고 있다. 다만, 큰 바다에 있을 때는 나침반과 같은 탐지 능력을 통해 모천을 찾고, 모천 근처에 이르면 후각을 이용해 태어난 곳을 찾는다는 주장이 현재로서는 유력한 편이다.

글의 구조 문단 내용 정리하기

1 다음은 이 글을 읽고 내용을 정리한 것입니다. 빈칸에 들어갈 적절한 말을 쓰시오.

1 연어가 ( )를 하는 까닭

2 연어의 모천회귀는 ( )인 본능이라는 주장

3 연어는 태어난 강의 ( )를 기억한다는 주장

4 연어는 ( ) 탐지 능력이 있다는 주장

5 그 외 연어의 모천회귀에 대한 다양한 주장

글의 구조 **TIP**

이 글은 총 다섯 개의 문단으로 이루어져 있습니다. **1**문단에서는 연어의 모천회귀와 그 까닭을 소개하고, **2**, **3**, **4**, **5**문단에서는 연어가 어떻게 모천을 찾는지에 관한 여러 주장을 나열하고 있습니다.

내용 이해 세부 정보 파악하기

2 이 글의 내용과 일치하지 <u>않는</u> 것은 무엇입니까? ( )

① 강에 진입한 연어는 알을 낳기 위해 먹이 활동을 활발하게 한다.

② 연어가 모천회귀를 하는 방법은 아직 확실하게 파악되지 않았다.

③ 연어는 강물의 냄새를 구분할 수 있을 정도로 후각이 발달해 있다.

④ 연어는 강에서 태어나 바다에서 살다가 태어난 강으로 되돌아온다.

⑤ 연어가 자신이 태어난 곳으로 돌아오는 때는 부모 세대의 연어가 돌아왔던 시기와 거의 비슷하다.

전개 방식 설명 방법 파악하기

3 이 글에 나타난 설명 방법으로 가장 적절한 것은 무엇입니까? ( )

① 연어를 다른 **어류**와 비교하며 차이점을 **부각하고** 있다.

② 연어의 모천회귀에 관한 다양한 주장을 **나열하고** 있다.

③ 연어가 모천회귀를 하는 과정을 차례대로 설명하고 있다.

④ 연어의 모천회귀에 대해 상반되는 이론을 대조하고 있다.

⑤ 연어의 종류를 분류하고 각각을 구체적으로 설명하고 있다.

어휘

• **어류** 물속에서 살며 아가미로 호흡을 하는 모든 물고기 종류.

• **부각하고** 두드러지게 나타나서 큰 관심의 대상이 되게 하고.

• **나열하고** 비슷한 것들을 차례대로 죽 벌여 늘어놓고.

적용하기 구체적인 상황에 적용하기

4 이 글을 읽은 학생이 보기 에 대해 보인 반응으로 적절하지 <u>않은</u> 것은 무엇입니까?

(   )

어휘
• **방류하는** 어린 물고기를 물에 놓아주는.

보기

우리나라 강원도 양양의 남대천에서는 매년 이른 봄에 갓 태어난 어린 연어를 방류하는 행사를 벌인다. 어린 연어는 이곳에서 잡은 연어의 알을 기른 것이다. 세상 밖으로 나간 어린 연어들은 강을 타고 바다로 나아가 먼바다를 떠돌며 지내다가 다 자란 뒤에 다시 남대천으로 거슬러 돌아온다.

▲ 연어

① 남대천으로 돌아오기를 기대하면서 어린 연어를 방류하는 것이겠군.
② 어린 연어는 먼바다로 나아가서 살다가 3~4년쯤 지난 후에 돌아오겠군.
③ 남대천으로 돌아온 연어는 알을 낳은 뒤에 다시 먼바다로 되돌아가겠군.
④ 방류된 연어는 부모 세대의 연어와 비슷한 시기에 남대천으로 돌아오겠군.
⑤ 먼바다에서 살던 연어는 알을 낳기 위해서 남대천으로 돌아오는 것이겠군.

어휘·어법 어휘의 사전적 의미 파악하기

5 다음 문장의 밑줄 그은 낱말이 ㉠ '돌아와'와 같은 의미로 쓰인 것은 무엇입니까?

(   )

① 정문이 공사 중이라 뒷문 쪽으로 돌아왔다.
② 이제 곧 내가 발표할 차례가 돌아올 것이다.
③ 아픈 친구가 빨리 학교로 돌아왔으면 좋겠다.
④ 어머니가 모퉁이를 돌아오시며 손을 흔드셨다.
⑤ 제정신으로 돌아온 그는 비로소 나를 알아보았다.

어휘·어법 TIP
• **돌아오다**
「1」 떠났다가 본래의 자리로 다시 옴.
「2」 무엇을 할 차례가 됨.
「3」 먼 쪽으로 둘러서 옴.
「4」 본래의 상태로 회복됨.
「5」 어떤 장소를 끼고 원을 그리듯이 방향을 바꿔 움직여 옴.

1 낱말 이해 낱말 관계 낱말 적용 관용 표현

다음 그림의 빈칸에 알맞은 낱말은 무엇입니까? (   )

나는 꼭 내가 태어났던 곳으로 (   )할 거야!

① 회유   ② 회귀   ③ 회복   ④ 회전   ⑤ 회생

2 낱말 이해 낱말 관계 낱말 적용 관용 표현

다음 문장의 밑줄 그은 낱말이 ㉠과 같은 뜻으로 쓰인 것은 무엇입니까? (   )

> 연어는 물속에 ㉠녹아 있는 아주 미세한 냄새까지도 분간할 수 있을 정도로 후각이 발달해 있다.

① 따뜻한 방에 들어오니 추위에 얼었던 몸이 좀 녹는다.
② 동생의 사과를 듣는 순간 언짢았던 마음이 녹아 버렸다.
③ 폐수 속에 녹아 있는 독성 물질은 하천의 생태계를 파괴한다.
④ 지구 온난화 때문에 빙하가 녹아 바닷물 수위가 높아지고 있다.
⑤ 한 편의 글에는 글쓴이의 지식이나 경험이 녹아 있기 마련이다.

3 낱말 이해 낱말 관계 낱말 적용 관용 표현

다음과 같은 연어의 상황을 표현하는 관용어로 알맞은 것은 무엇입니까? (   )

> 바다에서 일생의 대부분을 보낸 연어들은 모천으로 돌아오기 위해 민물에 들어서면서부터는 일체의 먹이 활동을 중단한다. 대신 자신이 태어난 장소를 찾아 그곳에서 알을 낳거나 수정하는 일에만 집중한다. 이 일은 매우 어렵다. 물결의 흐름을 거슬러서 점차 얕은 곳으로 올라와야 하기 때문이다. 이 때문에 목적지에 도착한 연어는 상처투성이가 된다.

① 뼈를 묻다   ② 뼈를 깎다
③ 뼈에 사무치다   ④ 뼈도 못 추리다
⑤ 뼈와 살이 되다

어휘력 ➕

• **뼈를 묻다** 단체나 조직에 평생토록 헌신하다.

• **뼈를 깎다** 몹시 견디기 어려울 정도로 고통스럽다.

• **뼈에 사무치다** 원한이나 고통 따위가 뼛속에 파고들 정도로 깊고 강하다.

• **뼈도 못 추리다** 죽은 뒤에 추릴 뼈조차 없을 만큼 상대와 싸움의 적수가 안 되어 손실만 보고 전혀 남는 것이 없다.

• **뼈와 살이 되다** 정신적으로 도움이 되다.

빛의 산란

• 지문 해설

• 지문 난이도: 상
● ● ● ● ●

• 글자 수: 1247자
○——○●——○
1000   1500

스포츠 경기를 보면 관중이 종종 파도타기 응원을 하는 것을 볼 수 있다. 처음 시작하는 사람이 자리에서 일어섰다 앉으면 옆의 사람이 차례로 일어섰다 앉는다. 그러면 파도치는 것같이 보이는 움직임이 생긴다. 실제로 옆으로 움직인 사람은 없었는데 물결치는 듯한 파도가 생긴 것이다. 이러한 움직임을 파동이라고 한다.

빛은 이처럼 물결이 움직이는 것과 같은 파동을 지니면서 일정한 속도로 직진한다. 물결이 치듯 주기적으로 위아래로 반복되는 모양을 보이는 파동에서 마루와 마루 사이의 거리, 혹은 골과 골 사이의 거리를 파

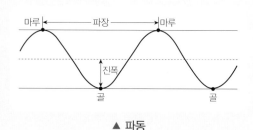

▲ 파동

장이라고 한다. 마루는 파동에서 가장 높은 부분을 의미하고, 골은 가장 낮은 부분을 의미한다. 빛은 이 파장의 길이에 따라 적외선, 가시광선, 자외선 등으로 나뉘는데, 인간은 이 중에서 가시광선만 볼 수 있다. 가시광선이라는 말 자체가 '눈으로 볼 수 있는 빛'이라는 뜻이다. 가시광선은 파장이 긴 붉은색에서 파장이 짧은 보라색까지 연속되어 있다. 우리가 흔히 무지개의 색을 '빨주노초파남보'로 외우는데, 그것이 바로 가시광선을 구성하고 있는 색들을 파장의 길이순으로 늘어놓은 것이다.

빛이 직진하다가 미세한 크기의 물질인 입자와 부딪히면 여러 방향으로 흩어진다. 이런 현상을 빛의 산란이라고 한다. 물질을 이루는 입자에 의해 산란된 빛이 우리 눈에 들어오면서, 우리가 그것의 형태와 색을 인식하게 되는 것이다. 예를 들어 붉은색의 옷은 그 옷을 이루는 입자가 붉은색 계통의 가시광선만 산란하고 나머지 색은 모두 흡수한 것이다. 가시광선의 모든 파장의 빛이 산란되면 흰색으로 보이고, 모두 흡수되면 검은색으로 보인다. 만약 어떤 물질이 빛을 산란하지 않고 흡수하지도 않는다면 그 물질은 우리 눈에 투명하게 느껴진다.

일반적으로 파장이 짧을수록 산란이 잘 일어난다. 이 때문에 태양 빛이 지구의 대기층에 들어오면 보라색이나 파란색 계열이 붉은색 계열보다 더 잘 산란된다. 그런데 보라색은 우리가 있는 곳까지 ㉠이르기 전에 이미 대부분 흩어져서 우리는 파란색 계열의 빛을 더 많이 인식한다. 맑은 날 낮의 하늘이 파랗게 보이는 것은 이 때문이다. 이와 달리 해가 뜰 때나 질 때는 해가 지평선에 가까워지면서 태양 빛이 우리 눈에 도달하려면 한낮보다 길고 두꺼운 대기층을 통과해야 한다. 이 과정에서 보라색과 파란색 계열은 대부분 우리와 먼 곳에서 산란되어 흩어져 버리고, 파장이 길어 상대적으로 먼 곳까지 갈 수 있는 붉은색 계열만이 우리가 있는 곳까지 도달하여 산란된다. 이 결과 노을이 붉은색으로 보이는 것이다.

• **관중**(觀 볼 관, 衆 무리 중) 공연 등을 보기 위하여 모인 사람들.

• **직진**(直 곧을 직, 進 나아갈 진) 곧장 앞으로 나아감.

• **주기적**(週 돌 주, 期 기약할 기, 的 과녁 적) 일정한 사이를 두고 같은 특성이나 현상이 되풀이되는 것.

• **마루** 산이나 고개의 꼭대기.

• **골** 길게 파지거나 들어간 자국.

• **연속**(連 잇닿을 연, 續 이를 속)**되어** 끊이지 않고 죽 이어지거나 지속되어.

• **미세한** 분간하기 어려울 정도로 아주 작은.

• **인식하게** 사물을 분별하고 판단하여 알게.

• **지평선**(地 땅 지, 平 평평할 평, 線 선 선) 평평한 땅에서 멀리 땅과 하늘이 맞닿아 보이는 금.

글의 구조 TIP

이 글은 총 네 개의 문단으로 이루어져 있습니다. **1**, **2**문단에서는 파동과 파장에 대해 설명하고, 이를 바탕으로 **3**문단에서는 빛의 산란의 개념을 설명했습니다. **4**문단에서는 구체적인 예를 들어 빛의 산란을 설명하고 있습니다.

1 **글의 구조** 문단 내용 정리하기

다음은 이 글을 읽고 내용을 정리한 것입니다. 빈칸에 들어갈 적절한 말을 쓰시오.

1 ( )의 개념

2 빛의 속성과 ( )

3 빛의 ( ) 과 색을 인식하는 원리

4 빛의 산란에 따른 ( ) 색의 변화

2 **내용 이해** 세부 정보 파악하기

이 글의 내용과 일치하는 것은 무엇입니까? ( )

① 빛은 파동을 지니면서 다양한 속도로 직진한다.
② 인간은 모든 파장의 빛을 전부 눈으로 볼 수 있다.
③ 직진하던 빛이 입자에 부딪히면 그 입자를 통과한다.
④ 무지개의 색깔이 가시광선을 구성하고 있는 색들이다.
⑤ 일반적으로 파장이 짧은 빛일수록 산란이 적게 일어난다.

3 **전개 방식** 서술 방식 파악하기

이 글의 서술 방식에 대한 설명으로 적절하지 <u>않은</u> 것은 무엇입니까? ( )

① 시각 자료를 활용하여 이해를 돕고 있다.
② 빛을 세 가지 종류로 분류하여 각각의 특징을 설명하였다.
③ 빛의 산란을 설명하면서 주변에서 볼 수 있는 예를 들었다.
④ 이해하기 쉬운 대상에 빗대어서 파동의 개념을 설명하였다.
⑤ 한낮과 해가 뜨고 질 때의 두 자연 현상을 대비하여 설명하였다.

적용하기 구체적인 상황에 적용하기

4 이 글을 참고할 때, 보기 에 대한 반응으로 가장 적절한 것은 무엇입니까? (   )

• **연상하게** 어떤 사물을 보거나 듣거나 생각하거나 할 때 그와 관련되는 다른 사물이 마음속에 떠오르게.

보기

　　교통 신호등에서 붉은색은 정지 신호이다. 즉, 멈추지 않으면 위험하다는 것을 알리는 것이다. 이처럼 위험을 알리는 신호나 기호는 대개 붉은색으로 표시한다. 이는 붉은색이 피를 **연상하게** 해 대부분의 사람들이 심리적으로 경계하기 때문이다. 붉은색을 금지나 경고의 의미를 담은 신호나 기호에 사용하는 것은 과학적으로는 빛의 파장과 관련이 있다.

① 붉은색 계열의 빛이 공기 중에서 다른 색보다 빨리 산란되기 때문이군.
② 붉은색 계열의 파장이 다른 색보다 길어 멀리서도 잘 보이기 때문이군.
③ 사람들이 다른 색에 비해 익숙한 붉은색 계열을 더 선호하기 때문이군.
④ 붉은색 계열이 신호나 기호의 모양을 다른 색보다 잘 드러내기 때문이군.
⑤ 붉은색 계열의 빛이 다른 색과 달리 파동을 지니면서 직진하기 때문이군.

어휘·어법 어휘의 사전적 의미 파악하기

5 ㉠'이르기(이르다)'를 사전에서 찾을 때, 이 글에서 사용된 뜻으로 가장 적절한 것은 무엇입니까? (   )

이르다1
① 어떤 장소나 시간에 닿다.
② 어떤 정도나 범위에 미치다.
이르다2
③ (누구에게 어떻게 하라고) 미리 알려 주다.
④ (누구에게 남의 잘못이나 실수 등을) 말하여 알게 하다.
⑤ 가리키거나 이름을 붙여 말하다.

어휘력 완성

1 낱말 이해 | 낱말 관계 | 낱말 적용 | 관용 표현

다음 그림을 보고, ㉠과 ㉡에 알맞은 낱말을 보기 에서 각각 찾아 쓰시오.

보기

일정   일출   일몰   일상   일생

㉠(   )이 참 멋지다!

㉡(   )이 아름다워!

아침   저녁

2 낱말 이해 | 낱말 관계 | 낱말 적용 | 관용 표현

다음 밑줄 그은 낱말과 뜻이 반대되는 낱말은 무엇입니까? (   )

가시광선의 모든 파장의 빛이 산란되면 흰색으로 보인다.

① 흡수   ② 배출   ③ 탈출   ④ 확산   ⑤ 반사

3 낱말 이해 | 낱말 관계 | 낱말 적용 | 관용 표현

밑줄 그은 낱말의 뜻이 ㉮와 같지 않은 것은 무엇입니까? (   )

빛이 직진하다가 입자와 ㉮부딪히면 여러 방향으로 흩어진다. 맑은 날 하늘이 파랗게 보이는 이유는 파란색 계열이 더 잘 산란되기 때문이다.

① 팔꿈치가 책상 모서리에 부딪혀서 매우 아프다.
② 부두에 정박해 있던 배가 세찬 파도에 부딪혔다.
③ 철수는 지나가는 행인에게 부딪혀 뒤로 넘어졌다.
④ 빗물이 창에 부딪혀 유리를 타고 흘러내리고 있다.
⑤ 어려운 문제에 부딪히면 언제든지 도움을 요청해라.

어휘력＋

• 부딪히다
「1」 무엇과 무엇이 힘 있게 마주 닿게 되거나 마주 대게 되다. 또는 닿게 되거나 대게 되다.
「2」 예상치 못한 일이나 상황 따위에 직면하게 되다.

추론하기

세부 내용 추론하기

'세부 내용 추론하기'는 글 속에 제시된 정보를 바탕으로 글에 직접 제시되지 않은 새로운 정보를 이끌어 내는 것을 말합니다. 추론을 통해 나온 내용은 완전히 새로운 것이 아니라 이미 제시된 정보를 통해서 만들어진 것입니다. 예를 들어, '가야금은 거문고와 함께 오늘날까지 전승되고 있는 전통 현악기이다.'라는 문장에서 가야금 외에 거문고 또한 전통 현악기라는 것을 추론할 수 있습니다.

추론한 내용의 적절성을 판단하기 위해서는 우선 글에 제시된 정보를 있는 그대로 파악해야 합니다. 그리고 글 속에 나타난 정보들을 논리적으로 조합하여 근거로 삼아야 합니다. 추론을 잘하기 위해서는 인과 관계나 상관관계를 중심으로 글의 내용을 정리하는 연습을 꾸준하게 하는 것이 좋습니다.

숨겨진 내용 추론하기

　글쓴이가 글을 쓸 때 독자가 이미 알고 있을 것이라고 생각하는 정보나 앞뒤 내용을 통해 충분히 알 수 있다고 생각하는 정보는 생략하는 경우가 많습니다. 따라서 글의 의미를 제대로 이해하기 위해서는 글쓴이가 생략하거나 암시한 내용을 짐작할 수 있어야 합니다. 이때 글의 앞뒤로 연결된 내용을 잘 살피는 것이 매우 중요합니다. 글 속의 정보들은 유기적으로 결합되어 있기 때문에 글의 흐름을 파악하면 직접적으로 제시되지 않은 정보를 추론할 수 있습니다.

　한편, 글쓴이가 궁극적으로 전달하려는 내용, 즉 주제가 직접 드러나지 않는 경우도 있습니다. 이런 경우에도 추론을 통해 짐작해야 합니다. 각 문단의 중심 내용을 정리해 놓으면 이를 바탕으로 전체 주제를 추론할 수 있습니다.

하이브리드 자동차

수소 자동차와 전기 자동차의 현실적인 한계를 제시한 뒤 두 가지 동력원을 함께 사용하는 하이브리드 자동차가 환경 보호를 위한 대안이 될 수 있음을 설명하는 글입니다.

디지털 발자국의 양면성

디지털 발자국의 개념과 특징을 제시한 뒤, 디지털 발자국이 지닌 긍정적인 면과 부정적인 면, 부정적인 면의 해결 방안 등을 예를 들어 설명하는 글입니다.

새로운 농업, 수직 농장

수직 농장이 인류의 식량 문제를 해결할 수 있는 대안임을 제시한 뒤 수직 농장에 사용되는 기술과 수직 농장의 장점을 구체적으로 설명하는 글입니다.

기술

'기술' 영역의 글은 컴퓨터, 통신, 디지털 등을 바탕으로 우리 삶 속에서 현재 활용되고 있는, 또는 미래에 구현될 기술의 원리나 현상 등을 알려 줍니다.

날개 없는 선풍기의 원리

날개를 없애 일반 선풍기의 문제점을 해결한 '날개 없는 선풍기'의 작동 원리를 설명하는 글입니다.

로봇세에 대한 두 가지 입장

로봇세를 도입하여 실업 문제를 해결하는 비용으로 사용해야 한다는 찬성 주장과 로봇세는 산업 발전을 가로막을 것이라는 반대 주장을 각각 보여 주는 글입니다.

망원경의 역사

리퍼세이가 망원경을 발명한 과정과 갈릴레이가 망원경을 개량하여 천체를 관찰하여 지동설을 주장한 과정 등을 시간의 흐름에 따라 설명하고 있는 글입니다.

하이브리드 자동차

• 지문 해설

• 지문 난이도: 중
●━●━○

• 글자 수: 1445자
○━○━●━○
1000   1500

• **비중** 다른 사물이나 일과 비교했을 때의 중요성의 정도.

• **고갈** (돈, 물질, 자원이) 다 써서 없어지는 것.

• **수송** 기차, 자동차, 배, 비행기 등으로 사람이나 짐을 실어 보내는 것.

• **배기가스** 자동차에서 내보내는 가스.

• **대중화**(大 큰 대, 衆 무리 중, 化 될 화) 대중에게 많이 알려지는 것.

• **동력원**(動 움직일 동, 力 힘 력, 源 근원 원) 수력, 전력, 화력, 원자력, 풍력 등과 같이 동력의 근원이 되는 에너지.

• **장착된** 장비나 장치가 어디에 붙여지거나 달린.

• **추월할** 뒤에 있다가 앞에 가는 것을 뒤따라가 앞지를.

• **정체** (한 방향으로 움직이던 것들이 나아가지 못하고) 한자리에 머물러 막히는 것.

• **무공해**(無 없을 무, 公 공평할 공, 害 해로울 해) 사람에게 해로운 농약이나 화학 물질 등이 들어 있지 않은 것.

• **저공해**(低 낮을 저, 公 공평할 공, 害 해로울 해) 공해가 적은 것.

자동차는 우리 생활에서 큰 비중을 차지하는 이동 수단이다. 하지만 화석 연료인 석유를 주로 사용하기 때문에 대기 오염 문제와 자원 고갈 문제를 일으키고 있다. 국제 에너지 기구의 통계 자료에 따르면, 자동차를 이용한 수송 과정에서 발생하는 이산화 탄소가 지구 전체 이산화 탄소 발생량의 약 25%를 차지할 만큼 증가했다고 한다. 이 때문에 세계 여러 나라에서 이산화 탄소 감소를 위해 자동차 배출 가스를 규제하는 정책을 앞다투어 시행하고 있다.

이러한 정책에 따라 자동차 회사도 친환경 자동차를 개발하는 데 온 힘을 쏟고 있다. 친환경 자동차는 공해 배출이 아예 없거나 매우 적은 자동차를 말하는데, 전기 자동차나 수소 자동차 같은 것이 대표적이다. 전기 자동차는 전기를 동력으로 사용하고, 수소 자동차는 수소를 연료로 사용하는 자동차로, 두 가지 모두 배기가스 등을 통한 오염 물질 배출이 거의 없다. 전기나 수소는 석유에 비해 가격도 매우 싸다. 하지만 기술적인 문제와 사회 시설의 부족, 비싼 가격 등 여러 가지 문제로 인해 전기 자동차나 수소 자동차는 아직 대중화되지 않았다. 최근에 전기 자동차가 빠르게 늘어나고 있지만 아직은 용량이 큰 안정적인 배터리가 개발되지 못한 실정이다.

하이브리드 자동차는 이런 문제점을 해결할 수 있는 현실적인 대안이다. '하이브리드 (hybrid)'의 사전적 의미는 '잡종', '혼혈'이다. 의미에서도 알 수 있듯이 하이브리드 자동차는 두 가지 이상의 동력원을 함께 이용하는 자동차를 말하는데, 일반적인 엔진에 전기 모터를 결합한 경우가 많다. 석유 연료와 전기를 동시에 사용함으로써 각각의 장점만 취하는 것이다. 전기 모터는 차량 내부에 장착된 배터리로부터 전기를 공급받으며, 배터리는 자동차가 움직이는 과정에서 다시 충전되므로 전기 자동차같이 별도로 충전할 필요가 없다.

하이브리드 자동차의 엔진과 전기 모터 사용 원리는 다음과 같다. 자동차에 시동을 걸 때는 엔진을 사용한다. 그리고 출발하거나 속도를 높일 때, 앞차를 추월할 때와 같이 많은 동력이 필요할 때는 엔진과 전기 모터를 동시에 사용한다. 이후 일정한 속도로 달릴 때는 엔진만 사용하며, 신호 대기나 정체 등으로 잠시 멈출 때는 엔진을 바로 정지하여 불필요한 배기가스 배출을 최소화한다. 속도를 줄일 때는 엔진을 많이 사용하지 않으므로 남는 엔진 에너지를 이용하여 배터리를 충전한다.

이처럼 ㉠하이브리드 자동차는 두 가지 동력원을 상황에 맞게 사용하기 때문에 엔진의 부담이 줄어들어 화석 연료를 더 적게 사용하고, 대기 오염 물질의 배출도 기존 차량보다 90%까지 줄일 수 있다. 전기 자동차나 수소 자동차 같은 무공해 친환경 자동차는 아니지만 저공해 친환경 자동차인 셈이다. 움직일 때 나는 소음도 매우 적어 도시 소음을 줄이는 데에도 효과가 크다. 하지만 두 가지 동력원을 장착하기 때문에 구조가 복잡하고 무거워서 고장이 나면 기존 차량보다 수리하기 어렵다는 문제점도 있다.

글의 구조 문단 내용 정리하기

1 다음은 이 글을 읽고 내용을 정리한 것입니다. 빈칸에 들어갈 적절한 말을 쓰시오.

```
┌─────────────────┐
│ 1 (        )로   │
│ 인한 대기 오염과 자 │──┐
│ 원 고갈 문제      │  │      ┌──────────────┐    ┌──────────────────┐
└─────────────────┘  │      │ 3 현실적인 대안인 │──┤ 4 하이브리드 자동차의 │
                     ├──────│ (        ) 자동차 │  │ 엔진과 (      ) 사  │
┌─────────────────┐  │      └──────────────┘    │ 용 원리           │
│ 2 (        ) 자  │  │                          └──────────────────┘
│ 동차 개발 – 전기 자 │──┘                          ┌──────────────────┐
│ 동차, 수소 자동차  │                              │ 5 (        ) 자동차 │
└─────────────────┘                              │ 의 장단점          │
                                                 └──────────────────┘
```

글의 구조 TIP

이 글은 총 다섯 개의 문단으로 이루어져 있습니다. **1**, **2** 문단 에서는 자동차로 인한 문제와 이 를 해결하기 위한 노력을 설명하 고, **3** 문단에서는 현실적인 대안 으로 하이브리드 자동차를 소개 했습니다. **4**, **5** 문단에서는 하 이브리드 자동차의 작동 원리와 장단점을 설명하고 있습니다.

내용 이해 세부 정보 파악하기

2 이 글의 내용과 일치하지 <u>않는</u> 것은 무엇입니까? (   )

① 하이브리드 자동차는 전기 모터를 주 동력원으로 사용한다.

② 하이브리드 자동차는 대개 엔진과 전기 모터를 함께 사용한다.

③ 수소 자동차는 오염 물질을 거의 배출하지 않는 무공해 자동차이다.

④ 석유를 사용하는 자동차는 운행 과정에서 이산화 탄소를 배출한다.

⑤ 하이브리드 자동차는 대기 오염 물질 배출이 적은 저공해 자동차이다.

전개 방식 서술 방식 파악하기

3 이 글에 대한 설명으로 적절하지 <u>않은</u> 무엇입니까? (   )

① 하이브리드 자동차의 작동 원리를 설명하고 있다.

② 하이브리드 자동차를 개발한 배경을 설명하고 있다.

③ 하이브리드 자동차를 분류하여 각각을 설명하고 있다.

④ 하이브리드 자동차와 관련된 용어의 의미를 밝히고 있다.

⑤ 하이브리드 자동차의 유용성과 한계를 모두 설명하고 있다.

어휘

• **용어** 어떤 분야에서 주로 사 용하는 말.

• **유용성** 쓸모가 있는 성질.

• **한계** 사물의 정하여진 범위나 경계.

적용하기 시각 자료에 적용하기

④ 이 글을 읽은 학생이 보기 를 보고 한 생각으로 적절한 것은 무엇입니까? (   )

문제 풀이

보기

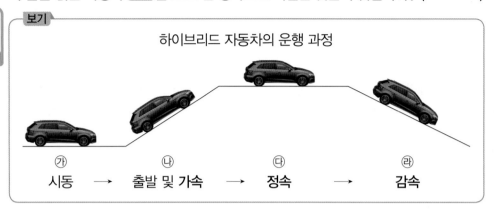

하이브리드 자동차의 운행 과정

시동 ㉮ → 출발 및 가속 ㉯ → 정속 ㉰ → 감속 ㉱

① ㉮에서는 전기 모터만을 사용하였겠군.

② ㉯의 출발 시에는 엔진만을 사용하였겠군.

③ ㉯의 가속 시에는 엔진과 전기 모터를 모두 사용하였겠군.

④ ㉰에서는 엔진과 전기 모터를 모두 사용하였겠군.

⑤ ㉱에서는 엔진을 정지하고 배터리를 충전하겠군.

어휘

• **가속** 점점 속도를 빠르게 냄. 속도를 높임.

• **정속** 일정한 속도로 달림.

• **감속** 속력을 줄임.

5 **어휘·어법** 속담으로 표현하기

㉠을 표현하기에 적절하지 <u>않은</u> 속담은 무엇입니까? (   )

① 굿 보고 떡 먹기

② 병 주고 약 준다

③ 꿩 먹고 알 먹는다

④ 누이 좋고 매부 좋다

⑤ 도랑 치고 가재 잡는다

어휘·어법 TIP

• **굿 보고 떡 먹기 / 꿩 먹고 알 먹는다 / 도랑 치고 가재 잡는다** 한 가지 일을 하여 두 가지 이상의 이익을 보게 됨.

• **병 주고 약 준다** 남을 해치고 나서 약을 주며 그를 구하는 체함.

• **누이 좋고 매부 좋다** 서로에게 모두 이롭고 좋음.

1 낱말 이해 낱말 관계 낱말 적용 관용 표현

다음 빈칸에 들어갈 말로 가장 알맞은 것은 무엇입니까? (   )

나들목 구간에서 일어난 사고로 인해 고속도로가 극심한 (   )를/을 보이고 있습니다.

① 고갈   ② 과속   ③ 정체   ④ 감속   ⑤ 속도

어휘력 ➕

• **나들목** 도로나 철도 따위에서, 사고가 일어나거나 교통이 지체되는 것을 막기 위하여 교차 지점에 입체적으로 만들어서 신호 없이 다닐 수 있도록 한 시설.

2 낱말 이해 낱말 관계 낱말 적용 관용 표현

낱말 간의 관계가 다음 두 낱말의 관계와 <u>다른</u> 것은 무엇입니까? (   )

감소 – 증가

① 결합 – 분리   ② 수송 – 운송   ③ 이동 – 고정
④ 출발 – 도착   ⑤ 충전 – 방전

3 낱말 이해 낱말 관계 낱말 적용 관용 표현

다음 밑줄 그은 말과 바꾸어 쓸 수 있는 관용어로 알맞은 것은 무엇입니까? (   )

세계 여러 나라에서 이산화 탄소 감소를 위해 자동차 배출 가스를 규제하는 정책을 앞다투어 시행하고 있다.
이러한 정책에 <u>따라</u> 자동차 회사는 친환경 자동차를 개발하는 데 온 힘을 쏟고 있다.

① 발을 빼   ② 발을 굴러   ③ 손을 벌려
④ 손을 멈추어   ⑤ 손발을 맞추어

어휘력 ➕

• **발을 빼다** 어떤 일에서 관계를 완전히 끊고 물러남.
• **발을 구르다** 매우 안타까워하거나 다급해함.
• **손을 벌리다** 무엇을 달라고 요구하거나 구걸함.
• **손을 멈추다** 하던 동작을 잠깐 그만둠.
• **손발을 맞추다** 함께 일을 하는 데에 마음이나 의견, 행동 방식 따위를 서로 맞게 함.

새로운 농업, 수직 농장

• 지문 해설

• 지문 난이도: 중
●━━●━━●━━○

• 글자 수: 1381자
━━●━━━●━━
1000   1500

• **경작지(耕** 밭갈 경, **作** 지을
작, **地** 땅 지) 논, 밭과 같이
농사를 짓는 땅.

• **개간** (농사에 쓰지 않던 땅
을) 일구어 농사를 짓게 만듦.

• **시범적** 모범을 보이는.

• **지속적(持** 가질 지, **續** 이룰
속, **的** 과녁 적) 어떤 일이나
형태가 끊어지지 않고 계속
이어지는 것.

• **다층(多** 많을 다, **層** 층 층)
여러 층.

• **살충제** 농작물, 가축, 인체
에 해가 되는 벌레를 죽이는
약.

• **공정(工** 장인 공, **程** 단위 정)
기술적 작업을 진행하는 차례
나 과정, 또는 그 진행된 정
도.

• **융합되어** 여럿이 녹거나 섞
여서 하나로 합쳐져.

• **수경 재배** 물을 이용하여
농작물을 기르는 일.

• **회의적인** 어떤 일에 대해
의심하고 부정하는.

• **접목하면서** 둘 이상의 다른
현상 등을 알맞게 조화하게
하면서.

2050년이 되면 전 세계의 인구가 약 95억 명이 될 것이라고 한다. 전 인류의 생존에 필요한 식량을 생산하려면 브라질 크기만 한 경작지가 새로 필요하다. 그러나 그 정도 규모의 경작지를 개간하는 것은 현실적으로 불가능하다. 수직 농장은 이런 문제에 대한 대안이 될 수 있다. 수직 농장은 대도시의 고층 빌딩에서 농작물을 재배하는 농법으로 '식물 공장'이라고도 한다. 현재 미국과 아랍 에미리트, 우리나라 등 여러 나라에서 시범적으로 도입하고 있다.

수직 농장은 넓은 경작지를 필요로 하지 않아 농경지 부족 문제를 해결할 수 있다. 수직 농장을 최초로 제안한 딕슨 데스포미어 교수에 따르면, 도심에 50층 높이의 수직 농장을 세우면 5만 명에게 값싼 농산물을 지속적으로 공급할 수 있다고 한다. 또한 농산물을 다층으로 재배할 수 있어 일반 농경지에 비해 공간 활용도를 열 배 이상 높일 수 있다.

수직 농장은 여러 가지 장점이 있다. 수직 농장의 농법은 물을 순환시켜 사용하기 때문에 일반 농법보다 훨씬 적은 물을 사용하고, 살충제나 농약을 사용하지 않아 친환경적이다. 경작이 실내에서 이루어지므로 날씨의 영향을 거의 받지 않아 1년 내내 안정적으로 농작물을 재배할 수 있으며, 경작한 농작물을 소비자에게 바로 전달할 수 있다. 씨뿌리기와 수확하기, 인공 빛과 온도, 습도 조정 등 대부분의 ㉠공정을 자동화할 수 있기에 기존 농법에 비해 필요한 인력도 적다.

수직 농장에는 여러 기술이 융합되어 있다. 식물의 뿌리 근처에만 적절한 양의 물을 공급하는 기술, 토양이 없이도 식물 재배를 가능하게 하는 공중 재배 기술이나 수경 재배 기술, 로봇을 이용한 자동화 기술 등이 매우 중요한 역할을 하고 있다. 최근에는 벽에서 식물을 재배하는 기술도 개발되었다. 벽면을 활용하기 때문에 좁은 공간에서도 식물 재배가 가능하다. 최근에는 수직 농장의 원리를 이용하여 가정에서 직접 소규모로 채소를 길러 먹을 수 있는 식물 재배기도 개발되었다.

[가] 수직 농장에 대해 회의적인 시각도 존재한다. 가장 많은 반론은 땅값이 비싼 대도시에서 농작물을 기를 경우 비용이 많이 들어 경제성이 떨어진다는 것이다. 하지만 중심지에서 조금만 벗어나면 그리 비싸지 않으면서 활용할 수 있는 땅이 있다. 활용도가 떨어지는 땅에 수직 농장을 세울 수도 있고, 기존의 건물을 수직 농장으로 바꿀 수도 있다. 생산성도 아무런 문제가 되지 않는다. 실제로 한 수직 농장의 생산성을 조사하니 같은 면적의 비닐하우스에서 생산되는 양의 40배가 넘는 양을 생산하는 것으로 나타났다.

수직 농장은 생태계 파괴를 최소화하면서 전 세계 식량 문제를 해결할 수 있는 방법이다. 또한 소비자에게 건강하고 안전한 먹거리를 제공할 수 있다. 수직 농장은 빠르게 발전하는 여러 기술과 접목하면서 미래 농업의 대안으로 떠오르고 있다.

1 글의 구조 · 문단 내용 정리하기

다음은 이 글을 읽고 내용을 정리한 것입니다. 빈칸에 들어갈 적절한 말을 쓰시오.

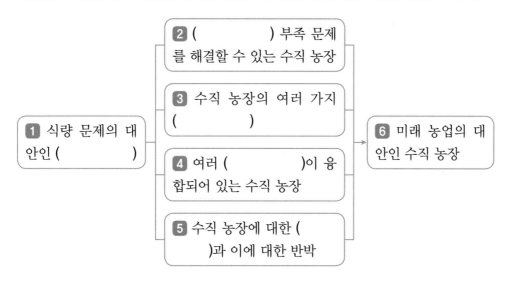

2 (　　　　) 부족 문제를 해결할 수 있는 수직 농장

3 수직 농장의 여러 가지 (　　　　)

1 식량 문제의 대안인 (　　　　)

4 여러 (　　　　)이 융합되어 있는 수직 농장

5 수직 농장에 대한 (　　　　)과 이에 대한 반박

6 미래 농업의 대안인 수직 농장

글의 구조 TIP

이 글은 총 여섯 개의 문단으로 이루어져 있습니다. **1**문단에서는 미래 식량난의 대안인 수직 농장을 소개하고, **2**, **3**, **4**, **5**문단에서는 수직 농장의 특징을 나열하고 있습니다. **6**문단에서는 수직 농장이 미래 농업의 대안임을 강조합니다.

2 내용 이해 · 중심 내용 파악하기

이 글에서 확인할 수 없는 내용은 무엇입니까? (　　)

① 수직 농장의 개념
② 수직 농장의 기술
③ 수직 농장의 의의
④ 수직 농장의 장점
⑤ 수직 농장의 한계

3 내용 이해 · 세부 정보 파악하기

'수직 농장'에 대한 설명으로 적절하지 않은 것은 무엇입니까? (　　)

① 기존의 농업과 달리 날씨의 영향을 거의 받지 않는다.
② 생태계 파괴를 최소화할 수 있는 친환경적인 농법이다.
③ 자동화 기술을 활용하여 적은 **인원**으로 **운용할** 수 있다.
④ 각 가정에서 농작물을 직접 길러 먹는 것을 목표로 한다.
⑤ 기존의 농법에 비해 공간 활용도가 매우 높아 경제적이다.

어휘
• **인원** 어떤 모임이나 단체를 이루는 사람들.
• **운용할** (물건이나 제도 등을) 알맞게 사용할.

추론하기 외부 자료를 바탕으로 추론하기

보기를 참고할 때, [가]에서 사용된 반박 전략으로 가장 적절한 것은 무엇입니까?

( )

보기

　　상대방을 설득하는 전략에는 이성적 설득, 감성적 설득, 인성적 설득 등이 있다. 이성적 설득은 논리적인 방법으로 주장을 뒷받침하는 전략으로, 전문가의 의견이나 통계 자료를 인용하거나, **연역**이나 **귀납** 같은 논증 방법 등을 활용하는 것이 대표적이다. 감성적 설득은 상대방의 감정에 호소하여 마음을 움직이는 전략으로, 유머를 사용하여 즐거움을 주거나 동정심, **자긍심**, 공포심 같은 특정 감정을 이끌어 내는 방법이 대표적이다. 마지막으로 인성적 설득은 글쓴이의 사람 됨됨이를 강조하여 내용에 신뢰감을 갖게 하는 전략으로, 글쓴이의 도덕성이나 사회성, 평가, 전문성 등을 부각하는 것이 대표적이다.

① 구체적인 사례를 들어 주장을 뒷받침하는 이성적 설득 전략을 쓰고 있다.
② 전문가의 의견을 인용하여 주장을 강화하는 이성적 설득 전략을 쓰고 있다.
③ 부정적 상황을 언급하며 공포심을 자극하는 감성적 설득 전략을 쓰고 있다.
④ 통계 자료를 활용하여 상대의 마음을 움직이는 감성적 설득 전략을 쓰고 있다.
⑤ 글쓴이의 전문성을 부각하여 신뢰를 갖게 하는 인성적 설득 전략을 쓰고 있다.

어휘·어법 어휘의 사전적 의미 파악하기

5

다음 문장의 밑줄 그은 말이 ㉠'공정'과 같은 뜻으로 사용된 것은 무엇입니까?

( )

① 전교 회장 입후보자들은 공정한 선거를 다짐했다.
② 이 제품은 10단계 이상의 공정을 거쳐야 완성된다.
③ 운동장 공사가 어느덧 90퍼센트 공정을 보이고 있다.
④ 선생님의 이번 결정에는 공정하지 못한 부분이 있다.
⑤ 언론은 한쪽에 치우치지 않는 공정한 보도를 해야 한다.

어휘

• **연역** 일반적인 사실이나 원리를 전제로 하여 개별적인 사실이나 보다 특수한 다른 원리를 이끌어 내는 추리.

• **귀납** 개별적인 특수한 사실이나 원리로부터 일반적이고 보편적인 명제 및 법칙을 유도해 내는 일.

• **자긍심** 스스로를 자랑스럽고 떳떳하게 여기는 마음.

어휘·어법 TIP

• **공정**
「1」 일이 진척되는 과정이나 정도.
「2」 한 제품이 완성되기까지 거쳐야 하는 하나하나의 작업 단계.
「3」 어느 한쪽에게 이익이나 손해가 치우치지 않고 올바른 것.

정답 및 풀이 22쪽

기출 02

[낱말 이해] [낱말 관계] [낱말 적용] [관용 표현]

1 다음 밑줄 그은 낱말의 뜻으로 알맞은 것을 찾아 선으로 이으시오.

(1) 가을은 <u>수확</u>의 계절이다. •

(2) 물과 기름은 <u>융합</u>되기 힘들다. •

(3) 계절은 봄, 여름, 가을, 겨울 순서로 <u>순환</u>한다. •

• ㉮ 익은 농작물을 거두어들임.

• ㉯ 주기적으로 자꾸 되풀이하여 돎.

• ㉰ 다른 종류의 것이 녹아서 서로 구별이 없게 하나로 합하여지거나 그렇게 만듦.

[낱말 이해] [낱말 관계] [낱말 적용] [관용 표현]

2 낱말 간의 관계가 다음 두 낱말의 관계와 <u>다른</u> 것은 무엇입니까? (   )

개간 − 개척

① 흙 − 토양   ② 부족 − 결핍   ③ 수직 − 수평
④ 식량 − 양식   ⑤ 예상 − 예측

[낱말 이해] [낱말 관계] [낱말 적용] [관용 표현]

3 밑줄 그은 부분과 같은 생각을 표현하기에 적절한 속담은 무엇입니까? (   )

2050년이 되면 전 세계의 인구가 약 95억 명이 될 것이라고 한다. 전 인류의 생존에 필요한 식량을 생산하려면 브라질 크기만 한 경작지가 새로 필요하다. 그러나 <u>그 정도 규모의 경작지를 개간하는 것은 현실적으로 불가능하다.</u>

그렇게 넓은 경작지를 만드는 것은 불가능하므로 아예 생각도 하지 말아야지.

① 내 코가 석 자
② 등잔 밑이 어둡다
③ 호박이 넝쿨째로 굴러떨어졌다
④ 구슬이 서 말이라도 꿰어야 보배
⑤ 오르지 못할 나무는 쳐다보지도 마라

어휘력 ➕

• **내 코가 석 자** 내 사정이 급하고 어려워서 남을 돌볼 여유가 없음.

• **등잔 밑이 어둡다** 대상에서 가까이 있는 사람이 도리어 대상에 대하여 잘 알기 어려움.

• **호박이 넝쿨째로 굴러떨어졌다** 뜻밖에 좋은 물건을 얻거나 행운을 만남.

• **구슬이 서 말이라도 꿰어야 보배** 아무리 훌륭하고 좋은 것이라도 다듬고 정리하여 쓸모 있게 만들어 놓아야 값어치가 있음.

• **오르지 못할 나무는 쳐다보지도 마라** 자기의 능력 밖의 불가능한 일에 대해서는 처음부터 욕심을 내지 않는 것이 좋음.

기술 03 디지털 발자국의 양면성

• 지문 해설

• 지문 난이도: 중
●━━●━━○

• 글자 수: 1412자
○━━━○━━━●━━━○
1000   1500

• **과언**(過 지나칠 과, 言 말씀
언) 지나친 말.

• **흔적** (어떤 것이 있었거나
지나가고) 뒤에 남은 자국.

• **이력** 한 사람이 지금까지
거쳐 온 학력·직업 등의 내
용. 또는 그 기록.

• **추적하거나** 달아나며 남긴
자국이나 흔적을 따라서 쫓아
가거나.

• **검거** 국가 기관에서 법을
어긴 사람을 잡아가는 일.

• **시행**(施 베풀 시, 行 다닐 행)
할 공포한 법이나 제도를
실제로 행할.

• **침해** 함부로 남의 일에 끼
어들어 해를 끼침.

• **악용될** 나쁜 데에 쓰일.

• **빅데이터** 인터넷 디지털 환
경에서 만들어진 대규모의 문
자와 영상 데이터.

• **동의**(同 같을 동, 意 뜻 의)
남의 의견과 같거나, 그 의견
에 찬성하는 것.

• **주기적**(週 돌 주, 期 기약할
기, 的 과녁 적) 일정한 사이
를 두고 같은 특성이나 현상
이 되풀이 되는 것.

오늘날 거의 모든 사람이 일상에서 인터넷을 활용하고 있다. 청소년들의 스마트폰 사용량 대부분은 누리 소통망이 차지하고 있다고 해도 과언이 아니고, 온라인을 이용한 물건 구매도 일상적으로 이루어지고 있다. 그런데 이렇게 인터넷을 이용하는 과정에서 다양한 ㉠흔적이 남게 된다. 이를 '디지털 발자국'이라고 한다. 디지털 발자국이란 사람들이 인터넷에 남겨 놓은 다양한 디지털 기록을 일컫는다. 구체적으로는 온라인에서 물건을 구매한 이력, 누리 소통망이나 인터넷 커뮤니티 등에 올린 글들, 이메일 사용 이력, 특정 웹 사이트 방문 기록, 포털 사이트의 검색 기록 등이다. 디지털 발자국은 마치 모래사장을 걸을 때 생기는 발자국과 같다. 모래 위에 남겨진 발자국을 통해 발자국 주인공의 행방뿐만 아니라 특징까지도 짐작할 수 있는 것처럼 디지털 발자국을 통해서도 인터넷 사용자를 추적하거나 그 사람의 특징을 파악할 수 있다. 모래 위에 남겨진 발자국과 달리 인터넷에 남긴 흔적은 쉽게 지워지지 않는다.

디지털 발자국은 활용 방법에 있어서 양면성을 지닌다. 먼저, 디지털 발자국은 기업의 마케팅이나 범죄자 검거, 사회 정책 개발 등에서 유용하게 사용된다. 예를 들어, 고객이 필요로 하는 상품에 관한 정보를 알려 주면서 할인 쿠폰을 보내는 마케팅에 활용되기도 하고, 정부나 지방 자치 단체가 어떤 정책을 시행할 수 있는 기본 자료로 활용되기도 한다. 경찰이 인터넷 검색 기록이나 구매 이력 등을 추적하여 범죄자를 검거하는 경우도 많다.

하지만 디지털 발자국은 사생활 침해나 범죄 등에 악용될 수도 있다. 최근에 일부 회사가 신입 사원을 뽑을 때 지원자의 누리 소통망을 살펴봐 논란이 되기도 했으며, 자신의 일정을 누리 소통망에 올렸다가 범죄 피해를 본 일도 심심찮게 일어난다. 디지털 발자국의 부작용은 방대한 데이터 수집과 분석, 활용이 기업 및 국가의 경쟁력으로 이어지는 빅데이터 시대가 되면서 더욱 확대되고 있다. 디지털 발자국의 사회적·경제적 가치가 높아질수록 사생활 침해나 개인 정보 악용의 위험성도 높아지는 것이다.

그렇다면 디지털 발자국의 긍정적인 면은 살리고 부정적인 면은 최소화하려면 어떻게 해야 할까? 이는 제도적 차원과 개인적 차원으로 나누어 볼 수 있다. 먼저, 제도적 차원에서는 개인 정보를 수집하고 활용하기 위해서 반드시 사용자의 동의를 받도록 하는 정책을 확대해야 한다. 그리고 당사자가 요청할 경우에는 기업이 그 사람의 디지털 발자국을 바로 삭제하도록 해야 한다.

개인적 차원에서는 인터넷 사용자 스스로 자신의 정보를 관리하는 자세를 가져야 한다. 사는 곳이나 개인적인 일정 등 사생활이 노출될 수 있는 정보는 인터넷에 올리지 않도록 유의해야 하며, 예전에 올린 게시물도 주기적으로 점검하여 관리할 필요가 있다. 스스로 자신의 개인 정보를 관리하지 않으면 사생활 침해나 범죄가 일어난 뒤 후회해도 소용없다.

1 글의 구조 ᐳ 문단 내용 정리하기

다음은 이 글을 읽고 내용을 정리한 것입니다. 빈칸에 들어갈 적절한 말을 쓰시오.

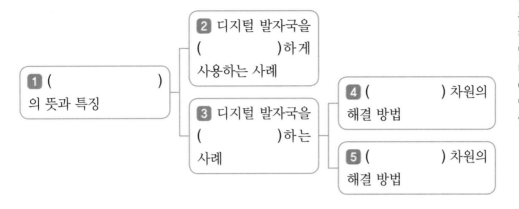

1 (   )
의 뜻과 특징

2 디지털 발자국을
(   )하게
사용하는 사례

3 디지털 발자국을
(   )하는
사례

4 (   ) 차원의
해결 방법

5 (   ) 차원의
해결 방법

글의 구조 TIP

이 글은 총 다섯 개의 문단으로 이루어져 있습니다. **1**문단에서는 디지털 발자국의 개념을 소개하고, **2**, **3**문단에서는 디지털 발자국의 양면성을 설명하였습니다. **4**, **5**문단에서는 **3**문단에 나온 디지털 발자국의 악용을 막기 위한 해결 방법을 소개하고 있습니다.

2 내용 이해 ᐳ 세부 정보 파악하기

이 글을 통해 알 수 있는 내용으로 적절하지 <u>않은</u> 것은 무엇입니까? (   )

① 디지털 발자국의 중요성은 정보화가 진행되면서 점점 높아지고 있다.
② 디지털 발자국은 인터넷 이용자가 필요에 따라 만들거나 없앨 수 있다.
③ 디지털 발자국을 통해서 인터넷 이용자의 개인 정보를 파악할 수 있다.
④ 디지털 발자국은 인터넷을 이용하는 과정에서 생기는 다양한 흔적이다.
⑤ 디지털 발자국은 정부나 지방 자치 단체의 정책 개발에 활용되기도 한다.

3 전개 방식 ᐳ 서술 방식 파악하기

이 글에 나타난 글쓰기 전략으로 적절하지 <u>않은</u> 것은 무엇입니까? (   )

① 디지털 발자국의 개념을 정의하여 내용을 명확하게 전달하고 있다.
② 구체적인 예를 들어 디지털 발자국의 장점과 단점을 설명하고 있다.
③ 전문가의 **견해**를 인용하여 디지털 발자국의 위험성을 강조하고 있다.
④ 디지털 발자국을 다른 대상에 빗대어서 그 특성을 쉽게 설명하고 있다.
⑤ 디지털 발자국의 문제점에 대한 방안을 두 가지로 나누어 제시하고 있다.

어휘
• **견해** 어떤 사실에 대한 일정한 의견이나 생각.

적용하기 구체적인 상황에 적용하기

4 이 글을 참고할 때, 보기 에 대해 보일 수 있는 반응으로 적절하지 <u>않은</u> 것은 무엇입니까? (   )

어휘
• **보안** 사회의 안전과 질서를 보호하는 일.
• **취업할** 일자리를 얻음.
• **불이익** 이롭지 않은 처지나 상황. 손해.

보기

　미국의 한 인터넷 **보안** 회사가 발표한 보고서에 따르면, 미국 내 어린이의 92%가 두 살 때부터 디지털 발자국을 가지는 것으로 나타났다. 어릴 때는 부모들이 아이들이 성장하는 모습을 누리 소통망에 올리고, 아이들이 성장하고 나서는 아이들 스스로 자신의 일상을 올리는 것이다. 그런데 전문가들은 이런 디지털 발자국으로 인해 아이들이 범죄에 노출되거나 친구들로부터 따돌림을 당할 수도 있다는 경고를 하고 있다. 이런 위험은 성인이 되어도 여전하다. 누리 소통망에 올라간 사진에는 이름은 물론 사는 곳과 사소한 일정 등 엄청난 양의 개인 정보가 담겨 있기 때문이다.

① 어릴 때 올린 사진 때문에 **취업할** 때 **불이익**을 받을 수도 있겠군.
② 별생각 없이 올린 사진 하나 때문에 범죄의 대상이 될 수도 있겠군.
③ 청소년뿐만 아니라 어른에게도 디지털 발자국의 위험성을 알려야겠군.
④ 개인 정보가 드러나는 자료는 누리 소통망에 올리지 않도록 조심해야겠군.
⑤ 누리 소통망에는 나중에 자신에게 도움이 될 만한 정보만 골라서 올려야겠군.

어휘·어법 어휘의 문맥적 의미 파악하기

5 ㉠'흔적'과 바꿔 쓰기에 가장 적절한 말은 무엇입니까? (   )

① 상처　　　　　　② 업적　　　　　　③ 자취

④ 행방　　　　　　⑤ 허물

어휘·어법 TIP
• **상처** 몸을 다쳐서 상한 자리.
• **업적** 열심히 일하여 이룩해 놓은 결과. 공적.
• **자취** 남아 있는 흔적.
• **행방** (알려지지 않은) 간 곳. 또는 간 방향.
• **허물** 저지른 잘못.

낱말 이해 낱말 관계 낱말 적용 관용 표현

1 다음 빈칸에 들어갈 말로 가장 알맞은 것은 무엇입니까? (   )

① 점검　　　② 악용　　　③ 검거　　　④ 금지　　　⑤ 예방

낱말 이해 낱말 관계 낱말 적용 관용 표현

2 다음 낱말의 뜻으로 알맞은 것을 찾아 선으로 이으시오.

(1) 과언　•

(2) 논란　•

(3) 흔적　•

•㉮ 지나친 말.

•㉯ 어떤 것이 있었거나 지나가고 뒤에 남은 자국.

•㉰ 어떤 일의 옳고 그름에 대하여 생기는 서로 다른 여러 의견, 또는 여러 의견을 내며 다투는 것.

낱말 이해 낱말 관계 낱말 적용 관용 표현

3 다음 밑줄 그은 부분을 표현하기에 알맞은 속담은 무엇입니까? (   )

　　디지털 발자국을 이용한 범죄를 예방하기 위해서는 인터넷 사용자 스스로 자신의 정보를 관리할 수 있는 능력을 지녀야 한다. 사는 곳이나 개인적인 일정 등 사생활이 노출될 수 있는 정보는 인터넷에 올리지 않도록 유의해야 하며, 기존에 올린 게시물도 주기적으로 점검하여 관리할 필요가 있다. 스스로 자신의 개인 정보를 관리하지 않으면 사생활 침해나 범죄가 일어난 뒤 후회해도 소용없다.

① 돼지에 진주 목걸이　　　② 고양이 목에 방울 달기
③ 소 잃고 외양간 고친다　　　④ 원숭이도 나무에서 떨어진다
⑤ 얌전한 고양이 부뚜막에 먼저 올라간다

어휘력 +

• **돼지에 진주 목걸이** 값어치를 모르는 사람에게는 보물도 아무 소용 없음.

• **고양이 목에 방울 달기** 실행하기 어려운 것을 공연히 의논함.

• **소 잃고 외양간 고친다** 일이 이미 잘못된 뒤에는 손을 써도 소용이 없음.

• **원숭이도 나무에서 떨어진다** 아무리 익숙하고 잘하는 사람이라도 간혹 실수할 때가 있음.

• **얌전한 고양이 부뚜막에 먼저 올라간다** 겉으로는 얌전하고 아무것도 못 할 것처럼 보이는 사람이 딴짓을 하거나 자기 실속을 다 차림.

로봇세에 대한 두 가지 입장

• 지문 해설

• 지문 난이도: 중

• 글자 수: 1416자

1000 ——— 1500

마이크로소프트사의 창업자인 빌 게이츠는 2017년 2월 미국의 한 매체와의 인터뷰에서 "앞으로 로봇이 사람의 일자리를 빼앗는다면 로봇도 세금을 내야 한다."라고 주장했다. 빌 게이츠는 '로봇세'를 신설하여 로봇에 일자리를 빼앗긴 사람들의 재교육과 지원에 활용해야 한다는 입장을 보였다. 빌 게이츠의 발언에 대해 유럽 연합(EU)은 곧장 반대 의견을 발표했다. 로봇세의 도입은 많은 기업에 악영향을 주며 로봇 산업의 발전을 가로막고 사회 발전에도 해를 끼칠 것이라고 주장했다. 이후 세계 각국에서 로봇세에 대한 찬반 논쟁이 뜨겁다. 로봇세란 로봇을 이용해서 돈을 버는 사람이나 기업이 정부에 내야 하는 세금을 말한다.

로봇세 도입을 찬성하는 사람들은 빌 게이츠의 입장을 옹호한다. 즉 로봇세를 신설하여 걷어 들이는 세금을 로봇 기술의 발달로 인해 발생하는 실업 문제를 해결하는 데 사용할 수 있다는 점을 가장 큰 근거로 든다. 실제로 로봇 기술이 발전하면서 사람들의 일자리는 큰 위협을 받고 있다. 로봇 때문에 일자리를 잃는 사람들이 증가하고 있으며, 20년 안에 현재 사람의 직업 가운데 절반이 사라질 것이라는 예측도 나왔다. 이들의 최소 생계를 보장하면서 새로운 일자리를 찾을 수 있도록 재교육하는 데에는 큰 비용이 드는데, 그것을 로봇세로 대체할 수 있다.

이와 달리 로봇세 도입을 반대하는 사람들은 로봇세가 산업 발전을 가로막는 걸림돌이 될 수 있다고 주장한다. 역사적으로 산업 혁명 이후 기술이 지속적으로 발전해 오면서 수많은 기계가 발명되었고, 그것이 노동력을 대체하면서 대량 생산이 가능해지고 산업이 발전했다. 그런데 최신 기술인 로봇에 세금을 매기면 인공 지능 같은 로봇 기술 개발이 늦어지면서 산업 발전도 더뎌진다는 것이다. 로봇세가 도입되면 상품의 가격이 상승하거나 기업들이 세금 부담으로 인해 아예 로봇세가 없는 나라로 공장을 옮길 가능성도 있다. 실업 문제를 해결하기 위한 비용을 마련하려는 것이 오히려 국가와 국민에게 손해를 끼치는 상황이 되는 것이다.

다양한 분야에서 로봇이 사람의 일손을 대신할 날이 머지않았다. 로봇으로 인해 우리는 큰 변화를 맞이할 수밖에 없다. 그런데 로봇 기술의 발전은 양면성이 뚜렷하다. 로봇 기술의 발달로 인해 우리 생활이 편리해진 부분도 있지만, 그로 인해 일자리를 잃는 사람들이 증가하는 부작용도 발생할 수밖에 없는 것이다. 예전 같으면 수십 명이 근무해야 할 공장에서 로봇 두세 대만으로 대부분의 일을 처리하는 경우가 많다. 우리가 자주 찾는 패스트푸드 가게에서도 무인 주문 단말기를 도입하는 경우가 늘어나고 있다. 그리고 그만큼 그곳에서 일하는 사람들은 줄어든다. 물론 로봇 관련 일자리가 새로 만들어지지만 그 수는 없어진 일자리보다 적을 수밖에 없다. 따라서 이런 변화를 혼란스럽지 않게 맞이하려면 사회적으로 로봇세에 대해 보다 깊고 넓은 논의가 이루어져야 한다.

• **창업자** 사업을 처음 시작한 사람.

• **신설**(新 새로울 신, 設 베풀 선)**하여** 설비·시설·제도 등을 새로 만들어 놓거나 마련하여.

• **도입** 기술, 방법, 물자 등을 끌어 들임.

• **악영향** 나쁜 영향.

• **옹호한다** 어떤 것을 지지하여 편든다.

• **재교육**(再 다시 재, 敎 가르칠 교, 育 기를 육)**하는** 이미 어떤 지식이나 기능의 습득이 끝난 사람에게 다시 교육하는.

• **더뎌진다** 느려서 걸리는 시간이 길어진다.

• **상승**(上 위 상, 昇 오를 승)**하거나** 높아지거나 위로 올라가거나.

• **단말기** 컴퓨터에서 중앙 처리 장치에 연결되어 자료를 입력하거나 출력하는 기기.

1 글의 구조 문단 내용 정리하기

다음은 이 글을 읽고 내용을 정리한 것입니다. 빈칸에 들어갈 적절한 말을 쓰시오.

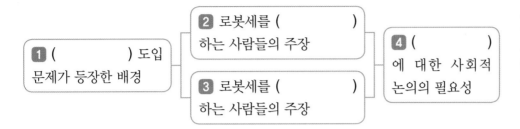

1 (　　　　) 도입
문제가 등장한 배경

2 로봇세를 (　　　　)
하는 사람들의 주장

3 로봇세를 (　　　　)
하는 사람들의 주장

4 (　　　　)
에 대한 사회적
논의의 필요성

2 내용 이해 세부 정보 파악하기

이 글의 내용과 일치하지 <u>않는</u> 것은 무엇입니까? (　　　)

① 실업 상태에 있는 사람들을 재교육하는 데는 비용이 많이 든다.
② 선진국 대부분은 로봇세를 도입하고 있으며 그 수도 늘어나고 있다.
③ 로봇 기술로 인해 늘어나는 일자리보다 없어지는 일자리가 더 많다.
④ 로봇세가 도입되면 다른 나라로 공장을 옮기는 회사가 생길 수 있다.
⑤ 빌 게이츠와 유럽 연합은 로봇세 도입에 대해 서로 다른 입장을 보이고 있다.

어휘
• **실업** 일할 기회를 얻지 못하거나 일자리를 잃음.
• **선진국** 정치·경제·문화 등이 발달하여 다른 나라들의 본이 되는 나라.

3 전개 방식 서술 방식 파악하기

이 글의 서술상 특징으로 적절하지 <u>않은</u> 것은 무엇입니까? (　　　)

① 유명한 사람의 말을 인용하여 중심 화제를 제시하고 있다.
② 핵심 용어의 개념을 제시하여 내용에 대한 이해를 돕고 있다.
③ 예상되는 부정적인 상황을 언급하며 주장을 뒷받침하고 있다.
④ 시간의 **경과**에 따라 중심 화제가 변화한 **양상**을 설명하고 있다.
⑤ 중심 화제와 관련하여 상반되는 두 주장을 각각 제시하고 있다.

어휘
• **경과** 시간이 지나감.
• **양상** 사물이나 현상이 나타내는 모습이나 상태.

추론하기 │ 외부 자료를 바탕으로 추론하기

이 글과 보기 를 통해 이끌어 낼 수 있는 주장으로 가장 적절한 것은 무엇입니까?

( )

보기

18세기 말부터 19세기 초까지 영국의 노동자들이 공장의 기계를 파괴하는 운동을 벌였다. 당시 영국에는 기계를 중심으로 하는 **산업 혁명**이 한창 진행되고 있었다. 이 때문에 공장에서 기계를 도입하면서 노동자들을 **해고하는** 경우가 많았다. 이런 상황에 불만을 지닌 노동자들이 자신들의 일자리를 **빼앗는** 기계를 파괴하기 시작한 것이다. 이를 '러다이트 운동'이라고 한다. 하지만 결국 기계의 발전과 그로 인한 일자리 대체를 막을 수는 없었다.

① 빨리 로봇세를 도입하여 회사가 로봇 대신 사람을 **고용하도록** 해야 한다.

② 로봇 기술이 발전하는 속도를 늦추어서 우리가 대응할 시간을 벌어야 한다.

③ 국가적 차원에서 첨단 기술인 로봇의 개발을 지원하는 제도를 마련해야 한다.

④ 로봇과 관련해서 새로 생기는 일자리가 없어지는 일자리보다 많아지도록 해야 한다.

⑤ 로봇의 발전을 **수용하고** 실업자들에게 새 직업을 구할 수 있는 교육을 제공해야 한다.

어휘

- **산업 혁명** 상품을 대량으로 값싸게 생산하는 기술의 발전으로 말미암아 18세기 말에 영국에서 일어나 온 세상에 퍼진 사회의 큰 변화.

- **해고하는** 돈을 받고 일하던 곳에서 내보내는.

- **고용하도록** 돈을 주고 사람에게 일을 시키도록.

- **수용하고** 한데 모아 일정한 곳에 들어 있게 하고.

어휘·어법 │ 한자성어로 표현하기

5

로봇세를 반대하는 입장의 주장과 근거를 표현하기에 가장 적절한 한자성어는 무엇입니까? ( )

① 동문서답(東問西答)   ② 소탐대실(小貪大失)

③ 우공이산(愚公移山)   ④ 유유상종(類類相從)

⑤ 자화자찬(自畫自讚)

어휘·어법 TIP

- **동문서답** 묻는 말과는 관계가 없는 엉뚱한 대답.

- **소탐대실** 작은 것을 탐하다가 큰 것을 잃음.

- **우공이산** 어떤 일이든 끊임없이 노력하면 반드시 이루어짐.

- **유유상종** 비슷한 사람들끼리 서로 어울려 사귐.

- **자화자찬** 자기가 한 일을 스스로 자랑하고 칭찬함.

어휘력 완성

정답 및 풀이 24쪽

기술 04

낱말 이해 | 낱말 관계 | 낱말 적용 | 관용 표현

1 다음 문장의 밑줄 그은 낱말 중, ㉠과 같은 뜻으로 쓰인 것은 무엇입니까? (   )

찬반 논쟁이 아주 ㉠뜨겁습니다!

① 동생은 뜨거운 국물을 후후 불어 가며 먹었다.

② 감기 때문에 열이 올라 몸이 불덩이처럼 뜨겁다.

③ 초에서 뜨거운 촛농이 한쪽으로 흘러내리고 있다.

④ 세계적으로 정보 통신 기술의 개발 경쟁이 뜨겁다.

⑤ 실수를 한 그는 얼굴이 뜨거워 고개를 들 수 없었다.

어휘력 ➕

• **뜨겁다**
「1」 손이나 몸에 상당한 자극을 느낄 정도로 온도가 높음.
「2」 사람의 몸이 정상보다 열이 높음.
「3」 무안하거나 부끄러워 얼굴이 몹시 화끈함.
「4」 감정이나 열정 따위가 격렬함.

낱말 이해 | 낱말 관계 | 낱말 적용 | 관용 표현

2 다음 낱말의 뜻으로 알맞은 것을 찾아 선으로 이으시오.

(1) 도입하다 •

(2) 신설하다 •

(3) 옹호하다 •

• ㉮ 어떤 것을 지지하여 편듦.

• ㉯ 기술, 방법, 물자 따위를 끌어 들임.

• ㉰ 설비·시설·제도 등을 새로 만들어 놓거나 마련함.

낱말 이해 | 낱말 관계 | 낱말 적용 | 관용 표현

3 다음과 같은 로봇의 모습을 표현할 수 있는 관용어는 무엇입니까? (   )

> 예전 같으면 수십 명이 근무해야 할 공장에서 로봇 두세 대만으로 대부분의 일을 처리하는 경우가 많다.

① 손이 비다

② 손이 작다

③ 손이 빠르다

④ 손에 잡히다

⑤ 손을 늦추다

어휘력 ➕

• **손이 비다** 할 일이 없어 아무 일도 하지 않고 있음.

• **손이 작다** 물건이나 재물의 씀씀이가 깐깐하고 작음.

• **손이 빠르다** 일 처리가 빠름.

• **손에 잡히다** 마음이 차분해져 일할 마음이 내키고 능률이 남.

• **손을 늦추다** 긴장을 풀고 일을 더디게 함.

날개 없는 선풍기의 원리

날씨가 더워지기 시작하면 많은 집에서 선풍기를 꺼낸다. 선풍기 바람으로 더위를 견디기 위해서이다. 선풍기 바람을 쐬면 왜 시원할까? 바람을 쐬면 피부에 있는 땀 같은 수분이 증발하면서 몸의 열을 빼앗아 체온이 내려가고 시원함을 느끼게 되기 때문이다. 이를 과학적으로 표현하면 피부에서 일어나는 열 교환이라고 한다. 피부 온도보다 낮은 온도의 선풍기 바람이 피부에 와 닿으면 바람이 피부의 열을 빼앗아 가면서 바람은 더워지고 피부는 시원해진다. 선풍기는 우리의 여름 나기를 도와주는 고마운 물건이다.

그런데 ㉠이렇게 고마운 선풍기에도 문제점이 있다. 선풍기 날개가 돌아갈 때 머리카락이 끼거나 선풍기 날개에 손가락을 베어 다칠 수도 있기 때문이다. 물론 이런 문제는 대개 선풍기에 망을 씌우거나 선풍기 자체의 안전망을 촘촘하게 만들어 해결할 수 있다. 하지만 다른 문제도 있다. 오랫동안 사용하고 나면 선풍기 날개에 까만 먼지가 쌓여 주기적으로 선풍기 날개를 분해해서 세척해야 한다는 것이다. 이 일은 의외로 귀찮은 일이다.

날개 없는 선풍기는 이런 문제들을 한 번에 해결한다. 앞서 언급한 문제들은 모두 선풍기 날개와 관련된 것인데 날개 없는 선풍기는 그 이름처럼 날개 자체를 없애 버렸기 때문이다. 날개가 없어 안전망을 설치할 필요가 없어 보기에도 더 깔끔하다. 그렇다면 날개 없는 선풍기는 날개도 없는데 어떤 원리로 바람을 만드는 걸까?

사실 날개 없는 선풍기의 날개는 아예 없는 것이 아니라 아래쪽 받침대에 숨겨져 있다. 날개 없는 선풍기는 받침대와 그 위의 둥근 고리로 이루어지는데, 아래쪽의 받침대에는 작지만 강력한 모터와 팬이 들어 있다. 모터와 팬이 돌아가면서 받침대에 뚫려 있는 공기구멍을 통해 바깥 공기를 빨아들인다. 받침대로 들어온 공기는 매우 빠르게 위쪽을 향해 올라간다. 받침대 위쪽의 고리에는 안쪽에 약 1.3mm 정도의 작은 틈이 있다. 받침대에서 위쪽으로 올라온 공기가 고리 안쪽의 작은 틈으로 빠져나오면서 시원한 바람을 만들어 내는 것이다.

둥근 고리의 안쪽 면은 비행기 날개 윗면과 비슷한 곡면이고, 바깥 면은 비행기 날개 아랫면처럼 상대적으로 평평한데, 이는 비행기가 뜨는 원리를 이용한 것이다. 속이 빈 둥근 고리 내부로 밀려 올라간 공기는 매우 빠른 속력으로 고리 안쪽의 작은 틈 사이로 빠져나오면서 고리 주변의 공기를 끌어모아 앞쪽으로 흐르게 한다. 이때 고리 사이의 빈 공간을 통과하는 공기의 양은 모터를 통해 받침대 쪽으로 빨려 들어간 공기의 양보다 15배 정도 늘어나면서 우리가 시원함을 느낄 수 있을 정도의 바람을 만들어 낸다.

▲ 날개 없는 선풍기의 구조

1 글의 구조 │ 문단 내용 정리하기

다음은 이 글을 읽고 내용을 정리한 것입니다. 빈칸에 들어갈 적절한 말을 쓰시오.

- **1** 더위를 식혀 주는 고마운 물건 ( )
- **2** 일반 선풍기 ( )의 문제점

→ **3** 일반 선풍기의 문제를 해결한 ( ) 없는 선풍기

- **4** 날개 없는 선풍기의 원리 ① – 날개가 ( )에 숨겨져 있음.
- **5** 날개 없는 선풍기의 원리 ② – 둥근 ( )에서 바람을 만들어 냄.

글의 구조 **TIP**

이 글은 총 다섯 개의 문단으로 이루어져 있습니다. **1**, **2**문단에서는 일반적인 선풍기와 이것의 문제점을 언급하고 **3**문단에서는 날개 없는 선풍기를 소개하였습니다. **4**, **5**문단에서는 날개 없는 선풍기의 작동 원리를 받침대와 둥근 고리 부분으로 나누어 설명하고 있습니다.

2 내용 이해 │ 중심 내용 파악하기

이 글에서 확인할 수 있는 내용으로 적절하지 <u>않은</u> 것은 무엇입니까? ( )

① 날개 없는 선풍기의 구조
② 날개 없는 선풍기의 장점
③ 날개 없는 선풍기의 문제점
④ 날개 없는 선풍기의 작동 원리
⑤ 선풍기 바람을 쐬면 시원한 이유

3 내용 이해 │ 세부 정보 파악하기

이 글의 내용과 일치하는 것은 무엇입니까? ( )

① 날개 없는 선풍기에 날개가 아예 없는 것은 아니다.
② 바람이 불면 피부에서 열을 **보존하면서** 시원함을 느낀다.
③ 날개 없는 선풍기 위쪽의 둥근 고리 안에는 작은 팬이 들어 있다.
④ 날개 없는 선풍기의 받침대로 들어간 공기는 모터를 통해 나온다.
⑤ 날개 없는 선풍기는 바람을 만들 때 둥근 고리 주변의 공기는 이용하지 않는다.

어휘
• **보존하면서** 잘 보호하고 간수하여 남기면서.

4 이 글의 내용을 참고하여 보기 를 이해한 내용으로 적절하지 않은 것은 무엇입니까?

(   )

보기

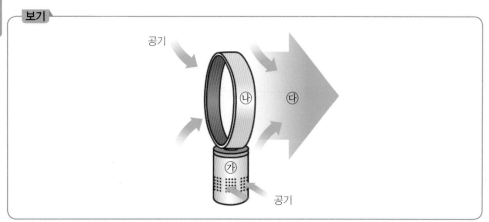

공기

공기

① ㉮ 속의 모터와 팬에 의해 외부 공기가 빨려 들어가겠군.

② ㉯의 안쪽 면에는 약 1.3mm 정도의 작은 틈이 있겠군.

③ ㉯는 비행기 날개의 원리를 이용하여 바람을 만들어 내겠군.

④ ㉮와 ㉯를 모두 합쳐도 일반 선풍기보다는 크기가 작겠군.

⑤ ㉰의 공기는 ㉮로 들어온 공기보다 15배 정도 늘어났겠군.

어휘·어법 속담으로 표현하기

5 ㉠을 표현하기에 가장 적절한 속담은 무엇입니까? (   )

① 옥에도 티가 있다

② 빈 수레가 요란하다

③ 달면 삼키고 쓰면 뱉는다

④ 믿는 도끼에 발등 찍힌다

⑤ 황소 뒷걸음치다 쥐 잡는다

어휘·어법 TIP

• **옥에도 티가 있다** 아무리 좋은 물건이라 하여도 자세히 따지고 보면 사소한 흠은 있음.

• **빈 수레가 요란하다** 실속 없는 사람이 겉으로 더 떠들어 댐.

• **달면 삼키고 쓰면 뱉는다** 옳고 그름이나 신의를 돌보지 않고 자기의 이익만 꾀함.

• **믿는 도끼에 발등 찍힌다** 잘 되리라고 믿고 있던 일이 어긋나거나 믿고 있던 사람이 배반하여 오히려 해를 입음.

• **황소 뒷걸음치다 쥐 잡는다** 어리석은 사람이 우연히 알아맞히거나 일을 이룸.

1 [낱말 이해] [낱말 관계] [낱말 적용] [관용 표현]

다음 밑줄 그은 낱말과 뜻이 통하는 한자어를 찾아 선으로 이으시오.

(1) 모터와 팬이 돌아가면서 받침대에 뚫려 있는 공기구멍을 통해 바깥 공기를 <u>빨아들인다</u>. •

• ㉮ 증가

(2) 고리 사이의 빈 공간을 통과하는 공기의 양은 받침대 쪽으로 빨려 들어간 공기의 양보다 15배 정도 <u>늘어난다</u>. •

• ㉯ 흡입

2 [낱말 이해] [낱말 관계] [낱말 적용] [관용 표현]

밑줄 그은 낱말이 ㉠과 같은 뜻으로 사용된 것은 무엇입니까? (   )

선풍기는 우리의 여름 ㉠<u>나기</u>를 도와주는 고마운 물건임은 분명하다.

① 사춘기가 된 딸에게 여드름이 <u>나기</u> 시작했다.
② 우리 아버지는 부산에서 <u>나서</u> 서울에서 자랐다.
③ 그는 시골에서 3년을 <u>나고</u> 다시 도시로 돌아왔다.
④ 내가 좋아하는 양말에 구멍이 <u>나서</u> 버리게 되었다.
⑤ 충청남도 금산은 인삼이 많이 <u>나는</u> 곳으로 유명하다.

3 [낱말 이해] [낱말 관계] [낱말 적용] [관용 표현]

다음 상황을 표현하기에 가장 적절한 한자성어는 무엇입니까? (   )

날개 없는 선풍기는 이런 문제들을 한 번에 해결한다. 모두 선풍기 날개와 관련된 문제들인데 날개 자체를 없애 버렸기 때문이다.

① 결초보은(結草報恩)
② 발본색원(拔本塞源)
③ 오리무중(五里霧中)
④ 표리부동(表裏不同)
⑤ 풍전등화(風前燈火)

어휘력 ➕

• **결초보은** 죽은 뒤에라도 은혜를 잊지 않고 갚음.

• **발본색원** 좋지 않은 일의 근본이 되는 요소를 완전히 없애 다시는 그러한 일이 생기지 않게 함.

• **오리무중** 어디에 있는지 알 수 없거나, 갈피를 잡을 수 없는 상태.

• **표리부동** 마음이 음흉하고 겉과 속이 다름.

• **풍전등화** 매우 위태롭고 아슬아슬한 상황.

망원경의 역사

가 해적이 등장하는 영화나 애니메이션 등을 보면 해적들은 꼭 망원경을 지니고 다닌다. 그러면서 약탈할 배나 적이 나타나면 높은 곳에 올라가, 짧게 접혀 있던 망원경을 길게 펴서는 상대를 살핀다. 이를 통해 짐작할 수 있듯이 망원경은 먼 곳에 있는 사물을 가까이 있는 것처럼 크게 보여 주는 기구이다.

나 망원경은 누가 처음 만들었을까? 최초로 망원경을 만든 사람은 400여 년 전 네덜란드의 안경 제작자 한스 리퍼세이이다. 당시 네덜란드에서는 유리나 보석을 연마하는 기술이 발달하여 안경을 제작하는 기술자가 많았다. 1608년 어느 날 리퍼세이는 자신이 닦은 안경용 렌즈 두 개를 겹쳐 보다가, 멀리 떨어져 있는 교회의 탑이 놀랄 만큼 크고 선명하게 보인다는 것을 발견하게 되었다.

다 이 일을 계기로 리퍼세이는 볼록 렌즈와 오목 렌즈를 이용하면 먼 곳에 있는 대상을 크고 정확하게 볼 수 있다는 것을 알았다. 이런저런 궁리 끝에 그는 기다란 원통의 양쪽 끝에 렌즈를 끼웠다. 크기가 큰 볼록 렌즈는 대상을 향하는 쪽에 끼우고, 상대적으로 크기가 작은 오목 렌즈는 눈 쪽에 끼웠다. 그랬더니 먼 곳에 있는 사물이 원통 없이 렌즈 두 개만으로 보았을 때보다 훨씬 크고 선명하게 보였다. 최초의 망원경이 탄생한 순간이었다.

라 네덜란드에서 망원경이 만들어졌다는 소식은 곧장 유럽 전역으로 퍼져 나갔다. 그리고 이듬해인 1609년에 이탈리아의 베네치아에서 천체 연구를 하고 있던 천문학자 갈릴레이도 이 소식을 들었다. 갈릴레이는 망원경 소식을 듣고는 직접 리퍼세이의 망원경을 개량한 망원경을 ㉠만들었다. 리퍼세이의 망원경과 구조는 같았으나 배율을 훨씬 높인 것이었다. 처음에 만든 것은 성능이 그리 좋지 않았으나 두 번째 만든 것은 대물렌즈 쪽의 지름이 4cm이고, 접안렌즈까지의 거리가 1m를 조금 넘어, 배율이 30배가량 되었다. 대물렌즈는 관찰하는 대상을 향하는 쪽의 렌즈를, 접안렌즈는 눈으로 보는 쪽의 렌즈를 말한다.

마 갈릴레이는 자신이 만든 망원경을 가지고 밤하늘의 천체를 관찰하였다. 그리고 달의 표면이 울퉁불퉁하다는 것과 목성의 주위를 도는 위성이 네 개라는 사실 등을 발견하였다. 이런 관찰 기록을 근거로 갈릴레이는 그때까지 사람들이 당연하다고 받아들였던 천동설을 부정하고 지동설을 주장할 수 있었다. 망원경을 발명한 것은 리퍼세이지만 그것을 인류를 위해 의미 있게 사용한 사람은 갈릴레이였다. 우연한 발명이 사람들이 2000년 가까이 옳다고 믿어 왔던 상식을 깨뜨리는 계기가 된 것이다. 갈릴레이의 망원경은 이후 뉴턴에 의해서 다시 개량되었으며, 오늘날에는 지름이 10m가 넘는 망원경과 우주 공간에 떠 있는 허블 우주 망원경 같은 초대형 망원경으로 발전하였다.

글의 구조 문단 내용 정리하기

1 다음은 이 글을 읽고 내용을 정리한 것입니다. 빈칸에 들어갈 적절한 말을 쓰시오.

나 망원경을 발명한 네덜란드의 (　　　　　)

↓

다 최초의 (　　　　　)의 생김새

↓

라 리퍼세이의 망원경을 개량한 (　　　　　)

↓

마 망원경의 활용과 (　　　　　)

가 (　　　　　)의 용도

글의 구조 TIP

이 글은 총 다섯 개의 문단으로 이루어져 있습니다. **가**문단에서는 망원경에 대해 소개하고, **나**, **다**, **라**, **마**문단에서는 망원경이 발명된 계기와 망원경의 발전 과정에 대해 시간 순서대로 설명하였습니다.

내용 이해 세부 정보 파악하기

2 이 글의 내용과 일치하지 <u>않는</u> 것은 무엇입니까? (　　　　)

① 갈릴레이가 처음에 만든 개량 망원경은 성능이 그리 좋지 않았다.

② 갈릴레이는 망원경으로 천체를 관찰하여 천동설을 부정할 수 있었다.

③ 망원경이 발명될 당시 네덜란드에는 안경을 제작하는 기술자가 많았다.

④ 망원경이 발명되기 전에는 달의 표면이 울퉁불퉁하다는 사실을 몰랐다.

⑤ 리퍼세이는 볼록 렌즈를 접안렌즈로, 오목 렌즈를 대물렌즈로 사용하였다.

전개 방식 문단별 서술 방식 파악하기

3 **가**~**마**에 대한 설명으로 적절하지 <u>않은</u> 것은 무엇입니까? (　　　　)

① **가**: 사람들에게 익숙한 매체를 언급하며 화제를 제시하고 있다.

② **나**: 리퍼세이가 망원경을 발명하게 된 일화를 소개하고 있다.

③ **다**: 리퍼세이가 최초로 만든 망원경의 구조를 설명하고 있다.

④ **라**: 리퍼세이 망원경의 한계와 개량 망원경을 설명하고 있다.

⑤ **마**: 갈릴레이가 개량 망원경을 활용하여 발견한 것을 설명하고 있다.

추론하기 | 세부 내용 추론하기

4 이 글을 참고할 때, 보기 에 대한 반응으로 적절하지 않은 것은 무엇입니까?

(   )

문제 풀이

보기

　망원경에는 굴절 망원경과 반사 망원경이 있다. 굴절 망원경은 볼록 렌즈인 **대물렌즈**로 빛을 모아 준 다음에 오목 렌즈인 **접안렌즈**로 물체의 **상**을 확대하여 관측할 수 있도록 하기 때문에 상이 뚜렷하게 보인다. 접안렌즈가 볼록 렌즈로 된 망원경도 있는데, 이는 오목 렌즈로 된 것과 달리 상이 거꾸로 보인다. 반사 망원경은 볼록 렌즈나 오목 렌즈 대신 여러 개의 거울을 이용하여 상을 맺히게 하는 망원경이다. 렌즈 대신 거울을 사용하므로 비교적 무게가 덜 나가며 굴절 망원경보다 제작이 쉬워 큰 망원경을 만들 때 많이 쓰인다.

① 리퍼세이가 세계 최초로 발명한 망원경은 굴절 망원경이군.
② 갈릴레이의 망원경은 볼록 렌즈를 대물렌즈로 사용하였겠군.
③ 오늘날 사용하는 초대형 망원경은 대부분 반사 망원경이겠군.
④ 갈릴레이의 망원경으로 천체를 관찰하면 상이 반대로 보였겠군.
⑤ 리퍼세이가 볼록 렌즈 두 개를 사용했더라도 망원경이 되었겠군.

어휘·어법 | 어휘의 문맥적 의미 파악하기

5 ㉠'만들었다'와 바꿔 쓰기에 가장 적절한 것은 무엇입니까? (   )

① 개척했다　　　　　　② 궁리했다
③ 장만했다　　　　　　④ 제작했다
⑤ 제정했다

어휘

• **대물렌즈** 물체에 가까운 쪽의 렌즈.

• **접안렌즈** 눈을 대고 보는 쪽의 렌즈.

• **상** 물체에서 나온 빛이 렌즈나 거울 등에 비쳐서 나타나는 물체의 꼴.

어휘·어법 TIP

• **개척하다** 새로운 길, 방법, 활동 분야 등을 찾다.

• **궁리하다** 일을 처리하거나 밝히기 위하여 깊이 자세히 생각하다.

• **장만하다** 필요한 것을 마련하거나 갖추어 두다.

• **제작하다** 물건이나 작품을 만들다.

• **제정하다** 제도나 규정 등을 확실하게 정하다.

낱말 이해 낱말 관계 낱말 적용 관용 표현

1 다음 빈칸에 들어갈 말로 가장 알맞은 것은 무엇입니까? (   )

왜 그렇게 끙끙대니?

아무리 (   )해 봐도 이 문제의 답을 모르겠어.

① 개조　　　② 관찰　　　③ 궁리　　　④ 발견　　　⑤ 정리

낱말 이해 낱말 관계 낱말 적용 관용 표현

2 다음 낱말의 뜻으로 알맞은 것을 찾아 선으로 이으시오.

(1) 개량　•

(2) 약탈　•

(3) 연마　•

• ㉮ 폭력으로 재물을 빼앗음.

• ㉯ 질이나 기능을 고쳐서 더 좋게 만듦.

• ㉰ 주로 돌이나 쇠붙이, 보석, 유리 등의 고체를 갈고 닦아서 표면을 반질반질하게 함.

낱말 이해 낱말 관계 낱말 적용 관용 표현

3 다음 빈칸에 들어갈 한자성어로 가장 알맞은 것은 무엇입니까? (   )

갈릴레이는 자신이 만든 망원경을 이용하여 천체를 관찰해서 태양이 지구를 도는 것이 아니라 지구가 태양을 돈다는 사실을 발견하였다. 그리고 그때까지 사람들이 믿어 왔던 천동설을 부정하고 지동설을 주장하였다. 갈릴레이의 주장을 접한 당시 학자들은 (   )이라며 놀라워하였다.

① 군계일학(群鷄一鶴)　　　② 일장춘몽(一場春夢)

③ 일취월장(日就月將)　　　④ 작심삼일(作心三日)

⑤ 전대미문(前代未聞)

어휘력 ➕

• **군계일학** 평범한 여럿 가운데서 뛰어난 한 사람이나 물건.

• **일장춘몽** 한바탕의 봄꿈이라는 뜻으로, 헛된 영화나 덧없는 일.

• **일취월장** 날이 가고 달이 갈수록 발전함.

• **작심삼일** (마음먹은 것이 사흘을 못 간다는 뜻으로) 결심이 오래가지 못함.

• **전대미문** (어떤 사실이 처음 있는 일이어서) 이제까지 들어본 적이 없음.

경쟁력을 좌우하는 디자인

오늘날은 디자인이 제품의 경쟁력을 좌우하는 시대임을 강조하면서 우리의 전통 문화를 재해석함으로써 디자인 경쟁력을 높일 수 있다는 의견을 제시하는 글입니다.

해외에 있는 우리 문화재

해외로 반출되어 돌아오지 못하고 있는 우리 문화재의 실태를 소개하고, 그것을 되찾아오려는 개인들과 시민 단체, 정부의 노력 등을 설명하는 글입니다.

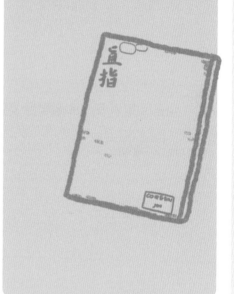

풍속화의 쌍벽, 김홍도와 신윤복

조선 시대 서민들의 일상적인 삶을 해학적으로 그린 김홍도와, 여성을 주로 그린 신윤복을 비교하며 설명하는 글입니다.

예술

'예술' 영역의 글은 동서양의 음악, 미술, 공연, 건축 등을 바탕으로 다양한 예술 분야와 관련된 이론과 비평 등을 다룹니다.

뮤지컬의 이해

뮤지컬이 탄생하게 된 배경과 발전 과정, 뮤지컬의 구성, 종류 등 뮤지컬에 대한 여러 가지 정보를 담은 글입니다.

민중의 소망이 담긴 탈춤

탈춤의 역사를 제시한 뒤, 사람들이 탈춤에 열광한 까닭과 탈춤의 의의를 설명하는 글입니다.

경쟁력을 좌우하는 디자인

• 지문 해설

• 지문 난이도: 상
●●●○○

• 글자 수: 1362자
○──○──●─○
1000   1500

청량음료 대개 탄산을 섞어 맛이 시원하고 상쾌한 기분을 느끼도록 만든 찬 음료수.

소량 적은 분량.

외형적(外 바깥 외, 形 형상 형, 的 과녁 적)인 사물의 겉모양과 관련된.

설계 건설, 공사, 제작 등에 관하여 자세하게 그림과 설명으로 나타낸 계획.

경쟁력 경쟁할 만한 힘. 또는 그런 능력.

성능 어떤 기계나 장치가 일을 해내는 능력.

볼품없으면 겉으로 드러나 보이는 모습이 초라하면.

민화(民 백성 민, 畵 그림 화) 옛날에 이름이 알려지지 않은 화가가 보통 사람의 생활을 그린, 소박하고 익살스러운 데가 많은 그림.

해학 우습게 비꼬는 말이나 행동.

조형성 조형 예술의 작품이 지니고 있는 특성.

재해석(再 다시 재, 解 풀 해, 釋 풀 석)한 옛것을 새로운 관점에서 다시 해석한.

호평(好 좋을 호, 評 품평 평) 좋은 평가.

가 코카콜라는 전 세계에 널리 알려진 음료 브랜드이자 가장 많이 팔리는 청량음료이다. 코카콜라가 잘 팔리는 까닭 가운데 하나는 부드러운 곡선을 띤 병의 모양 때문이다. 이는 디자인이 제품 판매에 큰 영향력을 미친다는 점을 잘 보여 준다. 디자인은 제품에 편리한 기능과 아름다운 형태를 부여하는 활동이다. 고급 식당에서 음식을 예쁜 그릇에 우아하게 담는 것도 넓은 의미에서 디자인에 속한다. 만약 고급 식당에서 아무 그릇에나 음식을 담아 내놓는다면 아무도 그곳에 가지 않을 것이다.

▲ 콜라병 디자인

나 19세기까지 디자인의 주된 역할은 소량으로 제작된 제품에 장식을 하는 것이었다. 외형적인 아름다움을 얻기 위해 제품에 색깔을 넣거나 장식을 덧붙이는 것을 디자인으로 생각한 것이다. 그리 어렵지 않게 할 수 있는 일이기에 전문가도 거의 없었다. 그러다가 대량 생산, 대량 소비가 이루어지는 20세기에 접어들면서 제품의 기능성과 아름다움을 통합하는 디자인이 등장했다. 제품을 대량 생산하기 위해서는 제품의 설계 단계에서부터 가장 효율적인 디자인을 적용해야 했기 때문이다. 그래도 아직 경쟁력을 좌우하는 것은 제품 자체의 기능이었다.

다 하지만 오늘날에는 디자인 자체가 제품의 경쟁력을 좌우하는 핵심적인 요소가 되었다. 기술 발전으로 제품 간에 성능 차이가 적어지면서 디자인의 역할이 중요해진 것이다. 이제는 제품의 성능이 좋아도 디자인이 볼품없으면 소비자에게 외면받기 일쑤이다. 그래서 전문가들은 "디자인을 잘 한다고 해서 100% 성공하지는 않지만, 디자인을 모르면 100% 실패한다."라고 말한다. 제품의 경쟁력을 높이려면 반드시 좋은 디자인이 필요한 것이다.

라 디자인은 근본적으로 예술에 속하는 영역이다. 제품의 기능을 방해하지 않으면서 겉으로 보이는 아름다움을 추구하기 때문이다. 기능성보다 예술성이 더 중요한 면도 많다. 그래서 대학에서도 디자인 관련 학과는 모두 예술 대학에 속해 있으며, 대부분 미술을 배운 학생들이 진학한다. 즉 예술적인 감각이 없이는 좋은 디자인을 하기 어렵다. 그러나 예술적인 감각은 하루아침에 생기지 않는다. 개인적인 차이도 크다.

마 어떻게 해야 디자인 경쟁력을 높일 수 있을까? 전문가들은 우리의 전통 문화에서 답을 찾아야 한다고 지적한다. 한옥이나 한복의 부드러운 곡선미는 다른 나라에서 찾기 어렵다. 민화에 나타나는 자유분방함과 해학은 그 자체로 독특한 개성을 지닌다. 한글 자음과 모음이 지닌 조형성도 전 세계 어느 나라의 문자보다 아름답다는 평을 듣는다. 가장 한국적인 것이 가장 세계적인 것이 될 수 있다는 말이다. 하지만 그렇다고 해서 전통 문화를 그대로 흉내 내서는 안 된다. 한글 자모음을 바탕으로 이를 재해석한 디자인이 세계적인 호평을 받은 사례처럼, 전통 문화를 현대의 흐름에 맞도록 재해석하는 과정이 필요하다.

글의 구조 TIP

이 글은 총 다섯 개의 문단으로 이루어져 있습니다. 团문단에서는 디자인의 중요성을 설명하고, ⚊, ⚋문단에서는 디자인에 대한 인식 변화 과정을 설명했습니다. 珰문단에서는 디자인이 예술의 영역임을 언급하면서 珬문단에서 디자인 경쟁력을 높이기 위한 방법을 제시하고 있습니다.

글의 구조 문단 내용 정리하기

1 다음은 이 글을 읽고 내용을 정리한 것입니다. 빈칸에 들어갈 적절한 말을 쓰시오.

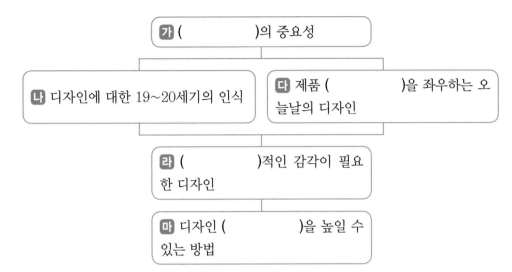

가 (   )의 중요성

나 디자인에 대한 19~20세기의 인식

다 제품 (   )을 좌우하는 오늘날의 디자인

라 (   )적인 감각이 필요한 디자인

마 디자인 (   )을 높일 수 있는 방법

내용 이해 세부 정보 파악하기

2 이 글의 내용과 일치하지 <u>않는</u> 것은 무엇입니까? (   )

① 디자인은 옛날부터 제품의 경쟁력을 좌우하는 중요한 요소였다.
② 예술적인 감각이 있어야 제품에 맞는 좋은 디자인을 할 수 있다.
③ 제품 간 성능 차이가 적어지면서 디자인이 더욱 중요해지고 있다.
④ 우리의 전통 문화에서 디자인 경쟁력을 높이는 방법을 찾을 수 있다.
⑤ 디자인은 제품에 편리한 기능과 아름다운 형태를 모두 부여하는 활동이다.

전개 방식 문단별 설명 방법 파악하기

3 가~마에 대한 설명으로 적절하지 <u>않은</u> 것은 무엇입니까? (   )

① 가: 구체적인 사례를 들어 디자인의 중요성을 제시하고 있다.
② 나: 디자인의 가치를 인식하지 못했던 과거 상황을 설명하고 있다.
③ 다: 전문가의 말을 인용하여 디자인의 중요성을 강조하고 있다.
④ 라: 디자인이 지녀야 할 여러 요소들을 분석하여 제시하고 있다.
⑤ 마: 디자인 경쟁력을 높이는 방법을 예를 들어 뒷받침하고 있다.

문제 풀이

수능형

4

적용하기 | 다른 상황에 적용하기

보기를 활용하여 이 글을 보완하려고 할 때, 적절한 것은 무엇입니까? (   )

> 보기
>
> 디자인에는 시각 디자인, 환경 디자인, 산업 디자인 등이 있다. 이 중에서 산업 디자인은 작게는 필통에서부터 크게는 자동차까지 일상생활에서 흔히 사용하는 대부분의 제품들을 디자인하는 것이다. 오늘날에는 어린이들의 안전을 고려한 장난감, 인체 구조를 반영한 의자나 신발 등 **인체 공학**과 관련된 산업 디자인이 활발히 이루어지고 있다. 이러한 디자인 제품은 사용하는 사람들을 더욱 안전하고 편리하게 한다.
> 최근에는 인체 공학 외에 특정 색깔이나 형태에 따른 정신적·심리적 반응까지도 디자인에 반영하고 있다.
>
>

① 디자인이 제품 경쟁력을 좌우하는 중요한 요소라는 내용을 추가한다.
② 지구 환경을 생각하는 디자인이 이루어져야 한다는 내용을 추가한다.
③ 예술적인 요소가 디자인에서 더욱 중요해질 것이라는 내용을 추가한다.
④ 좋은 디자인을 위해서는 인간에 관한 다양한 지식이 필요하다는 내용을 추가한다.
⑤ 좋은 디자인은 사람들이 익숙하게 여기는 것을 바꿀 수 있어야 한다는 내용을 추가한다.

5

어휘·어법 | 속담으로 표현하기

이 글에서 설명한 디자인의 중요성을 속담으로 표현할 때 가장 적절한 것은 무엇입니까? (   )

① 빛 좋은 개살구
② 천 리 길도 한 걸음부터
③ 까마귀 날자 배 떨어진다
④ 보기 좋은 떡이 먹기도 좋다
⑤ 우물을 파도 한 우물을 파라

어휘

• **시각 디자인** 도형이나 화상, 또는 디스플레이 등 시각적 표현에 의해 실용적 정보를 전달하는 디자인.

• **환경 디자인** 쾌적한 생활을 할 수 있는 환경을 종합적으로 계획·설계하는 일. 건축과 그 환경 전체의 디자인은 물론 정원, 공원, 광장, 도로 및 그 부대 시설에 관한 종합 디자인.

• **인체 공학** 인간이 다루는 기구·기계·설비 따위를 인간에게 알맞게 설계·제작하기 위하여 연구하는 학문.

어휘·어법 TIP

• **빛 좋은 개살구** 겉만 그럴듯하고 실속이 없음.

• **천 리 길도 한 걸음부터** 무슨 일이나 그 일의 시작이 중요함.

• **까마귀 날자 배 떨어진다** 아무 관계 없이 한 일이 공교롭게도 때가 같아 어떤 관계가 있는 것처럼 의심을 받게 됨.

• **보기 좋은 떡이 먹기도 좋다** 겉모양새를 잘 꾸미는 것도 필요함.

• **우물을 파도 한 우물을 파라** 어떠한 일이든 한 가지 일을 끝까지 하여야 성공할 수 있음.

정답 및 풀이 26쪽

1 낱말 이해 낱말 관계 낱말 적용 관용 표현

다음 낱말의 뜻으로 알맞은 것을 찾아 선으로 이으시오.

(1) 설계 •

(2) 성능 •

(3) 경쟁력 •

• ㉮ 경쟁에서 이길 수 있는 능력.

• ㉯ 어떤 기계나 장치가 일을 해내는 능력.

• ㉰ 건설·공사·제작 등에 관하여 자세하게 그림과 설명으로 나타낸 계획.

2 낱말 이해 낱말 관계 낱말 적용 관용 표현

다음 ㉠과 바꾸어 쓸 수 있는 한자어로 알맞은 것은 무엇입니까? (   )

19세기까지 디자인의 주된 역할은 소량으로 제작된 제품에 장식을 하는 것이었다. 외형적인 아름다움을 얻기 위해 제품에 색깔을 넣거나 장식을 덧붙이는 것을 디자인으로 ㉠생각한 것이다.

① 관심   ② 기억   ③ 명상   ④ 판단   ⑤ 회상

3 낱말 이해 낱말 관계 낱말 적용 관용 표현

보기 에서 말하고자 하는 바를 표현하는 한자성어로 가장 적절한 것은 무엇입니까?

(   )

보기

전문가들은 우리의 전통 문화에서 답을 찾아야 한다고 지적한다. 가장 한국적인 것이 가장 세계적인 것이 될 수 있다는 말이다. 하지만 전통 문화를 그대로 흉내 내는 것이 아니라 현대의 흐름에 맞도록 재해석하는 과정이 필요하다.

① 개과천선(改過遷善)   ② 동가홍상(同價紅裳)   ③ 동병상련(同病相憐)

④ 온고지신(溫故知新)   ⑤ 정저지와(井底之蛙)

어휘력 +

• **개과천선** 지난 날의 잘못을 뉘우치고 고쳐 올바르고 착하게 됨.

• **동가홍상** 같은 값이면 좋은 물건을 가짐.

• **동병상련** 같은 어려움을 겪는 사람끼리 서로 불쌍히 여김.

• **온고지신** 옛것을 익혀서 그것을 통해 새로운 것을 알게 됨.

• **정저지와** 우물 안 개구리라는 뜻으로, 견문이 좁고 세상 형편에 어두운 사람을 이름.

풍속화의 쌍벽, 김홍도와 신윤복

・지문 해설

・지문 난이도: 중
●━━●━━○━━○

・글자 수: 1322자
○━━○━●━━○
1000   1500

김홍도와 신윤복은 조선 시대 풍속화에서 쌍벽을 이루던 화가이다. 조선 후기에 활동한 두 사람은 도화서의 선배와 후배이자 스승과 제자였고, 친구 사이이기도 하였다. 그러나 두 사람의 풍속화는 여러 면에서 차이를 보인다.

(조선 시대에) 그림에 관한 일을 맡아보던 관청

김홍도는 스무 살이 되기도 전에 도화서 화원으로 활동할 정도로 어린 시절부터 그림 실력을 인정받았다. 1765년 당시 임금이던 영조의 생일 축하 잔치를 하기 위해서 만든 병풍의 그림을 김홍도가 그렸다는 기록이 전하는데, 임금을 위한 그림을 그렸다는 것은 당대 최고의 실력으로 인정받았음을 의미한다.

도화서의 직원

김홍도는 인물화, 산수화, 기록화 등 모든 그림에 뛰어나지만 특히 풍속화로 유명하다. 그가 그린 풍속화는 생동감 있는 묘사와 극적인 구성으로 보는 이들을 ㉠매료하였다. 그는 임금의 초상화를 그린 화가임에도 불구하고 그림의 소재를 서민들의 일상생활에서 찾았다. 대장간에서 연장을 만드는 대장장이, 집을 짓고 있는 백성들, 밭을 갈고 풀을 베는 사람, 물을 긷고 빨래하는 사람, 서당에서 훈장 선생님에게 혼나는 아이 등 서민들의 일상적인 삶을 보여 주는 그림을 즐겨 그렸다.

김홍도와 달리 신윤복의 삶은 기록으로 전하는 것이 별로 없다. 할아버지와 아버지가 모두 화가였으며, 도화서 화원으로 활동했다는 정도만 알려져 있을 뿐이다. 아마도 집안 대대로 그림을 그렸기 때문에 어려서부터 도화서의 화원이 되었을 것으로 짐작된다. 이때 도화서에서 만난 김홍도와는 나이 차이가 컸지만 친구처럼 지냈다고 한다.

신윤복은 남성 중심이었던 당시 사회에서 여성을 주인공으로 하는 그림을 많이 그렸다. 교과서에도 등장하는 「미인도」가 대표적인 작품이다. 신윤복은 여인들의 일상적인 모습과 옷매무새, 몸짓, 얼굴에 드러난 감정 등을 매우 잘 그렸고 특히 당시 천한 신분으로 무시당했던 기생들을 주인공으로 삼기도 하였다.

김홍도와 신윤복의 풍속화는 기법과 소재에서 뚜렷한 차이를 보인다. 우선 김홍도는 배경을 자세히 그리지 않고, 색깔도 많이 쓰지 않았다. 인물을 굵은 선으로 빠르게 그리는 대신 인물의 표정을 강조하는 데 신경을 썼다. 즉 배경보다는 대상의 행동이나 상황을 역동적으로 그렸다. 이와 달리 신윤복은 부드럽고 가는 선으로 세밀하게 대상을 묘사하였다. 그리고 뚜렷한 색감이 드러나는 빨강, 노랑, 파랑을 많이 사용하였으며, 배경도 한껏 공을 들여 그렸다. 한 마디로 화려하고 세련된 느낌을 주는 그림을 많이 그렸다. 또한 김홍도는 서민들의 일상적인 삶을 즐겨 그린 반면, 신윤복은 사대부들의 숨겨진 모습과 남녀의 사랑을 보여 주는 그림을 많이 그렸다. 하지만 두 사람 모두 그림 속에 보는 이로 하여금 웃음을 머금게 하는 익살이 들어 있다는 점은 비슷하다.

・**풍속화** 한 시대 사람들의 풍속, 일상생활 등의 모습을 사실적으로 그린 그림.

・**쌍벽** (능력이나 업적이) 똑같이 뛰어난 두 사람이나 기관.

・**생동감**(生 날 생, 動 움직일 동, 感 느낄 감) 살아서 움직이는 듯한 느낌.

・**연장** 물건을 만들거나 일을 하는 데 쓰는 간단한 도구.

・**훈장**(訓 가르칠 훈, 長 길 장) 서당에서 글을 가르치는 사람.

・**옷매무새** 옷을 단정하게 입은 모양.

・**천한** (신분이) 보잘것없이 낮은.

・**기법**(技 재주 기, 法 법도 법) 예술 작품을 만드는 기술.

・**역동적**(力 힘 역, 動 움직일 동, 的 과녁 적) 힘이 있고 활발하게 움직이는.

・**색감**(色 빛 색, 感 느낄 감) 색에서 받는 느낌.

・**익살** 일부러 남을 웃기려고 하는 우스운 말이나 행동.

글의 구조 **TIP**

이 글은 총 여섯 개의 문단으로 이루어져 있습니다. **1**문단에서는 두 화가를 소개하고, **2**, **3**문단과 **4**, **5**문단에서는 두 화가에 대해 각각 설명하고 있습니다. **6**문단에서는 두 화가의 풍속화에서 보이는 차이점을 설명하고 있습니다.

1 글의 구조 문단 내용 정리하기

다음은 이 글을 읽고 내용을 정리한 것입니다. 빈칸에 들어갈 적절한 말을 쓰시오.

1 (   )로 유명한
김홍도와 신윤복

2 당대 최고의 화가였던 (   )

4 삶이 잘 알려지지 않은 (   )

3 (   )들의 일상적인 삶을
즐겨 그린 김홍도

5 (   )을 주인공으로 하는
그림을 그린 신윤복

6 김홍도와 신윤복 풍속화
의 (   )과 공통점

2 내용 이해 세부 정보 파악하기

이 글의 내용과 일치하지 않는 것은 무엇입니까? (   )

① 김홍도의 풍속화는 서민들의 삶을 생동감 있게 그렸다.

② 김홍도와 신윤복은 모두 도화서의 화원으로 활동하였다.

③ 신윤복은 당시 천한 신분이었던 기생을 그리기도 하였다.

④ 김홍도의 집안은 대대로 그림을 그리는 화원으로 활동했다.

⑤ 신윤복의 풍속화는 김홍도의 풍속화와 달리 화려한 느낌을 준다.

3 전개 방식 설명 방법 파악하기

이 글에 나타난 설명 방법으로 가장 적절한 것은 무엇입니까? (   )

① 두 대상을 견주어서 공통점과 차이점을 설명하고 있다.

② 원인과 결과를 바탕으로 대상의 특성을 설명하고 있다.

③ 하나의 대상을 구성 요소별로 나누어서 설명하고 있다.

④ 구체적인 예를 들어 대상이 지닌 한계를 설명하고 있다.

⑤ 대상의 변화 과정을 시간의 순서에 따라 설명하고 있다.

적용하기 시각 자료에 적용하기

4 이 글의 내용을 바탕으로 보기 의 두 그림을 감상한 것입니다. 적절하지 <u>않은</u> 것은 무엇입니까? (   )

보기

▲ 김홍도의 「서당」

▲ 신윤복의 「월하정인」

① ㉯에는 ㉮와 달리 배경이 잘 드러나 있군.

② ㉮는 ㉯보다 극적인 생동감이 느껴지는군.

③ ㉮에는 ㉯와 달리 인물의 표정이 강조되어 있군.

④ ㉯는 ㉮와 달리 굵은 선으로 빠르게 그린 것 같군.

⑤ ㉮와 ㉯는 모두 당시의 생활 모습을 그린 그림이군.

어휘·어법 어휘의 사전적 의미 파악하기

5 ㉠'매료하였다'의 사전적 의미로 가장 적절한 것은 무엇입니까? (   )

① 세상에 이름이 널리 드러나 있었다.

② 어떤 일에 지나칠 정도로 열중하였다.

③ 사람의 마음을 완전히 사로잡아 홀리게 하였다.

④ 꾀어서 정신을 혼미하게 하거나 좋지 않은 길로 이끌었다.

⑤ 그럴듯한 말이나 행동으로 남을 속이거나 부추겨서 자기 생각대로 끌었다.

낱말 이해 · 낱말 관계 · 낱말 적용 · 관용 표현

1 다음 그림을 보고, ㉠과 ㉡에 알맞은 낱말을 보기 에서 각각 찾아 쓰시오.

보기
| 역동적 | 감상적 | 위화감 | 생동감 | 안정감 |

표정도 살아 있는 것처럼 ㉡( ) 있어.

힘차고 활발하게 움직이는 느낌이 ㉠( )이야!

낱말 이해 · 낱말 관계 · 낱말 적용 · 관용 표현

2 다음 밑줄 그은 낱말과 뜻이 비슷한 낱말은 무엇입니까? ( )

신윤복은 당시 천한 신분으로 <u>무시</u>당했던 기생들을 그림의 주인공으로 삼기도 하였다.

① 감시   ② 경시   ③ 주시

④ 암시   ⑤ 질시

낱말 이해 · 낱말 관계 · 낱말 적용 · 관용 표현

3 다음 밑줄 그은 말을 표현할 수 있는 한자성어로 알맞지 <u>않은</u> 것은 무엇입니까?

( )

김홍도와 신윤복은 조선 시대 풍속화에서 <u>쌍벽을 이루던</u> 화가이다.

① 갑남을녀(甲男乙女)   ② 난형난제(難兄難弟)

③ 막상막하(莫上莫下)   ④ 백중지세(伯仲之勢)

⑤ 용호상박(龍虎相搏)

어휘력 ➕

• **갑남을녀** 갑이란 남자와 을이란 여자라는 뜻으로, 평범한 사람들을 이름.

• **난형난제** 두 사람 중 누가 더 낫다고 말할 수 없을 만큼 서로 비슷함.

• **막상막하** 누가 더 낫고 누가 더 못한지를 가리기 어려울 만큼 차이가 거의 없음.

• **백중지세** 서로 우열을 가리기 힘든 형세.

• **용호상박** 용과 범이 서로 싸운다는 뜻으로, 강자끼리 서로 싸움.

예술 03 해외에 있는 우리 문화재

• 지문 해설

• 지문 난이도: 중
●●●○○

• 글자 수: 1408자
○—————○—————●—————○
1000   1500

• **반출하는** 운반하여 내는.

• **전리품**(戰 싸울 전, 利 이로울 리, 品 물건 품) 전쟁 때에 적에게서 빼앗은 물품.

• **빈번하게** (어떤 일, 행위, 현상 등이) 매우 자주.

• **제국주의** 다른 나라와 민족을 군사적·경제적으로 점령하고 억눌러 자기 나라의 영토와 권력을 넓히려는 짓이나 주장.

• **강탈** 남의 물건이나 권리를 강제로 빼앗음.

• **유출된** 귀중한 물품이나 정보 등이 불법적으로 나라나 조직 밖으로 나가 버린.

• **등재되어** 이름이나 어떤 사실 등이 장부, 명부 등에 기록되어.

• **소장되어** 가치가 큰 골동품, 옛 문헌, 예술품 등을 집이나 기관에 귀중하게 보관하거나 간직되어.

• **증명**(證 증거 증, 明 밝을 명) **해야** 증거를 가지고 어떤 주장이나 짐작이 옳은지 그른지를 판단해야.

• **미흡하다** 바라는 것만큼 되어 있지 않다.

• **환수하기** 도로 거두어들이기.

한 국가가 소유한 문화재를 다른 국가가 불법적으로 반출하는 행위는 이미 로마 시대부터 전쟁 전리품을 챙겨가는 형태로 빈번하게 일어났다. 제국주의 시대에는 강대국들이 식민지를 개척하는 과정에서 식민지 국가나 약소국의 문화재를 강제로 빼앗아 가기도 하였다. 최근에는 문화재를 강탈당하였던 국가들의 힘이 세지면서 자기 나라의 문화재를 되찾으려는 요구가 국제적으로 거세지고 있다.

해외로 반출되어 돌아오지 못하는 우리 문화재는 얼마나 될까? 문화재청의 조사에 의하면 해외에 있는 우리 문화재는 약 19만 3천여 점이다. 이러한 문화재는 대부분 임진왜란과 병인양요, 6·25 전쟁 등의 전쟁 시기나 일제 강점기, 미군정 시대와 같은 사회적 혼란기에 유출된 것들이다. 우리 문화재를 가장 많이 가지고 있는 나라는 일본이고, 이외에도 미국, 영국, 독일, 러시아, 프랑스, 중국 등에 우리 문화재가 흩어져 있다. 해외에 있는 우리 문화재 중에는 국보급이나 보물급에 해당하는 주요 문화재도 상당수 포함되어 있다. 세계 최초의 금속 활자본으로 유네스코에 세계 기록 유산으로 등재되어 있는 『직지심체요절』은 파리 국립 도서관에 소장되어 있다. 그리고 조선 시대 화가인 안견이 그린 산수화인 「몽유도원도」는 일본의 덴리 대학교 중앙 도서관에 소장되어 있다. 이 밖에도 우리 문화를 대표하는 많은 문화재가 우리나라로 돌아오지 못한 채 해외에 남아 있는 상황이다.

그렇다면 우리나라 정부는 왜 우리의 문화재를 되찾아오지 않는 것일까? 해외에 있는 우리 문화재를 돌려받는 일이 현실적으로 매우 어렵기 때문이다. 우리 문화재이므로 돌려달라고 요구하기 위해서는 그 문화재를 소유한 쪽의 불법성과 부당함을 증명해야 하고, 그에 따른 법적인 문제도 해결해야 하는 등 어려운 점이 많다.

이런 어려움에도 불구하고 해외에 흩어져 있는 우리 문화재를 되찾아 오려는 노력은 계속 이어져 왔다. 전형필, 박병선 같은 전문가가 나서서 소중한 문화재를 찾아오기도 하였고, 시민 단체들이 나서서 문화재를 찾아오기도 하였다. 또한 정부에서는 여러 경로로 우리 문화재를 파악하고 있고, 문화재청에서도 반출된 문화재를 되찾아오기 위해 여러 방면으로 노력하고 있다. 그렇지만 이와 같은 노력에 비해 그 성과는 아직 ㉠미흡하다. 다만 되찾아오는 문화재 수가 꾸준히 증가하고 있다는 점은 희망적이다. 최근에는 보존 상태가 좋지 못한 해외 문화재를 일시적으로 국내에 들여와서 보존 처리를 마친 뒤 다시 해외 소장처로 돌려보내는 사업도 하고 있다. 그것들이 언젠가는 우리에게 돌아올 것이라고 믿고 있기 때문이다.

해외에 있는 우리 문화재를 환수하기 위해서는 어느 한쪽만 노력해서는 안 된다. 문화재에 대한 국민 모두의 관심과 노력이 필요하며, 그에 맞는 정부의 노력도 필요하다. 가능한 한 많은 문화재를 우리나라에 돌아오게 하는 것, 그것은 여전히 우리에게 남겨진 과제이다.

1 글의 구조 문단 내용 정리하기

다음은 이 글을 읽고 내용을 정리한 것입니다. 빈칸에 들어갈 적절한 말을 쓰시오.

글의 구조 TIP

이 글은 총 다섯 개의 문단으로 이루어져 있습니다. ❶문단에서는 문화재를 되찾으려는 움직임을 소개하고, ❷, ❸, ❹문단에서는 우리나라 문화재의 해외 반출 실태와 환수의 어려움을 설명하고 있습니다. ❺문단에는 문화재 환수에 대한 글쓴이의 생각이 나타나 있습니다.

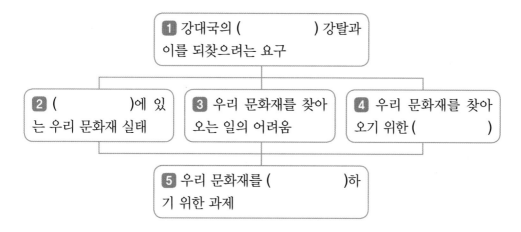

❶ 강대국의 (　　　　) 강탈과 이를 되찾으려는 요구

❷ (　　　　)에 있는 우리 문화재 실태

❸ 우리 문화재를 찾아오는 일의 어려움

❹ 우리 문화재를 찾아오기 위한 (　　　　)

❺ 우리 문화재를 (　　　　)하기 위한 과제

2 내용 이해 세부 정보 파악하기

이 글의 내용과 일치하지 않는 것은 무엇입니까? (　　　　)

① 한 국가의 문화재를 다른 나라가 약탈하는 일은 오래전부터 있었다.

② 현재 우리나라의 문화재를 가장 많이 가지고 있는 나라는 일본이다.

③ 우리나라에서 되찾아오는 해외 문화재의 수가 최근 급속하게 줄고 있다.

④ 우리 문화재이자 세계 기록 유산인 『직지심체요절』은 현재 다른 나라에 있다.

⑤ 해외 문화재를 환수하려면 문화재를 소유한 쪽의 옳지 않음을 증명해야 한다.

3 추론하기 세부 내용 추론하기

이 글에서 답을 찾을 수 없는 질문은 무엇입니까? (　　　　)

① 우리 문화재가 어떻게 해외로 반출되었을까?

② 우리나라에 있는 문화재의 수는 얼마나 될까?

③ 해외에 있는 우리 문화재가 지닌 가치는 어느 정도일까?

④ 해외에 있는 우리 문화재를 환수하려는 노력은 하고 있을까?

⑤ 해외에 있는 우리 문화재를 찾아오지 못하는 까닭은 무엇일까?

4

문제 풀이

이 글과 보기 를 읽고 생각한 내용으로 적절하지 <u>않은</u> 것은 무엇입니까? (   )

> **보기**
>
>   2011년, 프랑스 국립 도서관에 보관되어 있던 297권의 **외규장각** 의궤가 145년 만에 우리나라로 돌아왔다. 의궤는 조선 시대에 나라에서 큰일을 치를 때 훗날 참고하기 위하여 그 일의 처음부터 끝까지의 경과를 글과 그림으로 자세하게 적은 책이다. 외규장각 의궤는 프랑스 국립 도서관의 지하에서 먼지에 뒤덮여 있었는데, 당시 그곳에서 일하던 박병선 박사가 1975년에 발견하여 우리 정부에 알렸다. 그 뒤 우리 정부는 의궤를 돌려 달라고 프랑스 정부에 공식적으로 요청하였고, **협상**을 시작한 지 20년 만에 의궤를 돌려받을 수 있었다. 그러나 **대여** 형식이라서 5년마다 프랑스의 대여 **연장** 허가를 받아야 한다.

① 외규장각 의궤는 우리나라가 혼란스러운 시절에 프랑스로 반출되었겠군.

② 프랑스만이 아니라 여러 나라에 흩어져 있는 우리 문화재도 환수해야겠군.

③ 돌려받기까지 시간이 오래 걸린 것에서 문화재 환수의 어려움을 알 수 있군.

④ 정부보다는 개인이 나서야 해외에 있는 우리 문화재를 완전히 돌려받을 수 있겠군.

⑤ 우리나라는 프랑스가 외규장각 의궤를 소유하는 것은 **부당하다**고 프랑스 정부를 설득하였겠군.

5

어휘·어법   뜻이 반대인 낱말 찾기

다음 중 ㉠'미흡'과 반대의 뜻을 가진 낱말은 무엇입니까? (   )

① 결핍   ② 불만   ③ 미미

④ 미비   ⑤ 흡족

어휘

- **외규장각**   1782년에 정조가 강화도에 설치한 왕실 도서관. 규장각 소장 서적을 보관하기 위해 설치되었으며, 병인양요(1866)때 프랑스 함대에 의해 소실됨.

- **협상**   어떤 일에 대하여 의견이 서로 다른 사람들이 같은 의견에 도달하려고 의논함.

- **대여**   물건이나 돈을 빌려주거나 꾸어 줌.

- **연장**   길이나 시간을 더 길게 함.

- **부당하다**   도리에 어긋나서 옳지 않다.

어휘·어법 TIP

- **결핍**   있어야 할 것이 없거나 모자람.

- **불만**   마음에 들지 않아 언짢은 느낌. 만족스럽지 않은 상태.

- **미미**   보잘것없음. 아주 작음.

- **미비**   완전하게 갖추지 못함.

- **흡족**   조금도 모자람이 없을 정도로 넉넉하여 만족함.

1 낱말 이해 | 낱말 관계 | 낱말 적용 | 관용 표현

다음 밑줄 그은 부분과 뜻이 통하는 낱말은 무엇입니까? (   )

이리 내놔!

귀한 문화재를 강제로 빼앗아 가다니, 이건 절대 안 된다!

① 강요   ② 강탈   ③ 매매   ④ 양도   ⑤ 쟁탈

2 낱말 이해 | 낱말 관계 | 낱말 적용 | 관용 표현

다음 한자어와 비슷한 뜻의 고유어를 찾아 선으로 이으시오.

(1) 빈번하다 •   • ㉮ 내다

(2) 반출하다 •   • ㉯ 잦다

(3) 등재하다 •   • ㉰ 올리다

3 낱말 이해 | 낱말 관계 | 낱말 적용 | 관용 표현

다음의 내용을 표현하기에 알맞은 속담은 무엇입니까? (   )

> 해외에 있는 우리 문화재를 환수하기 위해서는 어느 한쪽만 노력해서는 안 된다. 문화재에 대한 국민 모두의 관심과 노력이 필요하며, 그에 맞는 정부의 노력도 필요하다.

① 고생 끝에 낙이 온다
② 문 연 놈이 문 닫는다
③ 외손뼉이 울지 못한다
④ 낫 놓고 기역자도 모른다
⑤ 까마귀 날자 배 떨어진다

어휘력 ➕

• **고생 끝에 낙이 온다** 어려운 일이나 고된 일을 겪은 뒤에는 반드시 즐겁고 좋은 일이 생김.

• **문 연 놈이 문 닫는다** 무엇이든 처음 하던 사람이 그 일의 끝을 내야 함.

• **외손뼉이 울지 못한다** 일은 상대가 같이 응하여야지 혼자서만 해서는 잘되는 것이 아님.

• **낫 놓고 기역자도 모른다** 아주 무식함.

• **까마귀 날자 배 떨어진다** 아무 관계 없이 한 일이 공교롭게도 때가 같아 어떤 관계가 있는 것처럼 의심을 받게 됨.

뮤지컬의 이해

무대 위에서 아름다운 노래, 춤과 함께 흥미진진한 이야기가 펼쳐지는 공연 예술이 있다. 바로 '뮤지컬'이다. 뮤지컬은 오페라에서처럼 아름다운 노래를 감상할 수 있고, 연극에서처럼 극적인 사건과 배우의 열연이 있어서 오늘날 대중의 사랑을 듬뿍 받고 있다.

뮤지컬은 미국에서 가장 발전했지만 처음 시작된 것은 19세기 후반 영국에서였다. 뮤지컬은 서유럽의 오페라 같은 음악극이 영국에 들어오는 과정에서 기존의 대중극들과 융합되면서 탄생하였다. 당시 영국인들은 너무 진지하고 고상한 분위기가 나는 오페라보다는 조금 더 가벼운 마음으로 즐겁게 볼 수 있는 공연을 원했다. 그래서 대중을 대상으로 하는 희극에 흥겨운 춤과 노래를 더해서 뮤지컬을 만들었다. 초기 명칭도 '뮤지컬 코미디'였다. 초기 뮤지컬은 재미있게 즐기고 쉽게 볼 수 있는 오락거리로 자리매김했다. 텔레비전이나 라디오 같은 대중 매체가 존재하지 않았던 20세기 초반, 뮤지컬은 도시 근로자들에게 큰 인기를 ㉠끌었다.

제1차 세계 대전 이후, 뮤지컬을 찾는 사람은 더 많아졌다. 전쟁으로 몸과 마음이 모두 지쳐 버린 사람들은 자신을 위로해 줄 무언가를 필요로 했고, 가볍고 흥겨운 뮤지컬이 그 역할을 했던 것이다. 이후 뮤지컬은 미국으로 건너가 대형 극장에서 장기 공연을 할 정도로 크게 발전했다. 미국에서 뿌리를 내리기 시작한 뮤지컬은 점차 일정한 구성을 갖추게 되었다.
<small>1914~1918년</small>

뮤지컬은 대부분 본격적인 극이 시작되기 전 서곡으로 막을 연다. 오케스트라가 연주하는 서곡은 관객을 미리 음악에 익숙하게 만들고 뮤지컬 공연의 분위기를 잡아 준다. 서곡 다음에는 오프닝넘버가 나온다. 힘차고 활력이 넘치는 곡을 여럿이 합창하여 관객의 관심을 끌어모은다. 이후 배우의 노래, 춤, 연기를 통해 이야기가 진행된다. 1막이 끝날 때쯤 극의 하이라이트를 장식하는 프로덕션 넘버가 나오는데, 화려하고 웅장한 것이 특징이다. 이야기의 절정에 이르면 남녀 주인공의 아리아가 나온다. 아리아는 인물의 심리 상태를 보여 주는 서정적인 곡으로, 그 뮤지컬을 대표하는 노래가 되기도 한다. 공연의 마지막은 커튼콜로 장식된다. 커튼콜은 배우들이 관객의 박수에 답하는 의미로 자신이 공연에서 불렀던 노래와 춤을 짤막하게 보여 주는 것이다.
<small>관중들의 관심을 불러일으키는 코러스의 합창이나 뮤지컬의 상황을 설명하는 노래</small>

뮤지컬은 형식과 내용에 따라 다양한 종류가 있다. 먼저 한 권의 책과 같이 뚜렷한 구조의 이야기가 펼쳐지는 '북 쇼'가 있다. 오늘날까지 꾸준히 사랑받고 있는 뮤지컬 작품들은 대개 '북 쇼'의 형식이다. 내용보다는 형식적 요소에 좀 더 초점을 둔 뮤지컬도 많다. 이런 뮤지컬에는 특별한 줄거리나 구조 없이 춤과 노래를 중심으로 여러 개의 단편적인 볼거리를 보여 주는 '레뷰', 인기를 누렸던 대중음악을 가져와 극적인 이야기로 엮어 무대용 뮤지컬로 재활용한 '주크박스 뮤지컬', 예전에 인기를 누렸던 영화를 가져와 무대용 뮤지컬로 재가공한 '무비컬', 연기력과 노래, 춤 등을 두루 갖춘 스타를 중심으로 쇼나 이야기를 진행하는 '스타 비히클' 등이 있다.

예술 04

글의 구조 TIP

이 글은 총 다섯 개의 문단으로 이루어져 있습니다. **1**문단에서는 뮤지컬에 대해 소개하였습니다. **2**, **3**, **4**, **5**문단에서는 뮤지컬의 역사, 발전, 구성, 종류 등을 설명하고 있습니다.

1 글의 구조   문단 내용 정리하기

다음은 이 글을 읽고 내용을 정리한 것입니다. 빈칸에 들어갈 적절한 말을 쓰시오.

1 노래와 극이 어우러진 공연 예술인 (   )

- **2** (   )에서 탄생한 뮤지컬
- **3** (   )에서 발전한 뮤지컬
- **4** 뮤지컬의 (   )
- **5** 뮤지컬의 다양한 (   )

2 내용 이해   세부 정보 파악하기

'뮤지컬'에 대한 설명으로 적절한 것은 무엇입니까? (   )

① 공연은 오프닝넘버로 시작하여 커튼콜로 마무리되는 것으로 구성된다.

② 뮤지컬은 오페라보다 진지한 이야기에 춤과 노래를 더한 공연 예술이다.

③ 초기에는 고상한 분위기로 상류 계층의 영국인들에게 큰 인기를 끌었다.

④ 미국에서 장기 공연을 할 정도로 발전하며 일정한 구성을 갖추게 되었다.

⑤ 오페라 같은 음악극이 기존의 대중극과 융합하면서 미국에서 탄생하였다.

어휘
- **상류** 사회적 지위, 생활 수준, 교양 등이 높은 것.

3 전개 방식   설명 방식 파악하기

이 글의 전개 방식으로 적절하지 않은 것은 무엇입니까? (   )

① 뮤지컬 공연의 구성을 순서대로 설명하고 있다.

② 뮤지컬이 탄생했던 시대적 상황을 설명하고 있다.

③ 뮤지컬을 기준에 따라 나누어서 각각 설명하고 있다.

④ 뮤지컬의 발전 과정을 시간의 흐름에 따라 살피고 있다.

⑤ 뮤지컬의 특성을 소개한 뒤 앞으로의 발전 방향을 예측하고 있다.

^{수능형} **추론하기** 세부 내용 추론하기

4 이 글을 읽은 학생이 보기 에 대해 보인 반응으로 적절하지 <u>않은</u> 것은 무엇입니까?

( )

보기

　　뮤지컬 「맘마미아」는 스웨덴의 혼성 그룹인 '아바(ABBA)'가 과거에 발표했던 노래 중에서 대중들에게 많은 인기를 얻었던 노래들로 구성한 뮤지컬이다. 그들의 노래가 대부분 가족, 우정, 사랑 등 누구나 공감할 수 있는 내용이라는 점에 **착안하여** 그것을 한 가족의 사랑 이야기로 엮은 것이다.

① 「맘마미아」는 주크박스 뮤지컬에 해당하겠군.
② 「맘마미아」에는 특별한 이야기나 구조가 전혀 없겠군.
③ 「맘마미아」는 형식적인 요소에 좀 더 초점을 두겠군.
④ 「맘마미아」는 가벼운 마음으로 즐길 수 있는 뮤지컬이군.
⑤ 「맘마미아」에는 관객들에게 익숙한 노래가 많이 나오겠군.

어휘·어법 어휘의 사전적 의미 파악하기

5 다음 문장의 밑줄 그은 말이 ㉠'끌었다(끌다)'와 같은 의미로 사용된 것은 무엇입니까? ( )

① 그는 아이 팔을 끌고 치과에 갔다.
② 시간을 끌지 말고 서둘러서 끝내자.
③ 저 집이 손님을 끄는 비결이 궁금하다.
④ 견인차가 와서 고장 난 차를 끌어 갔다.
⑤ 그 남자는 의자를 끌어다 거기에 앉았다.

낱말 이해 낱말 관계 낱말 적용 관용 표현

1 다음 빈칸에 들어갈 말로 가장 알맞은 것은 무엇입니까? (   )

노래가 좋아! 배우들의 연기도 정말 멋지다.

특히 주인공 역할의 배우가 (   )하더라. 연기인지 진짜인지 구분할 수 없을 정도였어.

① 열연   ② 열람   ③ 산만   ④ 식상   ⑤ 긴박

낱말 이해 낱말 관계 낱말 적용 관용 표현

2 낱말 간의 관계가 보기 와 같지 않은 것은 무엇입니까? (   )

보기

뮤지컬 – 북 쇼

① 동물 – 원숭이   ② 생선 – 고등어
③ 학용품 – 연필   ④ 초등학교 – 중학교
⑤ 대중교통 – 버스

낱말 이해 낱말 관계 낱말 적용 관용 표현

3 밑줄 그은 낱말의 뜻으로 알맞은 것은 무엇입니까? (   )

19세기 후반 영국인들은 가벼운 마음으로 볼 수 있는 공연을 원했다.

① 닿는 정도가 약하다.
② 노력이나 부담 따위가 적다.
③ 병세나 상처 따위가 그다지 심하지 않다.
④ 몸이나 손발 따위의 움직임이 날쌔고 재다.
⑤ 무게가 일반적이거나 기준이 되는 대상의 것보다 적다.

민중의 소망이 담긴 탈춤

• 지문 해설

• 지문 난이도: 상

• 글자 수: 1317자
1000   1500

탈을 쓰고 하는 춤이나 연극을 탈춤 혹은 가면극이라고 한다. 탈춤의 역사는 오래되었다. 고대에는 풍년을 기원하는 제사를 지내거나 굿을 할 때면 사람들이 탈을 쓰고 춤을 추었다. 삼국 시대에는 궁중에서 열리는 잔치나 불교 행사 때 탈춤 공연을 하였고, 조선 시대에는 산대도감이라는 관청을 두어 국가 행사가 있을 때 가면극을 공연하였다. 그러다 산대도감이 폐지되고 그곳에 속해 있던 광대들이 먹고살기 위해 평민들을 대상으로 공연을 하면서 탈춤은 전성기를 맞았다. 전국 곳곳을 돌아다니면서 탈춤을 전문적으로 추는 광대 집단이 생겨날 정도였다.

탈춤은 마을 공터같이 사람들이 많이 모일 수 있는 장소에서 행해졌다. 먼저 풍물패
풍물을 치며 함께 노는 무리
가 마을을 돌면서 사람들에게 탈춤 공연을 하는 광대들이 왔음을 알리고, 마을 사람들이 얼추 모이면 공연을 시작하였다. 대부분의 공연은 열광적인 호응을 이끌어 냈고, 구경꾼들은 탈춤을 관람하면서 쌓였던 스트레스를 풀었다. 큰 장이 서는 날이면 상인들이 사람들을 불러 모으려는 목적에서 탈춤을 공연하기도 하였다. 오늘날 큰 행사가 있을 때 사람을 모으기 위해 인기 연예인을 초청하여 공연하는 것과 같다. 한 연구에 따르면, 황해도 사리원에 장이 서면서 봉산 탈춤을 공연하면, 많을 때는 2만 명이나 되는 사람
황해도 봉산 지역에서 이루어졌던 탈춤
이 탈춤을 구경하기 위해 몰려들었다고 한다.

사람들은 왜 그렇게 탈춤에 열광했을까? ㉠평소에 자신들을 힘들게 만들었던 양반들을 마음껏 놀리며 웃을 수 있었기 때문이다. 대부분의 탈춤에서 양반은 매우 바보스럽게 표현한다. 자신이 데리고 다니는 종에게 놀림을 받아도 그것이 놀림인지 모를 정도이다. 이렇게 양반을 조롱할 수 있는 것은 탈춤이 공연되는 그 날뿐이다. 양반들도 일부러 이날 하루만은 평민들이 스트레스를 풀도록 내버려 두었고, 탈춤 공연 중에 자신들을 심하게 조롱해도 별문제 삼지 않았다. 이 때문에 탈춤에는 지배층이나 특권층을 풍자하는 내용이 많다. 조금씩 다른 부분은 있지만 어떤 탈춤이든 양반을 사정없이 조롱하는 내용과 종교적 계율을 어긴 승려를 놀리는 내용, 그리고 그릇된 남녀 관계를 풍자하는 내용은 반드시 포함된다. 힘들고 고단한 서민들의 생활에 대한 묘사도 자주 등장한다. 탈춤을 추는 광대들은 구경꾼들의 호응을 더 많이 이끌어 내기 위해 그들이 좋아할 만한 내용을 추가했다.

탈춤에는 자연스럽게 민중의 마음과 소망이 담겼다. 자신들을 힘들게 만들고 부도덕한 행위를 일삼는 지배 계층을 조롱하면서, 자기들도 그들처럼 잘 먹고 잘살고 싶다는 욕망을 거침없이 드러내는 것이다. 여기에 익살스러운 춤과 음악이 더해지고, 웃음을 유발하는 재담과 연극적인 요소까지 어우러지면서 탈춤은 민중의 호응을 얻을 수 있었다.

• 기원(祈 빌 기, 願 바랄 원) 신에게 소원이 이루어지기를 간절히 바라는 것.

• 굿 귀신을 쫓거나 복을 빌기 위해 무당이 벌이는 의식.

• 폐지되고 하던 일, 제도, 풍습 등을 그만두게 되거나 없어지고.

• 평민(平 평평할 평, 民 백성 민) 벼슬이 없는 보통 사람.

• 전성기(全 온전할 전, 盛 성할 성, 期 기약할 기) 가장 번성한 시기.

• 공터 집이나 시설물이 없는 빈터.

• 열광적인 어떤 일에 몹시 흥분하여 대단히 신이 난.

• 종 옛날에 남의 재산이 되어 그 밑에서 명령에 따라 일을 하던 사람.

• 조롱할 깔보고 비웃으며 놀릴.

• 풍자하는 어떤 사람이나 사실을 다른 일에 빗대어 재치 있게 비판하는.

• 계율 지켜야 할 규율.

• 재담(才 재주 재, 談 말씀 담) 익살스럽고 재치 있게 하는 재미있는 이야기.

글의 구조 TIP

이 글은 총 네 개의 문단으로 이루어져 있습니다. **1** 문단에서는 탈춤의 뜻과 역사를 소개하였고, **2**, **3**문단에서는 탈춤의 역할과 탈춤이 인기 있었던 이유를 설명했습니다. **4**문단에서는 이러한 탈춤의 의의를 설명하면서 글을 마무리하였습니다.

1 글의 구조 │ 문단 내용 정리하기

다음은 이 글을 읽고 내용을 정리한 것입니다. 빈칸에 들어갈 적절한 말을 쓰시오.

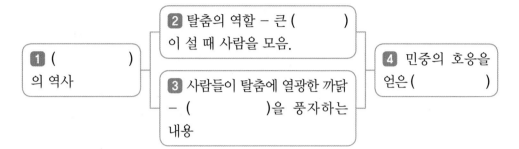

1 (   )
의 역사

2 탈춤의 역할 – 큰 (   )
이 설 때 사람을 모음.

3 사람들이 탈춤에 열광한 까닭
– (   )을 풍자하는
내용

4 민중의 호응을
얻은 (   )

---

2 내용 이해 │ 중심 내용 파악하기

이 글을 통해 탈춤에 대한 정보를 얻으려고 합니다. 글에서 찾을 수 있는 내용이 아닌 것은 무엇입니까? (   )

① 탈춤의 역사
② 탈춤의 주요 내용
③ 탈춤을 공연하는 과정
④ 탈춤의 **효용**과 문제점
⑤ 평민들이 탈춤에 열광한 이유

어휘
• **효용** 이롭게 쓰임. 이익이 됨.

---

3 내용 이해 │ 세부 정보 파악하기

이 글의 내용과 일치하지 <u>않는</u> 것은 무엇입니까? (   )

① 처음에 탈춤은 공식적인 행사에서 주로 공연되었다.
② 사람들을 모으는 수단으로 탈춤 공연을 이용하기도 하였다.
③ 탈춤을 공연하기 전에 풍물패가 마을을 돌면서 공연을 알렸다.
④ 탈춤에는 관객의 호응을 이끌어 낼 수 있는 내용이 반영되었다.
⑤ 탈춤은 모두 지배 계층을 조롱하는 내용으로만 공연을 진행하였다.

어휘
• **공식적인** 국가적으로 규정되었거나 사회적으로 인정된.

추론하기 외부 자료를 바탕으로 추론하기

이 글을 참고할 때, 보기 와 같은 탈춤의 대본에 대한 반응으로 적절하지 <u>않은</u> 것은 무엇입니까? (   )

> **보기**
>
>   벙거지를 쓰고 채찍을 든 말뚝이가 굿거리장단에 맞추어 양반 삼 형제를 **인도하여** 등장한다.
>
> 말뚝이: (가운데쯤에 나와서) 쉬이. (음악과 춤 멈춘다.) 양반 나오신다아! 양
>   반이라고 하니까 **노론, 소론, 호조, 병조, 옥당을 다 지내고 삼정승, 육판
>   서를 다 지낸 퇴로 재상**으로 계신 양반인 줄 알지 마시오. **개잘량**이라는
>   '양' 자에 개다리소반이라는 '반' 자 쓰는 양반이 나오신단 말이오.
>
> 양반들: 야아, 이놈, 뭐야아!
>
> 말뚝이: 아, 이 양반들, 어찌 듣는지 모르갔소. 노론, 소론, 호조, 병조, 옥당
>   을 다 지내고 삼정승, 육판서 다 지내고 퇴로 재상으로 계신 이 **생원**네 삼
>   형제 분이 나오신다고 그리 하였소.
>
> 양반들: (합창) 이 생원이라네. (굿거리장단으로 모두 춤을 춘다. 도령은 때때
>   로 형들의 **면상**을 치며 논다. 끝까지 그런 행동을 한다.)
>
>   – 「봉산탈춤」

① 말뚝이나 양반들의 역할은 전문 광대가 맡았겠군.
② 양반들은 자신들이 놀림을 받는 것도 잘 모르는군.
③ 양반들이 이 장면을 보고 공연을 못 하게 막았겠군.
④ 신분이 낮은 말뚝이가 **상전**인 양반들을 놀리고 있군.
⑤ 관객들은 말뚝이의 재담을 통해 스트레스를 풀었겠군.

어휘·어법 관용어로 표현하기

5 ㉠과 같은 탈춤의 역할을 표현하는 관용어로 적절한 것은 무엇입니까? (   )

① 주둥이를 놀리다   ② 머리털이 곤두서다
③ 눈썹도 까딱하지 않다   ④ 가려운 데를 긁어 주다
⑤ 눈에 넣어도 아프지 않다

1 낱말 이해 낱말 관계 낱말 적용 관용 표현

다음 빈칸에 들어갈 말로 가장 알맞은 것은 무엇입니까? (   )

오늘 여러분의 반응이 너무 (   )이어서, 한 곡 더 부르도록 하겠습니다!

① 소극적   ② 열광적   ③ 풍자적
④ 비판적   ⑤ 계획적

2 낱말 이해 낱말 관계 낱말 적용 관용 표현

밑줄 그은 낱말과 뜻이 가장 비슷한 낱말은 무엇입니까? (   )

> 먼저 풍물패가 마을을 돌면서 사람들에게 탈춤 공연을 하는 광대들이 왔음을 알리고, 마을 사람들이 <u>얼추</u> 모이면 공연을 시작하였다.

① 거의   ② 조금   ③ 약간
④ 깡그리   ⑤ 낱낱이

3 낱말 이해 낱말 관계 낱말 적용 관용 표현

밑줄 그은 부분에 어울리는 한자성어는 무엇입니까? (   )

> 자신들을 힘들게 만들고 부도덕한 행위를 일삼는 지배 계층을 조롱하면서, 자기들도 그들처럼 <u>잘 먹고 잘살고</u> 싶다는 욕망을 거침없이 드러내는 것이다.

① 삼순구식(三旬九食)   ② 안빈낙도(安貧樂道)
③ 적반하장(賊反荷杖)   ④ 상부상조(相扶相助)
⑤ 호의호식(好衣好食)

어휘력 ➕

• **삼순구식** 삼십 일 동안 아홉 끼니밖에 먹지 못할 정도로 몹시 가난함.

• **안빈낙도** 가난한 생활을 하면서도 편안한 마음으로 도를 즐겨 지킴.

• **적반하장** 잘못한 사람이 잘못이 없는 사람에게 대듦.

• **상부상조** 서로 거들어 주고 도와줌.

• **호의호식** 좋은 옷을 입고 좋은 음식을 먹음.

구체적인 상황에 적용하기

독해는 글의 내용을 이해하는 것에서 그치지 않습니다. 독해를 제대로 하기 위해서는 글에 제시된 일반적인 내용을 구체적인 상황에 적용해 보아야 합니다. 예를 들어 음식이 발효되는 과정을 설명하는 글을 읽었다면, 그 내용을 김치나 치즈 등에 적용해 보기도 하고, 된장이나 젓갈 같은 음식이 발효 과정을 거친 음식이라는 것도 떠올려 보는 것이 좋습니다.

동일한 상황만이 아니라 유사한 상황에도 적용할 수 있습니다. 풍선이 하늘로 떠오르는 현상의 원리를 설명하는 글을 읽었다면 스타이로폼이 물위에 뜨는 것을 보고 그것에도 같은 원리가 적용되었다는 것을 파악할 수 있어야 합니다. 글에 제시된 정보를 여러 방면에 적용하는 이런 활동을 통해 배경 지식을 확장하고 좀 더 깊이 있는 독해를 할 수 있습니다.

평가하거나 비판하기

주장하는 글처럼 글쓴이의 견해나 주장이 나타나는 글을 읽을 때에는 글쓴이의 생각과 그 근거에 대한 비판을 해 보아야 합니다. 그렇게 함으로써 글의 내용을 깊이 있게 이해할 수 있고, 세상을 보는 자신만의 관점을 기를 수 있습니다. 또한 객관적인 입장에서 어떤 상황을 판단하는 능력도 기를 수 있습니다.

평가할 때에는 다음 기준을 생각합니다. 글쓴이의 주장에 대해서는 '내용이 타당하고 적절한가?', '한쪽으로 치우지는 않았나?', '실현 가능성은 있는가?' 등을 따져 보아야 합니다. 그리고 근거에 대해서는 '제시된 자료가 객관적이고 출처가 명확한가?', '너무 오래된 자료는 아닌가?', '왜곡되지 않았는가?', '주장과 관련이 있는가?' 등을 따져 보아야 합니다. 글쓴이의 생각을 그대로 수용하지 말고 비판적으로 받아들이는 자세를 가져야 합니다.

픽토그램

픽토그램을 활용하면 누구에게나 쉽게 메시지를 전달할 수 있음을 언급한 뒤,
최근에는 픽토그램에도 사회적 의미를 반영하기 시작하였음을 예시의 방법으
로 설명하는 글입니다.

「모나리자」의 미소에 담긴 비밀

레오나르도 다빈치가 고안한 스푸마토 기법에 담긴
과학적인 원리와 그것의 효과, 구현하는 방법 등을
「모나리자」 그림을 활용하여 설명하는 글입니다.

융합

'융합' 영역의 글은 인문·과학의 융합, 예술·기술의 융합과 같이 두 가지 영역이 혼합된 내용을 바탕으로 창의적으로 사고할 수 있는 방법을 알려 줍니다.

지속 가능한 느린 디자인

소비만을 목적으로 하는 디자인에는 자원을 낭비하고 환경을 파괴하는 문제점이 있음을 지적한 뒤, 이를 해결할 수 있는 '지속 가능한 느린 디자인'에 대해 설명하는 글입니다.

유전자 재조합 식품에 대한 두 가지 입장

유전자 재조합 기술을 소개한 뒤, 유전자 재조합 식품을 찬성하는 입장과 반대하는 입장이 내세우는 근거를 각각 설명하는 글입니다.

- 지문 해설

- 지문 난이도: 중

- 글자 수: 1322자
  1000   1500

픽토그램은 사물이나 시설, 행동 등을 그림으로 간단하게 상징화하여 누구나 빠르고 쉽게 이해할 수 있도록 나타낸 시각기호이다. 누구나 직관적으로 의미를 이해할 수 있기 때문에 일상생활 곳곳에서 사용되고 있다. 픽토그램이 가장 효과적으로 사용되는 곳은 화장실이다. 전 세계 대부분의 나라에서 비슷한 모양의 픽토그램을 사용하여 굳이 화장실이라는 글자를 써 붙이지 않아도 될 정도이다. 남자 화장실과 여자 화장실을 구별하기도 쉽다.

▲ 화장실 픽토그램

일상생활에서 픽토그램을 적극적으로 활용하는 까닭은 분명하다. 그림이 문자보다 내용을 더 쉽고 빠르게 전달할 수 있기 때문이다. 예를 들어, '이 지역에서는 인라인 스케이트를 타지 마시오.'를 줄여서 표현하면 '스케이트 금지' 정도가 될 것이다. 이를 한글로 쓰면 외국인이 알아보지 못할 수도 있다. 그러나 이런 내용을 하나의 단순한 그림, 즉 빨간 동그라미를 테두리로 쓰고 가운데에 인라인 스케이트를 그려 놓은 다음, 왼쪽 위에서 오른쪽 아래로 내려오는 선을 그은 픽토그램으로 표현한다면 누구나 쉽게 의미를 알 수 있을 것이다.

[가]
우리나라에서는 모든 사람들에게 동일한 정보를 전달할 수 있도록 하기 위해 픽토그램에 몇 가지 규칙을 정해 두었다. 어떤 행동을 하지 말라는 금지의 의미를 지닌 픽토그램에는 빨간색 테두리의 원에 왼쪽 위에서 오른쪽 아래로 내려오는 빨간 선을 긋는다. 조심하라는 경고나 주의를 나타내는 픽토그램에는 노란색 바탕에 검은색 테두리로 된 삼각형을 사용한다. 그리고 위험한 상황에서 대피할 장소를 안내할 목적의 픽토그램에는 초록색 바탕의 사각형을 사용한다. 또한 소방 시설이나 위험물을 나타내는 픽토그램에는 빨간색 바탕의 사각형을 사용한다. 비상구 표시처럼 아예 국제 표준을 정하여 쓰는 경우도 있다.

최근에는 픽토그램에 양성평등 같은 사회적 의미를 담는 경우도 늘어나고 있다. 우리나라 지하철에는 지팡이를 짚은 노인, 배가 부른 임산부, 장애인, 아기를 안은 여성을 표시한 픽토그램만 있는데, 유럽에는 아기를 안은 남자를 그린 픽토그램도 등장했다. 우리나라 또한 반드시 성별을 구분해야 하는 경우가 아니라면 픽토그램에서 성별이 드러나지 않도록 하는 추세이다. 우리가 사용하는 말뿐만 아니라 일상적으로 보는 이미지도 남녀의 사회적 역할 규정에 큰 영향을 미치기 때문이다. 장애인을 나타내는 픽토그램도 바뀌고 있다. 그동안 우리가 흔히 볼 수 있었던 장애인 픽토그램은 경직되고 수동적인 느낌을 준다. 이는 장애인은 도와주어야 하는 대상이라는 인식을 심어 줄 수 있다. 이런 점 때문에 세계 곳곳에서 장애인도 얼마든지 스스로의 힘으로 움직일 수 있음을 드러내는, 역동적이고 능동적인 모습의 픽토그램으로 ㉠바꾸고 있다.

- **시설** 많은 사람이 같이 편리하게 쓰도록 만들어 놓은 큰 장치나 도구 또는 장소.

- **상징화** 상징이 되게 함.

- **직관적(直** 곧을 직, **觀** 볼 관, **的** 과녁 적) 판단이나 추리 등의 사유 작용을 거치지 않고 대상을 직접적으로 파악함.

- **대피할** 위험이나 피해를 임시로 피할.

- **비상구(非** 아닐 비, **常** 항상 상, **口** 입 구) 긴급한 사고가 생길 때 밖으로 빠져나가기 위해서 만들어 놓은 문.

- **양성평등** 양쪽 성별에 권리, 의무, 자격 등이 차별 없이 고르고 한결같음.

- **추세** 일이 어떤 방향으로 계속하여 변하고 나아감.

- **경직되고** (분위기, 생각, 행동 등이) 부드럽지 못하고 딱딱해지고.

- **역동적(力** 힘 역, **動** 움직일 동, **的** 과녁 적) 힘이 있고 활발하게 움직이는 것.

정답 및 풀이 **29**쪽

1 글의 구조 · 문단 내용 정리하기

다음은 이 글을 읽고 내용을 정리한 것입니다. 빈칸에 들어갈 적절한 말을 쓰시오.

1 ( )의 개념 및 효과

2 ( )을 활용하는 까닭

3 픽토그램의 ( )

4 ( ) 의미를 담은 픽토그램

글의 구조 **TIP**

이 글은 총 네 개의 문단으로 이루어져 있습니다. **1** 문단에서는 픽토그램의 개념을 소개하고, **2**, **3**, **4**문단에서는 픽토그램을 사용하는 까닭과 픽토그램의 몇 가지 규칙, 최근 픽토그램의 경향 등을 설명하고 있습니다.

2 내용 이해 · 세부 정보 파악하기

픽토그램에 대한 설명으로 적절하지 <u>않은</u> 것은 무엇입니까? ( )

① 문자보다 내용을 더 쉽고 빠르게 전달할 수 있다.
② 사물, 시설, 행동 등을 시각적으로 나타낸 기호이다.
③ 사회적 의미를 반영하여 **기존** 기호를 바꾸기도 한다.
④ 정보를 **효율적**으로 전하기 위한 몇 가지 규칙이 있다.
⑤ 상황을 자세히 그려 누구나 의미를 알 수 있도록 한다.

어휘

• **기존** 이미 존재하는 것. 이미 자리잡고 있는 것.

• **효율적** 들인 힘에 비하여 이익이 많음.

3 적용하기 · 구체적인 상황에 적용하기

[가]를 참고하여 픽토그램을 만든 것으로 적절하지 <u>않은</u> 것은 무엇입니까?

( )

①
▲ 비상구

②
▲ 소화기

③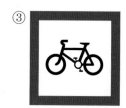
▲ 자전거 사용 금지

④
▲ 휴대 전화 사용 금지

⑤
▲ 미끄러운 길 주의

適用하기 구체적인 상황에 적용하기

4 이 글을 참고할 때, 보기와 같은 지적이 나오는 이유로 가장 적절한 것은 무엇입니까? (   )

문제 풀이

보기

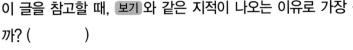

학교나 공공기관에서 여자 화장실은 빨간색 여성 그림, 남자 화장실은 파란색 남성 그림으로 표시하는 경우가 많다. 이는 시각적으로 여성용과 남성용을 구분하기 쉽게 하려는 의도에서 비롯된 것이다. 하지만 최근에는 이런 화장실 픽토그램의 색깔을 하나로 통일해야 한다는 지적이 나오고 있다.

① 여성과 남성의 성 구분이 뚜렷하게 드러나기 때문이다.
② 국제적으로 널리 알려진 화장실 표시와 다르기 때문이다.
③ 성별에 따른 그릇된 **고정 관념**을 심어 줄 수 있기 때문이다.
④ 사람들이 화장실임을 직관적으로 이해하기 어렵기 때문이다.
⑤ 여자는 치마만 입어야 한다는 인식을 심어 줄 수 있기 때문이다.

어휘
• **지적** 잘못된 점이나 허물을 가리켜 말하는 것.
• **고정 관념** 머릿속에 이미 굳게 자리 잡고 있어서 쉽게 바뀌지 않는 생각.

어휘·어법 어휘의 문맥적 의미 파악하기

5 앞의 내용으로 미루어 보아 ㉠'바꾸고'와 의미가 가장 비슷한 낱말은 무엇입니까?
(   )

① 개혁하고   ② 교환하고
③ 변경하고   ④ 전환하고
⑤ 취소하고

어휘·어법 **TIP**
• **개혁하다** 제도, 관습, 기구 등을 새롭게 다른 것으로 바꿈.
• **교환하다** 서로 바꿈.
• **변경하다** 다르게 바꾸어 새롭게 고침.
• **전환하다** 지금까지의 방침, 경향, 상태 등을 다른 것으로 바꿈.
• **취소하다** 공적으로 했던 약속이나 주장을 없었던 것으로 함.

---

1 낱말 이해 낱말 관계 낱말 적용 관용 표현

다음 빈칸에 들어갈 말로 가장 알맞은 것은 무엇입니까? (   )

앗, 위험하다고 (   )하는 표시가 있구나. 돌아가야겠다.

① 강요   ② 권유   ③ 경고
④ 홍보   ⑤ 호객

2 낱말 이해 낱말 관계 낱말 적용 관용 표현

다음 밑줄 그은 낱말과 뜻이 반대인 낱말은 무엇입니까? (   )

세계 곳곳에서 장애인도 얼마든지 스스로의 힘으로 움직일 수 있음을 드러내는, 역동적이고 능동적인 모습의 픽토그램으로 바꾸고 있다.

① 감동적   ② 활동적   ③ 수동적
④ 주동적   ⑤ 충동적

3 낱말 이해 낱말 관계 낱말 적용 관용 표현

다음 밑줄 그은 부분을 나타내는 낱말로 가장 알맞은 것은 무엇입니까? (   )

빨간 동그라미를 테두리로 쓰고 가운데에 인라인 스케이트를 그려 놓은 다음, 왼쪽 위에서 오른쪽 아래로 내려오는 선을 그은 픽토그램으로 표현한다면 누구나 쉽게 인라인 스케이트를 타지 말라는 의미를 알 수 있다.

① 곡선   ② 동선   ③ 복선
④ 사선   ⑤ 점선

「모나리자」의 미소에 담긴 비밀

레오나르도 다빈치의 그림 「모나리자」는 여인의 웃는 것인지 아닌지 애매한 미소로 유명하다. 어떤 방향에서 보더라도 인물과 시선이 마주치는 느낌도 들게 한다. 이 때문에 「모나리자」는 보는 이들에게 무한한 상상력을 불러일으킨다. 다빈치는 어떻게 이런 신비한 그림을 그릴 수 있었을까? 그 비밀은 스푸마토 기법에 있다.

▲ 「모나리자」

다빈치 이전의 회화에서는 원근법을 사용하여 입체감을 나타내었다. 원근법은 같은 크기의 사물이 거리에 따라 상대적으로 작거나 크게 보이는 현상을 이용하여, 보는 사람과 가까이 있는 대상은 크게 그리고 멀리 있는 대상은 작게 그리는 방법이다. 그러나 이 기법은 하나의 대상만 그릴 때는 크기를 비교할 대상이 없어 입체감을 주기 어렵다.

다빈치가 고안한 스푸마토 기법은 이런 문제를 해결할 수 있다. 스푸마토는 '흐릿한' 또는 '연기와 같은'이라는 뜻을 지닌 이탈리아어에서 나온 미술 용어이다. 이 말처럼 스푸마토 기법은 사물의 윤곽선을 희미하게 처리하여 사물의 경계선이 마치 연기 속으로 사라지듯이 만드는 기법이다. 가까이 있는 대상은 색과 색 사이 경계선 구분을 부드럽게 처리하고, 멀리 있는 풍경 등은 뿌옇게 처리한다. 예를 들어 인물화를 그릴 때 눈이나 입 등 다른 곳과 경계가 생기는 부분을 흐릿하게 처리한다. 얼굴의 전체적인 윤곽이 배경과 맞닿은 부분도 마찬가지다. 과학적으로도 경계 부분에는 눈에 도달하는 거리가 짧은 빛과 긴 빛이 뒤섞이게 되어 흐릿하게 보인다.

어떻게 경계 부분을 희미하게 그렸을까? 손이나 헝겊 등으로 마구 문지르면 그 흔적이 남아 그림을 망치기 ㉠십상이다. 색깔을 다르게 하면 윤곽선이 뚜렷해지고, 유사한 색깔을 쓰면 대상이 배경과 구분되지 않을 것이다. 2010년 프랑스의 과학자들이 다빈치의 작품들을 연구해 그가 어떤 방식으로 스푸마토 기법을 구현했는지 밝혀냈다. 연구 결과에 따르면, 다빈치는 머리카락 두께의 약 절반에 불과한 두께의 극도로 얇은 막을 최대 30겹까지 입힌 것으로 나타났다. 밑바탕을 어둡게 한 다음 반투명한 물감을 매우 얇게 겹겹이 덧칠해서 대상의 윤곽선을 흐릿하게 처리한 것이다. 다빈치는 이런 섬세한 붓질을 위해 한 손에는 돋보기를, 또 한 손에는 붓을 들고 작업했을 것으로 추정된다.

이렇게 스푸마토 기법을 사용하면 그림 윤곽에 안개와 같은 흐릿한 느낌이 생기면서 마치 그림자가 지는 것 같은 효과를 만들어 낸다. 이 결과 대상이 아스라이 먼 곳으로 물러나 있는 듯한 입체감이 형성된다. 또한 그림을 보는 사람에게 상상할 여지를 준다. 다빈치는 「모나리자」를 그릴 때 표정을 좌우하는 눈과 입술 등을 스푸마토 기법으로 처리함으로써 빛의 상태에 따라 그 위치가 미묘하게 달라 보이게 했다. 이것이 바로 「모나리자」의 알 수 없는 미소에 담긴 과학적 비밀이다.

1 **글의 구조** 문단 내용 정리하기

다음은 이 글을 읽고 내용을 정리한 것입니다. 빈칸에 들어갈 적절한 말을 쓰시오.

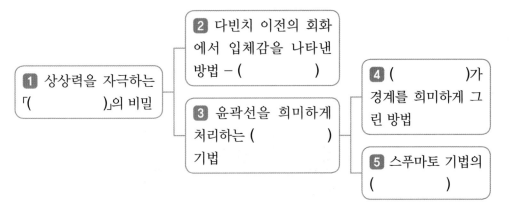

1 상상력을 자극하는
「(   )」의 비밀

2 다빈치 이전의 회화에서 입체감을 나타낸 방법 - (   )

3 윤곽선을 희미하게 처리하는 (   ) 기법

4 (   )가 경계를 희미하게 그린 방법

5 스푸마토 기법의 (   )

2 **내용 이해** 세부 정보 파악하기

이 글의 내용과 일치하지 <u>않는</u> 것은 무엇입니까? (   )

① 원근법은 하나의 사람이나 사물만을 그릴 때는 입체감을 드러내기 어렵다.

② 스푸마토 기법은 반투명한 물감을 매우 엷게 덧칠하는 방식으로 구현한다.

③ 경계선을 희미하게 처리하면 대상이 먼 곳으로 물러나 있는 듯한 느낌을 준다.

④ 레오나르도 다빈치는 원근법의 장점을 발전시켜 스푸마토 기법을 개발하였다.

⑤ 「모나리자」는 눈과 입술 등을 스푸마토 기법으로 처리하여 신비감을 형성하였다.

3 **전개 방식** 서술 방식 파악하기

이 글의 글쓴이가 글을 쓰기 전에 떠올린 계획 중 이 글에 반영되지 <u>않은</u> 것은 무엇입니까? (   )

① 스푸마토의 **어원**을 제시하며 독자의 내용 이해를 도와야겠다.

② 구체적인 예를 활용하여 스푸마토 기법의 원리를 설명해야겠다.

③ 독자에게 질문하는 방식으로 앞으로 이어질 내용을 알려 주어야겠다.

④ 스푸마토 기법으로 인한 효과를 인과의 방식을 활용하여 제시해야겠다.

⑤ 내가 경험한 일을 제시하여 내용에 대한 독자의 흥미를 이끌어 내야겠다.

어휘
• **어원** 어떤 일이 생겨난 근원.

이 글과 보기 의 내용으로 보아, '스푸마토 기법'과 '선 원근법'의 공통점으로 가장 적절한 것은 무엇입니까? (   )

보기

철길처럼 **평행한** 선이 멀리까지 계속될 때 우리 눈에는 그것이 마치 하나의 점으로 만나는 것같이 보인다. 이렇게 평행한 선이 모이는 점을 소실점이라고 한다. 선 원근법은 소실점을 중심으로 화면을 구성하여 입체적인 느낌을 구현하는 방법으로, 실제 우리 눈에 보이는 것과 비슷해서 사실적으로 느껴진다. 레오나르도 다빈치의 「최후의 만찬」은 가운데에 자리 잡은 예수의 머리 뒷부분을 소실점으로 하는 선 원근법을 사용하고 있다.

▲ 「최후의 만찬」에 사용된 선 원근법

① 초점이 되는 대상의 크기를 알 수 있다.
② **평면** 그림에 입체적인 느낌을 부여한다.
③ 대상에 그림자가 지는 듯한 효과를 낸다.
④ 대상을 흐릿하게 그려서 상상력을 자극한다.
⑤ 빛의 상태에 따라 미묘하게 달라 보이게 한다.

어휘·어법 한자성어로 표현하기

5
⊙'십상'과 가장 비슷한 의미를 지닌 한자성어로 적절한 것은 무엇입니까?
(   )

① 일석이조(一石二鳥)   ② 조삼모사(朝三暮四)
③ 사분오열(四分五裂)   ④ 칠전팔기(七顚八起)
⑤ 십중팔구(十中八九)

어휘·어법 TIP

· **일석이조** 한 가지의 일을 통해 두 가지의 이득을 얻음.

· **조삼모사** 간사한 꾀로 남을 속여 희롱함.

· **사분오열** 여러 갈래로 갈기갈기 찢어짐.

· **칠전팔기** 여러 번의 실패에도 굽히지 않고 다시 일을 시작함.

· **십중팔구** 대부분, 거의 전부.

낱말 이해 | 낱말 관계 | 낱말 적용 | 관용 표현

1 밑줄 그은 말과 바꿔 쓸 수 있는 낱말로 알맞은 것은 무엇입니까? (   )

> 다빈치는 「모나리자」를 그릴 때 표정을 <u>좌우하는</u> 눈과 입술 등을 스푸마토 기법으로 처리함으로써 빛의 상태에 따라 그 위치가 미묘하게 달라 보이게 했다.

① 강조하는   ② 결정하는   ③ 변화하는
④ 살펴보는   ⑤ 준비하는

낱말 이해 | 낱말 관계 | 낱말 적용 | 관용 표현

2 밑줄 그은 낱말이 문장에서 바르게 쓰이지 <u>않은</u> 것은 무엇입니까? (   )

① 이 책은 다른 책에 비해서 매우 <u>얇다</u>.
② 물감으로 하늘색을 아주 <u>얇게</u> 칠했다.
③ 샤부샤부를 하기 위해 고기를 <u>얇게</u> 저몄다.
④ 너무 <u>얇은</u> 옷을 입고 돌아다녔다가 감기에 걸렸다.
⑤ 이 나무는 가지가 너무 <u>얇아서</u> 금방 부러질 것 같다.

낱말 이해 | 낱말 관계 | 낱말 적용 | 관용 표현

3 다음 상황을 나타낼 수 있는 고유어로 알맞은 것은 무엇입니까? (   )

> 레오나르도 다빈치의 그림 「모나리자」의 여인이 웃는 것인지 아닌지 미소가 참 애매하네…….

① 괴발개발   ② 도긴개긴   ③ 오락가락
④ 알쏭달쏭   ⑤ 알나리깔나리

어휘력 +

• **괴발개발** 고양이의 발과 개의 발이라는 뜻으로, 글씨를 되는 대로 아무렇게나 써 놓은 모양.

• **도긴개긴** 조금 낫고 못한 정도의 차이는 있으나 본질적으로는 비슷비슷하여 견주어 볼 필요가 없음.

• **오락가락** 계속해서 왔다 갔다 하는 모양.

• **알쏭달쏭** 그런 것 같기도 하고 그렇지 않은 것 같기도 하여 얼른 분간이 안 되는 모양.

• **알나리깔나리** 아이들이 남을 놀릴 때 하는 말.

지속 가능한 느린 디자인

• 지문 해설

• 지문 난이도: 중
●─●─○

• 글자 수: 1296자
○─○─●─○─○
1000   1500

좋은 디자인이란 무엇일까? 디자인 비평가 앨리스 로손은 유용성, 기능과 형태의 조화, 새로움, 편리성, 윤리성 등의 다섯 가지를 좋은 디자인의 조건으로 제시했다. 쓸모가 있어야 하고 기능에 맞는 형태를 갖추어야 한다는 것, 기존 제품보다 새로우면서 편리하게 쓸 수 있어야 한다는 것 등은 충분히 이해할 수 있다. 그런데 윤리성이 애매하다. 앨리스 로손에 따르면 윤리성은 사용하는 사람에게 죄책감을 불러일으켜서는 안 된다는 뜻이다.

그동안 디자인은 주로 기업의 이익을 높이기 위한 수단으로 사용되어 왔다. 소비자의 욕구를 자극할 수 있는 제품을 디자인하여, 소비자가 더 많은 상품을 더 빨리 사게끔 하는 데에만 집중해 온 것이다. 이 결과 물건들이 과잉 생산되면서 한정된 자원을 낭비하게 되었고, 이 과정에서 환경도 많이 파괴되었다. 앨리스 로손이 말한 '윤리성'은 이런 문제를 지적한 것이다. 이런 문제 의식에 공감한 디자이너들은 일상 용품, 패션, 가구, 건축 등 다양한 분야에서 인류의 지속 가능한 발전을 고려하는 '지속 가능한 느린 디자인'을 추구하기 시작했다. 지속 가능한 발전은 삶의 질을 유지하면서 환경을 보전하고 자원 사용을 최소화함으로써 미래 세대를 배려하는 개발을 의미한다.

지속 가능한 느린 디자인의 대표적인 특성은 지속성, 재생성, 자원 절감성이다. 지속성은 하나의 제품을 오랫동안 사용할 수 있도록 디자인하는 것이다. 유행을 타지 않는 디자인을 하거나, 고장이 나더라도 쉽게 ㉠고쳐서 다시 사용할 수 있게 디자인하는 것 등이 해당한다. 그리고 재생성은 재생 가능한 재료를 사용하여 그 물건의 쓰임이 다하더라도 재활용되는 비율을 높이는 것이다. 제품 포장지를 다른 용도로 재활용할 수 있도록 디자인하는 것이나 업사이클링도 여기에 해당한다. 업사이클링은 재활용품의 디자인을 새롭게 하거나 활용 방법을 바꿈으로써 재활용품의 가치를 높이는 행위를 일컫는다. 마지막으로 자원 절감성은 물건을 만드는 데 들어가는 자원을 최소화하는 것이다. 하나의 제품에 여러 가지 기능을 담아 다른 제품을 사지 않아도 되도록 디자인하는 것이 대표적이다. 넓은 의미에서는 제품을 사용할 때 드는 에너지를 줄일 수 있도록 디자인하는 것도 여기에 해당한다.

'지속 가능한 느린 디자인'은 디자인 과정에서 환경 문제를 인식하고 인간과 자연의 조화, 생태계의 순환, 미래 세대에 대한 배려 등을 추구하는 디자인이다. 일시적인 소비를 목적으로 형태나 기능, 아름다움을 고민하는 것이 아니라, 장기적인 관점에서 한정된 자원을 아끼고 지구의 생태를 보호함으로써 인류가 안정적으로 살아가는 데 기여할 수 있는 디자인을 추구하는 것이다.

• **비평가** 무엇의 옳고 그름, 좋고 나쁨, 잘되고 잘못된 것을 따져 그 가치를 매기는 사람.

• **죄책감(罪** 허물 죄, **責** 꾸짖을 책, **感** 느낄 감) 자기가 저지른 죄에 대해 가책이나 책임을 느끼는 마음.

• **과잉** 필요한 것보다 지나치게 많은 것.

• **공감(共** 함께 공, **感** 느낄 감)**한** 어떤 사실에 대하여 함께 똑같이 느끼고 생각한.

• **절감성** 비용을 아껴서 줄이는 성질.

• **최소화(最** 가장 최, **少** 적을 소, **化** 될 화)**하는** 가장 적게 하는.

• **기여할** 사회적인 사업에 도움이 될.

1 다음은 이 글을 읽고 내용을 정리한 것입니다. 빈칸에 들어갈 적절한 말을 쓰시오.

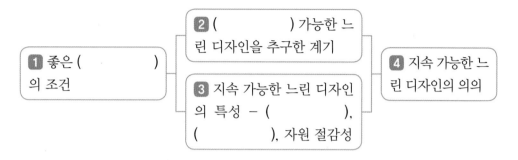

이 글은 총 네 개의 문단으로 이루어져 있습니다. **1**문단에서는 좋은 디자인의 조건을 소개하고, **2**, **3**문단에서는 지속 가능한 느린 디자인의 의미와 특성을 설명했습니다. **4**문단에서는 지속 가능한 디자인의 의의를 전달하고 있습니다.

2 이 글에서 알 수 있는 내용으로 적절하지 <u>않은</u> 것은 무엇입니까? (   )

어휘
• **고갈** 다 써서 없어짐.

① 지속 가능한 느린 디자인은 지속성, 재생성, 자원 절감성 등의 특성이 있다.
② 지속 가능한 느린 디자인을 추구하는 사람들은 미래 세대에 책임감을 느낀다.
③ 지속 가능한 느린 디자인은 인류의 안정적인 생존에 기여하는 디자인을 추구한다.
④ 기업의 이익을 중시하는 디자인 때문에 환경 문제와 자원 고갈 문제가 심각해졌다.
⑤ 지속 가능한 느린 디자인은 인류의 삶의 질이 떨어지더라도 환경을 보전하는 것을 중시한다.

3 다음 부분에 사용된 서술 방식으로 가장 적절한 것은 무엇입니까? (   )

> 그동안 디자인은 주로 기업의 이익을 높이기 위한 수단으로 사용되어 왔다. 소비자의 욕구를 자극할 수 있는 제품을 디자인하여, 소비자가 더 많은 상품을 더 빨리 사게끔 하는 데에만 집중해 온 것이다. 이 결과 물건들이 과잉 생산되면서 한정된 자원을 낭비하게 되었고, 이 과정에서 환경도 많이 파괴되었다.

① 대상에 대해 구체적인 예를 들어 설명한다.
② 대상을 일정한 기준에 따라 나누어 설명한다.
③ 일이 되어가는 단계나 과정에 따라 설명한다.
④ 두 대상을 견주어 차이점을 중심으로 설명한다.
⑤ 일의 원인과 결과를 중심으로 대상을 설명한다.

적용하기 구체적인 상황에 적용하기

4 이 글을 읽은 학생이 보기 에 대해 보인 반응으로 가장 적절한 것은 무엇입니까?

( )

> **보기**
>
> 　최근 ○○전자에서 텔레비전을 포장하는 골판지 상자를 반려 동물용 물품, 소형 가구 등 다양한 형태의 물건을 제작할 수 있도록 디자인하여 관심을 끌고 있다. 이 회사는 텔레비전 포장 상자로 고양이 집이나 잡지꽂이 등을 만들 수 있는 설명서를 제공하고, 상자 표면에는 작은 점으로 안내선을 표시하여 소비자가 쉽게 자르거나 재조립할 수 있도록 하였다.

① 구입한 텔레비전을 오랫동안 사용할 수 있도록 디자인하였군.

② 제품의 특징을 인상 깊게 제시하는 포장 디자인을 시도하였군.

③ 재활용하는 방법을 제공하여 제품 포장 상자의 재생성을 높였군.

④ 소비자가 더 많은 상품을 사도록 유도하는 포장 디자인을 하였군.

⑤ 포장 박스 하나에 여러 가지 기능을 담아 한정된 자원을 절감하였군.

어휘

• **골판지** 두 장의 튼튼한 종이 사이에 일정하게 골이 진 종이를 넣어 만든 넓고 두꺼운 종이. 주로 상자를 만드는 데 씀.

어휘·어법 어휘의 문맥적 의미 파악하기

5 앞뒤 내용으로 보아 ㉠'고쳐서'와 바꿔 쓰기에 적절한 것은 무엇입니까? ( )

① 개발해서

② 개정해서

③ 생산해서

④ 수리해서

⑤ 치료해서

어휘·어법 **TIP**

• **개발하다** 새로운 물건을 만들거나 새로운 생각을 내어놓음.

• **개정하다** 지금 있는 법이나 제도를 바꾸어 다시 정함.

• **생산하다** 인간이 생활하는 데 필요한 각종 물건을 만들어 냄.

• **수리하다** 고장 나거나 허름한 데를 고침.

• **치료하다** 병을 낫게 함.

어휘력 완성

정답 및 풀이 31쪽

낱말 이해 낱말 관계 낱말 적용 관용 표현

1 다음 빈칸에 들어갈 말로 가장 알맞은 것은 무엇입니까? (   )

① 공포감 　　　　　 ② 실패감 　　　　　 ③ 자신감

④ 죄책감 　　　　　 ⑤ 소속감

낱말 이해 낱말 관계 낱말 적용 관용 표현

2 낱말 간의 관계가 보기 와 다른 것은 무엇입니까? (   )

보기

일시적 – 장기적

① 과잉 – 부족 　　　　 ② 낭비 – 절약 　　　　 ③ 수단 – 도구

④ 생산 – 소비 　　　　 ⑤ 이익 – 손해

낱말 이해 낱말 관계 낱말 적용 관용 표현

3 다음 내용을 표현하기에 알맞은 한자성어는 무엇입니까? (   )

그동안 디자인은 주로 기업의 이익을 높이기 위한 수단으로 사용되어 왔다. 소비자의 욕구를 자극할 수 있는 제품을 디자인하여, 소비자가 더 많은 상품을 더 빨리 사게끔 하는 데에만 집중해 온 것이다. 이 결과 물건들이 과잉 생산되면서 한정된 자원을 낭비하게 되었고, 이 과정에서 환경도 많이 파괴되었다.

① 다다익선(多多益善) 　　　　 ② 오리무중(五里霧中)

③ 유비무환(有備無患) 　　　　 ④ 대기만성(大器晩成)

⑤ 소탐대실(小貪大失)

어휘력 +

• **다다익선** 많으면 많을수록 더욱 좋음.

• **오리무중** 무슨 일에 대하여 방향이나 갈피를 잡을 수 없음.

• **유비무환** 평소에 준비를 철저히 해 놓으면 후에 근심이 없음.

• **대기만성** 오랜 노력 끝에 크게 성공하여 뜻을 이룸.

• **소탐대실** 작은 것을 탐하다가 큰 것을 잃음.

유전자 재조합 식품에 대한 두 가지 입장

새로운 품종의 작물을 만들어 내는 방법을 육종이라고 한다. 육종은 오랜 시간에 걸쳐 조금씩 작물을 개량하는 방법이다. 유전자 재조합 기술은 인위적으로 특정 생물의 유전자를 변형시켜 다른 성질을 지닌 생물로 만드는 유전 공학 기술이다. 대상이 되는 생물의 유전자 일부를 삭제하거나, 다른 생물에서 가져온 유전자를 원래 유전자 사이에 끼워 넣거나, 원래 유전자와 바꾸는 방식으로 이루어진다. 예를 들어 식물 A가 특정 병충해 B에 취약할 경우, 다른 식물에서 병충해 B에 강한 유전자를 ㉠뽑아내어 식물 A의 유전자와 결합해서 병충해 B에 강한 새로운 식물 A1을 만들어 내는 것이다. 이러한 유전자 재조합 기술을 이용하여 만들어 낸 식품을 '유전자 재조합 식품' 또는 '유전자 변형 식품'이라고 한다. 대표적인 작물에는 토마토, 옥수수, 콩, 감자 등이 있다.

유전자 재조합 식품을 찬성하는 사람들은 이 작물이 전 세계적인 식량난을 해결하고, 안정적으로 식량을 생산할 수 있는 방법이라는 점을 강조한다. 국제 연합에 따르면, 2017년 기준 전 세계 인구의 약 11%에 해당하는 8억 1500만 명의 인구가 영양 결핍에 시달리고 있으며, 2050년까지 20억 명의 인구가 영양 결핍에 시달릴 것으로 예상된다. 유전자 재조합 식품은 작물 생산량이 기존 농법보다 훨씬 높으므로 이런 문제를 해결할 수 있다. 또한 이들은 유전자 재조합 기술이 기존의 품종 개량 방식인 육종과 본질적으로 동일하다고 주장한다. 과학 기술을 이용하여 육종 기간을 줄인 것이므로 인체에 아무런 문제를 일으키지 않는다는 것이다. 1994년에 최초로 개발된 유전자 재조합 토마토와 1996년에 개발된 유전자 재조합 옥수수가 지금까지 전 세계에서 식품 재료로 사용되고 있지만 어떠한 부작용도 나타나지 않았다는 사실을 근거로 든다.
어떤 생물의 유전적 성질을 바꾸어서 더 좋은 품종으로 만드는 일

이와 달리 유전자 재조합 식품을 반대하는 사람들은 유전자 재조합 식품의 안전성이 검증되지 않았다는 점을 지적한다. 이들은 유전자 재조합 기술이 아주 짧은 기간에 인위적으로 종(種)의 성격을 바꾸는 것이므로 오랜 시간에 걸쳐 서서히 이루어지면서 안전성이 검증되는 육종과는 성격이 다르다고 주장한다. 인위적으로 조작된 유전자가 인체에 쌓이면 새로운 질병이 나타날 수 있기 때문이다. 유전자 재조합 식품이 전 세계적인 식량난을 해소할 수 있다는 주장도 문제가 있다고 본다. 여러 조사 기관의 발표를 종합하면 현재 전 세계의 식량 자급률은 100%를 넘는다. 이는 지금도 전 세계의 인류가 다 먹고 남을 만큼의 식량이 생산되고 있음을 의미한다. 결국 국제적인 식량난은 분배의 문제이지 생산량의 문제가 아닌 것이다. 또한 유전자 재조합 식품은 비싼 가격을 주고 매년 종자를 새로 사야 하므로 가난한 나라의 농민들에게 큰 부담이 된다.

유전자 재조합 식품에 대한 논쟁은 계속되고 있다. 일부 국가에서는 유전자 재조합 식품 판매를 금지하기도 한다. 우리나라에서는 유전자 재조합 식품 표시제를 도입하여 유전자 재조합 농산물을 사용한 제품에 별도로 표시하도록 정하고 있다.

1 <u>글의 구조</u> 문단 내용 정리하기

다음은 이 글을 읽고 내용을 정리한 것입다. 빈칸에 들어갈 적절한 말을 쓰시오.

```
1 유전자 (          )        2 유전자 재조합 식        4 유전자 재조합 식
기술로 만들어진 유전자        품을 (          )        품에 대한 계속되는
재조합 식품                   하는 근거                 (          )

                             3 유전자 재조합 식
                             품을 (          )
                             하는 근거
```

글의 구조 TIP

이 글은 총 네 개의 문단으로 이루어져 있습니다. 1문단에서는 유전자 재조합 기술과 그를 통해 만들어진 유전자 재조합 식품을 소개하고, 2, 3문단에서는 유전자 재조합 식품에 대한 찬성과 반대 의견을 제시하고 있습니다. 4문단은 이를 정리하면서 마무리하고 있습니다.

2 <u>내용 이해</u> 세부 정보 파악하기

이 글을 통해 답을 얻을 수 <u>없는</u> 질문은 무엇입니까? (   )

① 유전자 재조합 식품에는 어떤 것이 있을까?
② 유전자 재조합은 어떤 방식으로 이루어질까?
③ 육종과 유전자 재조합의 차이점은 무엇일까?
④ 현재 전 세계의 식량 자급률은 어느 정도일까?
⑤ 유전자 재조합 식품의 부작용에는 어떤 것이 있을까?

3 <u>추론하기</u> 세부 내용 추론하기

이 글을 참고할 때, '육종'으로 인한 효과를 추론한 것으로 가장 적절한 것은 무엇입니까? (   )

① 오랜 시간을 기다려야 하므로 농민들에게 큰 이익이 된다.
② 간단한 방법으로 한 번에 다양한 품종을 만들어 낼 수 있다.
③ 이전의 작물보다 더 크고 좋은 작물을 빨리 개발할 수 있다.
④ 여러 가지 작물을 동시에 수확할 수 있으므로 생산성이 높다.
⑤ 오랜 시간 이루어지므로 개량된 품종의 안전성을 확인할 수 있다.

어휘
• **수확할** 농작물·수산물·임산물 등을 거두어들일.

적용하기 | 다른 상황에 적용하기

4 유전자 재조합 식품에 대한 토론에서 보기 를 활용할 때, 활용할 수 있는 입장과 활용 방안이 모두 적절한 것은 무엇입니까? (   )

보기

『프랑켄슈타인(Frankenstein)』이라는 공상 과학 영화가 있다. 살아 있는 인간을 만들려는 생각에 사로잡혀 있던 프랑켄슈타인 박사는 어느 날 연구의 **결실**을 맺는다. 서로 다른 사람의 **사체**에서 잘라낸 신체 일부를 서로 합쳐서 사람 모습의 괴물을 만든 것이다. 그 괴물은 사람같이 말도 하고 생각도 할 줄 안다. 우연히 생명을 얻게 된 괴물은 사람들과 친해지려고 하지만 **흉측한** 외모 때문에 실패한다. 절망에 휩싸인 괴물은 자신을 만든 프랑켄슈타인 박사를 찾아 그의 주변 사람들에게 끔찍한 복수를 한다.

	입장	활용 방안
①	찬성	영화 속 박사가 생명체를 만들어 낸 것처럼, 만들어 내지 못할 것이 없음을 주장하는 자료로 활용한다.
②	찬성	과학 기술을 이용한 유전자 재조합 식품은 인간에게 큰 도움이 될 것을 주장하는 자료로 활용한다.
③	반대	유전 공학 기술이 더욱 발전하여 식량 문제를 해결하게 될 것을 주장하는 자료로 활용한다.
④	반대	유전자 재조합 식품이 영화 속 괴물처럼 인간에게 해를 끼칠 수도 있음을 주장하는 자료로 활용한다.
⑤	반대	유전자 재조합 식품은 시간이 갈수록 육종으로 키운 작물처럼 안전해질 것임을 주장하는 자료로 활용한다.

어휘·어법 | 어휘의 문맥적 의미 파악하기

5 ㉠'뽑아내어'와 바꿔 쓸 수 있는 말로 적절한 것은 무엇입니까? (   )

① 구출하여   ② 배출하여   ③ 제출하여

④ 진출하여   ⑤ 추출하여

어휘

• **결실** 보람 있는 일의 결과.

• **사체** 죽은 몸뚱이.

• **흉측한** 몹시 보기 싫고 끔찍한.

어휘·어법 TIP

• **구출하다** 위험한 상태에 있는 사람을 위험에서 구함.

• **배출하다** 불필요한 물질을 밖으로 내보냄.

• **제출하다** 의견, 안건, 서류 등을 공식적으로 냄.

• **진출하다** 활동이나 세력을 넓히기 위해 일정한 방면으로 나아감.

• **추출하다** 고체나 액체로부터 어떤 물질을 뽑아냄.

1 낱말 이해 낱말 관계 낱말 적용 관용 표현

다음 빈칸에 들어갈 말로 가장 알맞은 것은 무엇입니까? (   )

자, 공평하게 (   )했으니 싸우지 말고 맛있게 먹으렴!

① 분류   ② 분배   ③ 분석

④ 분리   ⑤ 분쟁

2 낱말 이해 낱말 관계 낱말 적용 관용 표현

다음 낱말과 뜻이 반대인 낱말을 찾아 선으로 이으시오.

(1) 결핍 •   • ㉮ 강인

(2) 취약 •   • ㉯ 소비

(3) 생산 •   • ㉰ 충족

3 낱말 이해 낱말 관계 낱말 적용 관용 표현

다음 빈칸에 들어갈 속담으로 알맞은 것은 무엇입니까? (   )

> 작물을 육종하는 데에는 생각보다 많은 시간이 걸린다. 짧게는 수십 년에서 길게는 수백 년 이상이 걸리기도 한다. 현재 우리가 먹는 곡물이나 과일은 대부분 이런 오랜 시간의 육종 과정을 거쳐온 것이다. 그리고 지금도 작물 개량을 위한 육종은 계속되고 있다. 이런 노력은 (   )이라는 말을 떠올리게 한다. 꾸준히 노력하면 더 좋은 농작물을 만들 수 있기 때문이다.

① 달걀로 바위 치기   ② 낙숫물이 댓돌을 뚫는다

③ 개똥도 약에 쓰려면 없다   ④ 과일 망신은 모과가 시킨다

⑤ 사공이 많으면 배가 산으로 간다

어휘력 ➕

• **달걀로 바위 치기** 대항해도 도저히 이길 수 없음.

• **낙숫물이 댓돌을 뚫는다** 작은 힘이라도 꾸준히 계속하면 큰 일을 이룰 수 있음.

• **개똥도 약에 쓰려면 없다** 평소에 흔하던 것도 막상 긴하게 쓰려고 구하면 없음.

• **과일 망신은 모과가 시킨다** 지지리 못난 사람일수록 같이 있는 동료를 망신시킴.

• **사공이 많으면 배가 산으로 간다** 주관하는 사람 없이 여러 사람이 자기주장만 내세우면 일이 제대로 되기 어려움.

[보기] 읽기

[보기]를 정확하게 읽기

복잡해 보이는 그림이나 도표 등이 [보기]로 제시되면 머리가 막 복잡해지기 시작합니다. 하지만 이런 문제도 생각만큼 어렵지는 않습니다. 어떤 [보기]라도 제시된 글과 관련이 있기 마련입니다. 그림이나 도표 같은 [보기]가 제시되는 문제를 해결하려면 무엇보다 글 내용을 정확히 이해하는 것이 중요합니다. 그런 다음 [보기]를 분석해야 합니다.

[보기]로 제시되는 자료를 분석할 때는 먼저 제시된 자료가 지문의 어떤 부분과 관련이 있는지를 세세하게 찾아야 합니다. 이때 눈으로만 읽지 말고 해당하는 내용을 자료 위에 간단하게라도 적어두면 문제 풀이에 도움이 됩니다. 그런 다음 자료의 의미를 지문의 내용과 연결하여 분석합니다. 자료만 보고 의미를 파악하려 하기보다는 ①~⑤로 제시되는 선택지의 내용과 비교하면서 알맞은 선택지를 고르는 것이 좋습니다.

초고필 초등 고학년 필수

비문학 독해 2

정답 및 풀이

동아출판

불쾌한 골짜기

012~014쪽

1 섬뜩함, 로봇, 로봇, 호감도, 불쾌한 골짜기 **2** ②

3 ③ **4** ② **5** ③

해제 사람과 닮은 로봇을 보면 호감을 느끼지만, 오히려 사람과 흡사한 로봇에게는 불쾌감이나 거부감을 느끼는 심리 현상을 설명하는 글입니다.

문단별 중심 내용

가문단	인간과 지나치게 닮은 로봇이나 인형에 대한 반응
나문단	산업용 로봇과 지능형 로봇의 특징
다문단	인간과 비슷하게 생긴 로봇에 대한 호감도 변화
라문단	'불쾌한 골짜기' 현상의 개념
마문단	'불쾌한 골짜기' 현상이 나타나는 까닭

글의 주제 '불쾌한 골짜기' 현상의 개념 및 발생 원인

1 글의 구조_문단 내용 정리하기

2 내용 이해_세부 정보 파악하기

산업용 로봇은 인간과 전혀 닮지 않아서, 이 로봇을 접한 사람들은 호감이나 거부감을 나타내지 않는다고 하였습니다.

3 전개 방식_문단별 설명 방식 파악하기

다문단에서 예시의 설명 방법은 사용되지 않았습니다. 예시는 가, 마문단에서 나타납니다.

오답 피하기

① 가문단의 마지막 문장에서 인과의 설명 방법이 사용되었습니다.

② '로봇은 크게 산업용 로봇과 지능형 로봇으로 나눌 수 있다.'에서 분류의 설명 방법이 사용되었습니다.

④ '호감도가 하락하는 구간이 마치 골짜기 같은 모양이 되는데, 이 때문에 이를 '불쾌한 골짜기' 현상이라고 한다.'에서 정의의 설명 방법이 사용되었습니다.

⑤ 마문단에서는 불쾌한 골짜기 현상을 좀비를 봤을 때의 반응에 빗대어 설명하고 있습니다.

4 적용하기_구체적인 상황에 적용하기

철수는 마네킹 로봇을 보며 '불쾌한 골짜기' 현상을 겪은 것입니다. 따라서 마네킹 로봇이 평범한 옷차림을 했다고 해서 호감이 생기지는 않았을 것입니다. 식당 직원의 유니폼을 입든 평범한 옷차림을 하든 사람과 비슷하지만 사람이 아니라는 점은 변하지 않기 때문입니다.

? 문제 돋보기

4 이 글을 읽은 학생이 [보기]에 대해 보인 반응으로 적절하지 <u>않은</u> 것은 무엇입니까? (②)

[보기]

철수는 며칠 전에 길을 가다가 새로 개업한 가게 앞에서 사람이 지나갈 때마다 자동으로 인사하는 마네킹 로봇을 보았다. 마네킹 로봇은 그 식당의 직원들이 입는 유니폼을 입고 있었다. 그런데 철수는 그 마네킹 로봇을 보자 왠지 모를 불쾌감이 들었다.
└ 불쾌한 골짜기 현상

① 마네킹 로봇이 동물 모양이라면 철수는 인간과 유사한 점을 찾으려 했겠군.

② 마네킹 로봇이 직원 유니폼 대신 평범한 옷차림을 했다면 호감이 생기겠군.

③ 마네킹 로봇은 사람과 닮았지만 사람과 구별하지 못할 만큼 닮지는 않았겠군.

④ 마네킹 로봇이 아니라 진짜 사람이 인사를 했다면 불쾌감이 생기지 않았겠군.

⑤ 철수는 사람같이 생긴 마네킹 로봇을 보며 '불쾌한 골짜기' 현상을 경험한 것이겠군.

5 어휘·어법_어휘의 문맥적 의미 파악하기

'인식하다'는 '사물을 분별하고 판단하여 알다.'라는 뜻입니다. '깨닫다'는 '이해하여 환히 알게 되다.'라는 뜻이므로 문맥상 '인식하다'와 바꾸어 쓸 수 있습니다.

어휘력 완성 ━━━━━━━━ 015쪽

1 ② **2** ④ **3** ④

1 로봇을 보면서 좋아하는 상황이므로 '상대에게 느끼는 좋은 감정.'이라는 뜻의 '호감'이 들어가는 것이 알맞습니다.

2 밑줄 그은 '보았을(보다)'은 문맥상 '눈으로 대상의 존재나 형태적 특징을 알다.'라는 뜻으로 쓰였습니다. 따라서 '눈으로 직접 보다.'라는 뜻을 지닌 '목격하다'와 바꿔 쓸 수 있습니다.

3 제시된 상황을 표현하는 데에는 '몹시 놀라서 섬뜩하다.'라는 뜻의 '간담이 서늘하다'가 적절합니다.

시대에 따른 옷차림 변화 016~018쪽

1 옷차림, 삼국 시대, 고려 시대, 조선 시대 **2** ③ **3** ②
4 ③ **5** ①

해제 우리나라의 옷차림이 변화되어 온 과정과 각 시대
별 옷차림의 특징을 '삼국 시대 → 고려 시대 → 조선 시
대'의 순서로 살피며 설명하는 글입니다.

문단별 중심 내용

1문단	유물, 벽화 등에 나타난 당시의 옷차림
2문단	삼국 시대의 옷차림 ①
3문단	삼국 시대의 옷차림 ②
4문단	고려 시대의 옷차림
5문단	조선 시대의 옷차림

글의 주제 시대별 옷차림의 특징 및 변화

---

1 글의 구조_문단 내용 정리하기

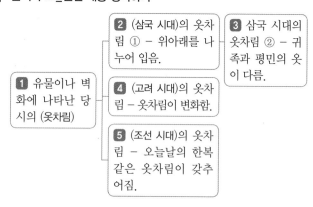

1 유물이나 벽
화에 나타난 당
시의 (옷차림)

2 (삼국 시대)의 옷차
림 ① - 위아래를 나
누어 입음.

3 삼국 시대의
옷차림 ② - 귀
족과 평민의 옷
이 다름.

4 (고려 시대)의 옷차
림 - 옷차림이 변화함.

5 (조선 시대)의 옷차
림 - 오늘날의 한복
같은 옷차림이 갖추
어짐.

2 내용 이해_세부 정보 파악하기

2문단에서 고구려 시대의 왕족이나 귀족들이 두루마기
를 입기도 하였다고 설명하였으므로 두루마기가 고려 시
대에 나타난 것은 아닙니다.

3 전개 방식_설명 방법 파악하기

이 글은 **2**~**3**문단에서 고구려를 중심으로 삼국 시대
의 옷차림을 설명한 뒤, **4**문단에서 고려 시대의 옷차림
을, **5**문단에서 조선 시대의 옷차림을 설명하고 있습니
다. 시대별 옷차림의 변화를 시간 순서에 따라 살피고 있
습니다.

4 적용하기_시각 자료에 적용하기

4문단에 따르면, 허리띠 대신 옷고름을 달기 시작한 때
는 고려 시대입니다. **2**문단에서 고구려 시대에는 저고
리에 허리띠를 둘러맸다고 설명하였습니다.

문제 돋보기

4 이 글을 읽고 보기의 자료에 대해 이해한 것으로 적절하지 않은
것은 무엇입니까? (③)

보기

▲ 고구려의 고분인 '무용총'에서 발견된 벽화의 일부
→ 허리띠

① 여성은 바지 위에 주름치마를 덧입기도 했겠군.
② 엉덩이까지 내려오는 저고리에는 단추가 없겠군.
└ 고구려의 특징
③ 저고리에는 허리띠 대신 옷고름을 달기도 했겠군.
④ 신라 사람들도 벽화 속 옷차림과 비슷한 옷차림을 했겠군.
⑤ 고려 시대부터 벽화 속 옷차림과 다른 옷차림이 나타났겠군.
└ 고구려의 옷차림
=삼국 시대의 옷차림

오답 피하기

① 고구려 여성들은 바지 위에 주름치마를 덧입는 경우가
많았다고 하였습니다.
② 고구려 시대의 저고리는 엉덩이까지 내려올 정도로 길
었으며 단추가 없어 허리띠를 둘러맸다고 하였습니다.
④ 고구려 고분 벽화에 나오는 옷차림은 고구려만이 아니
라 백제와 신라에서도 비슷했다고 하였습니다.
⑤ 고려 시대에 접어들면서 고구려 고분 벽화에 나타난
것과 같은 옷차림에서 변화가 생겼다고 하였습니다.

5 어휘·어법_어휘의 문맥적 의미 파악하기

㉠은 문맥상 삼국 시대의 옷차림이 그대로 내려왔다는 뜻
입니다. 따라서 '조상의 전통이나 문화유산, 업적 따위를
물려받아 이어 나가다.'라는 뜻을 지닌 '계승된'으로 바꿔
쓸 수 있습니다.

어휘력 완성 ─ 019쪽 ─

1 (1) ㉮ (2) ㉰ (3) ㉯ **2** ㉠ 하의 ㉡ 저고리 **3** ①

2 옷은 상의와 하의로 나뉘고, 상의에는 저고리, 하의에는
바지가 포함됩니다.

3 문맥상 빈칸에는 양반 계층과 평민 계층 간에 사회적 대
우 차이가 크다는 말이 들어가야 합니다. 따라서 '둘 사이
에 큰 차이나 거리가 있음.'을 뜻하는 '하늘과 땅'이 들어
가는 것이 알맞습니다.

시각 장애인의 글자, 점자
020~022쪽

1 점자, 실명, 야간, 시각 장애인, 훈맹정음 2 ③ 3 ④
4 ① 5 ③

해제 루이 브라유가 시각 장애인의 문자인 점자를 발명하게 된 과정과 브라유의 점자를 바탕으로 박두성 선생이 한글 점자를 개발한 내용을 설명하는 글입니다.

문단별 중심 내용

1문단	점자의 뜻과 점자를 발명한 사람
2문단	어린 시절에 실명한 브라유
3문단	야간 문자를 바탕으로 점자를 만든 브라유
4문단	시각 장애인의 공식 문자가 된 점자
5문단	한글을 표현할 수 있는 점자 '훈맹정음'

글의 주제 점자의 발명 및 '훈맹정음'의 개발

---

1 글의 구조_문단 내용 정리하기

2 내용 이해_세부 정보 파악하기
우리나라의 박두성 선생은 브라유가 고안한 점자를 바탕으로 한글을 표현할 수 있는 훈맹정음을 만들었습니다. ①은 **1**문단에서, ②는 **2**문단에서, ④는 **3**문단에서, ⑤는 **4**문단에서 확인할 수 있습니다.

3 추론하기_세부 내용 추론하기
"눈이 아니라 영혼과 두뇌가 사람 구실을 하는 것이니 시각 장애인들을 방 안에 가두지 말고 가르쳐야 한다."는 말을 고려할 때, 박두성 선생은 시각 장애인들도 정상적인 교육을 받을 수 있도록 해야 한다는 마음으로 '훈맹정음'을 만들었다는 것을 알 수 있습니다.

4 적용하기_시각 자료에 적용하기
예시로 제시된 점자 단어는 '석류'입니다. '한글 점자 목록'에서 각 점자와 똑같은 그림을 찾아 순서대로 적으면 'ㅅ, ㅕ, ㄱ, ㄹ, ㅠ'가 됩니다.

---

4 ㉮의 '한글 점자 목록'에 따라 ㉯의 점자 낱말을 알맞게 읽은 것은 무엇입니까? (①)

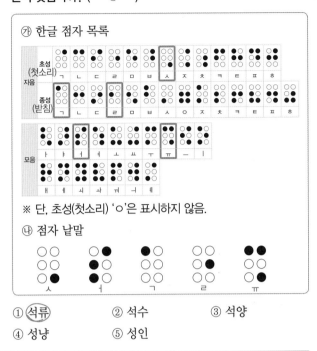

※ 단, 초성(첫소리) 'ㅇ'은 표시하지 않음.

㉯ 점자 낱말

① 석류 ② 석수 ③ 석양
④ 성냥 ⑤ 성인

5 어휘·어법_속담으로 표현하기
'울며 겨자 먹기'는 맵다고 울면서도 겨자를 먹는다는 뜻으로, 싫은 일을 억지로 마지못하여 함을 비유적으로 이르는 속담입니다. ㉮는 구리선을 이용해 만든 책은 읽기가 매우 어렵지만 다른 방법이 없기에 어쩔 수 없이 그런 책을 읽을 수밖에 없는 상황이므로 '울며 겨자 먹기'라는 속담으로 표현할 수 있습니다.

어휘력 완성
023쪽

1 (1) ⓐ (2) ㉮ 2 ⑤ 3 ②

1 '발견'은 미처 찾아내지 못했거나 아직 알려지지 않은 사물, 현상, 사실 등을 찾아내는 것이고, '발명'은 아직까지 없던 기술이나 물건을 새로 생각하여 만들어 내는 것입니다.

2 '보통'은 '특별하지 아니하고 흔히 볼 수 있음.' 또는 '뛰어나지도 열등하지도 아니한 중간 정도.'라는 뜻입니다. 그리고 '여느'는 '그 밖의 예사로운.' 또는 '다른 보통의.'라는 뜻입니다. 따라서 서로 뜻이 비슷합니다.

3 브라유가 목표를 이루기 위해 끊임없이 노력하여 결국 그것을 달성했다는 내용입니다. 따라서 '꾸준히 노력하면 어떤 어려운 일이라도 이룰 수 있다.'라는 뜻의 속담인 '무쇠도 갈면 바늘 된다'로 표현할 수 있습니다.

024~026쪽

1 여러, 동조, 동조 현상, 동조 현상 　 **2** ① 　 **3** ③

4 ① 　 **5** ③

해제 애시의 실험을 바탕으로 하여 자신의 의견을 버리고 다른 사람들의 의견을 따르는 동조 현상이 나타나는 까닭을 설명하는 글입니다.

문단별 중심 내용

1문단	솔로몬 애시의 실험 ①
2문단	솔로몬 애시의 실험 ②
3문단	솔로몬 애시의 실험 결과 및 동조의 개념
4문단	동조 현상이 일어나는 까닭 ①
5문단	동조 현상이 일어나는 까닭 ②

글의 주제 동조 현상이 일어나는 까닭

---

1 글의 구조_문단 내용 정리하기

2 내용 이해_핵심 개념 파악하기

3문단에서 권위 있는 사람이 시키는 대로 하는 것은 복종이고, 나와 대등한 위치에 있는 사람과 똑같이 행동하는 것은 동조라고 하였습니다. 따라서 동조를 권위 있는 사람에 대한 복종 심리에서 비롯된다고 이해하는 것은 적절하지 않습니다.

3 내용 이해_세부 정보 파악하기

이 글에서 동조 현상을 없애는 방법에 대해서는 언급하지 않았습니다. **5**문단에서 한 명이라도 자신과 같은 생각을 하는 구성원이 있으면 집단의 구성원들에게 동조하지 않고 자신의 주관대로 행동할 가능성이 매우 커진다고 했지만, 이는 동조 현상을 없애는 방법은 아닙니다. 누구나 자신의 의견을 처음부터 있는 그대로 드러낼 수 있는 방법이 아니기 때문입니다.

4 적용하기_다른 상황에 적용하기

벌거벗은 임금이 거리로 나선 것은 자신의 판단에 따른 것이므로 동조 행위로 볼 수 없습니다.

? **문제 돋보기**

4 이 글을 참고하여 보기 를 이해한 내용으로 적절하지 않은 것은 무엇입니까? (　① 　)

보기

　　옛날에 허영심이 많은 임금이 있었다. 하루는 사기꾼들이 임금을 찾아와 멋진 옷을 만들어 주겠다고 하면서, 자기들이 만든 옷은 정직한 사람에게만 보인다고 했다. 임금은 옷을 주문하였고, 며칠 후 사기꾼들은 벌거벗은 임금에게 옷을 입혀 주는 시늉을 하고는 옷이 아름답다고 칭찬하였다. 그러자 주위의 신하들도 따라서 같은 말을 하였다. 임금은 아무것도 볼 수 없었지만 자신이 정직하지 않은 사람으로 여겨질까 봐 옷이 정말 훌륭하다고 칭찬하였다. 그리고 옷을 자랑하려고 거리로 나섰다. 정직한 사람에게만 보이는 옷이 있다는 소문을 들은 백성들은 임금이 벌거벗은 모습을 보면서도 모두 옷이 참 아름답다고 말했다. 이때 한 소년이 큰 소리로 "임금님이 벌거숭이예요!"라고 외쳤다. / 그러자 여기저기서 "임금님이 벌거벗었다."라는 말이 들렸다.

(위 보기 글 중 "볼 수 없었지만" 위에 "동조 현상", "보면서도" 위에 "동조 현상" 표기)

① 임금이 옷을 자랑하려고 거리에 나선 것은 동조 현상 때문이다. 　└ 관련 없음.

② 임금이 보이지 않는 옷을 훌륭하다고 한 것은 동조 현상에 해당한다.

③ 소년이 사실대로 말하자 자신의 주관대로 말하는 백성들이 나타났다.

④ 임금이 혼자 있었다면 옷이 보이지 않는다고 말하였을 가능성이 높다. └ 한 명이 참여한 실험에서는 자신의 생각을 말함.

⑤ 백성들이 사실대로 말하지 않은 까닭은 집단에서 소외되기 싫어서일 것이다. └ 동조하는 까닭

---

5 어휘·어법_속담으로 표현하기

솔로몬 애시의 실험에서 실험 대상자는 정답이 빤히 보이는 상황에서도 자신의 판단을 버리고 다른 사람들의 판단을 따랐습니다. 이를 나타내는 속담으로는 '자기는 하고 싶지 아니하나 남에게 끌려서 덩달아 하게 됨.'을 이르는 말인 '친구 따라 강남 간다'가 적절합니다.

어휘력 완성

027쪽

1 (1) ④ (2) ④ (3) ⑦ 　 **2** ③ 　 **3** ③

3 자신의 정당한 의견을 버리고 타인의 검증되지 않은 의견을 따라가는 상황입니다. 따라서 근거 없는 말이라도 여러 사람이 말하면 곧이듣게 됨을 이르는 한자성어인 '삼인성호'로 표현할 수 있습니다.

1 도서 청구 기호, 분류 기호, 도서 기호, 부차적 기호, 별치 기호　**2** ②　**3** ⑤　**4** ①　**5** ③

해제 도서관에서 책을 찾을 때 사용하는 도서 청구 기호의 구성 요소를 분석하여 각각의 기호에 담긴 정보를 구체적인 사례를 들어 설명하는 글입니다.

문단별 중심 내용

1문단	도서 청구 기호의 뜻과 구성
2문단	분류 기호에 담긴 정보
3문단	도서 기호에 담긴 정보
4문단	부차적 기호에 담긴 정보
5문단	별치 기호에 담긴 정보

글의 주제 도서 청구 기호에 담긴 도서 정보

1 글의 구조_문단 내용 정리하기

- **1** (도서 청구 기호)의 뜻과 구성
  - **2** (분류 기호)에 담긴 정보 – 책의 주제
  - **3** (도서 기호)에 담긴 정보 – 저자와 책 제목
  - **3** (부차적 기호)에 담긴 정보 – 추가 정보
  - **4** (별치 기호)에 담긴 정보

2 내용 이해_세부 정보 파악하기

2문단에 따르면, 분류 기호의 번호는 책 제목이 아니라 책의 주제와 종류에 따라 분류됩니다. ①, ③은 **1**문단에서, ④는 **4**문단에서, ⑤는 **3**문단에서 확인할 수 있습니다.

3 전개 방식_서술 방식 파악하기

일정한 기준에 따라 대상의 종류를 나누어 제시하는 설명 방법은 분류입니다. 이 글은 분석의 방법으로 도서 청구 기호를 설명하고 있습니다. ①은 **2**~**5**문단에서, ②, ④는 이 글 전체에서, ③은 **1**문단과 **2**문단에서 확인할 수 있습니다.

4 적용하기_구체적인 상황에 적용하기

아동용 책일 경우에는 '아'나 '어'라고 별치 기호로 적고 '어린이실'에 별도로 보관하기도 한다고 하였습니다. [보기]의 책도 아동용이므로 별치 기호가 붙을 수 있을 것입니다.

---

4 보기에 나온 책의 도서 청구 기호에 대해 적절하게 말한 것은 무엇입니까? (　①　)

> **보기**
>
> 홍길동이라는 화가가 『산골 마을 사람들』이라는 아동용 그림책을 출간하였다. 이 책은 작가가 사는 산골 마을의 일상생활을 직접 그린 그림을 모은 것이다. 우리 마을 도서관은 이 책을 두 권 주문하여 도서 청구 기호를 붙였다.

① '아'나 '어'라는 별치 기호가 붙을 수도 있겠군.
　　아동용 책
② 분류 기호의 첫 번째 숫자는 8로 시작하겠군.
　　　　　　　　　　　　　　　6
③ 도서 기호의 마지막 글자는 'ㅎ'이나 '홍'이 되겠군.
　　　　　　　첫 번째 글자
④ 도서 기호의 첫 번째 글자는 'ㅅ'이나 '산'이 되겠군.
　　　　　　　마지막 글자
⑤ 부차적 기호에는 책별로 각각 'v.1'이나 'v.2'라는 기호가 붙겠군.
　　　　　　　　　　　　　　'c.1', 'c.2'

오답 피하기

② [보기]의 책은 화가가 그린 그림을 모은 책이므로 예술 영역인 600번대로 분류될 것입니다. 따라서 첫 번째 숫자는 6으로 시작할 것입니다.
③ [보기]의 책 제목이 『산골 마을 사람들』이므로 도서 기호의 마지막 글자는 'ㅅ'이나 '산'이 될 것입니다.
④ [보기]의 책을 쓴 화가의 이름은 '홍길동'이므로 도서 기호의 첫 번째 글자는 'ㅎ'이나 '홍'이 될 것입니다.
⑤ 같은 책이 도서관에 여러 권 있음을 나타내는 기호는 'v'가 아니라 'c'입니다.

5 어휘·어법_어휘의 사전적 의미 파악하기

㉠의 '담다'는 '생각이나 내용을 글이나 그림 등에 나타내다.'라는 뜻으로 사용되었습니다. ③의 '담다(담았다)'는 '무엇을 그릇 속에 넣다.'라는 의미로 사용되었습니다.

오답 피하기

①, ②, ④, ⑤는 모두 '담다'가 '생각이나 내용을 글이나 그림 등에 나타내다.'의 뜻으로 사용되었습니다.

어휘력 완성　　　　　　　　　031쪽

1 ㉠ 서가 ㉡ 청구　**2** (1) ㉸ (2) ㉮ (3) ㉺　**3** ③

1 앞뒤 내용상 ㉠에는 '책을 나란히 세워 꽂아 두는, 여러 층으로 된 선반.'을 뜻하는 '서가'가, ㉡에는 '무엇을 달라고 요구하는 것.'을 뜻하는 '청구'가 알맞습니다.

3 제시된 문장과 ③의 '붙다'는 둘 다 '맞닿아 떨어지지 아니하다.'라는 뜻으로 사용되었습니다.

032~034쪽

1 신, 계몽주의, 이성, 자연 과학, 훼손 2 ① 3 ⑤

4 ④ 5 ④

해제 인간의 이성을 통해 자연의 비밀을 밝히고 이상 세계를 건설하려 했던 계몽주의가 가져온 긍정적인 면과 부정적인 면을 설명하는 글입니다.

문단별 중심 내용

1문단	중세 유럽의 신 중심 세계관
2문단	신 중심 사고를 부정한 계몽주의
3문단	계몽주의의 영향 ①
4문단	계몽주의의 영향 ②
5문단	계몽주의의 문제점

글의 주제 계몽주의의 의의와 한계

---

1 글의 구조_문단 내용 정리하기

```
1 중세 유럽      2 신 중심        3 계몽주의의 영향 ①
의 (신) 중심    사고를 부정      – (이성)의 빛을 밝힘.
세계관          하는 (계몽주
                의)의 등장       4 계몽주의의 영향 ②
                                – (자연 과학)의 성립

                                5 계몽주의의 문제점
                                – 자연과 인간의 고유한
                                  가치 (훼손)
```

2 내용 이해_세부 정보 파악하기

2 문단에서 계몽주의는 신 자체를 인정하지 않은 것이 아니라 모든 것을 신의 뜻으로 여기는 생각을 부정하였다고 했습니다.

3 전개 방식_글의 서술 방식 파악하기

1 문단과 2 문단에서 신 중심 세계관과 그것을 부정하는 계몽주의가 등장한 배경을 제시한 다음, 3 문단과 4 문단에서 계몽주의가 가져온 긍정적인 면들을 설명하고 있습니다. 그리고 5 문단에서 계몽주의가 가져온 부정적인 면을 지적하고 있습니다.

4 적용하기_구체적인 상황에 적용하기

계몽주의자는 이성으로써 불합리하고 비과학적인 생각을 없애려고 하였습니다. 그 결과 전통적인 문화를 쓸모없이 여기는 풍조도 나타났습니다. 이런 점을 고려할 때, 계몽주의자들은 서양인들이 원주민의 전통적인 문화를 강제로 금지시킨 것을 긍정적으로 평가했을 것입니다.

---

4 계몽주의자의 입장에서 보기에 대해 보일 수 있는 반응으로 적절하지 않은 것은 무엇입니까? (④)

보기

19세기 초 몇 명의 서양인들이 아프리카의 한 마을에 나타났다. 그 마을은 몹시 가난했다. 마을의 원주민들은 식물과 동물에도 영혼이 있다고 믿어 함부로 대하지 않았으며, 누군가가 아프면 온 마을 사람들이 모여 주술 의식을 하며 기도했다. 그리고 꿈과 현실을 구분하지 않았다. 그 때문에 꿈속에서 다른 사람에게 나쁜 짓을 했을 때는 꿈에서 깬 뒤 그 사람을 찾아가 사과하기도 하였다. 서양인들은 마을에 머물면서 원주민들에게 과학 지식을 가르치며 이들을 계몽시키려고 노력하였다. 그러나 원주민들이 자신들의 문화를 무시하는 서양인들의 말을 듣지 않자 서양인들은 강제로 그들의 문화를 금지해 버렸다.

└ 미신이라고 생각함.

① 원주민들의 삶은 불합리하고 비이성적이다.

② 서양인들은 어리석은 원주민들을 계몽하려 한 것이다.

③ 원주민들은 비과학적인 미신을 믿는 미개한 존재이다.

④ 서양인들이 원주민의 문화를 무시하고 금지한 것은 잘못된 행동이다. → 올바른

⑤ 원주민들에게 식물과 동물을 과학적으로 이용하는 방법을 계속해서 가르쳐야 한다.

---

5 어휘·어법_뜻이 반대인 낱말 찾기

'진보'는 '어떤 현상이 계속해서 나아짐.'이라는 뜻입니다. 이 말의 반대말은 '상태가 지금보다 못하게 되거나 뒤떨어짐.'이라는 뜻을 지닌 '퇴보'입니다.

035쪽

1 ② 2 (1) ⓒ (2) ㉮ (3) ⓓ 3 ④

---

1 문맥상 빈칸에는 '비과학적이고 비합리적으로 여겨지는 믿음. 또는 그런 믿음을 가지는 것.'의 뜻을 지닌 '미신'이 들어가기에 가장 적절합니다.

2 '풍조'는 '세상에 퍼져 있는 바람직하지 않은 분위기.', '무지'는 '아는 것이 없는 것.', '진보'는 '어떤 현상이 계속해서 나아지는 것.'이라는 뜻입니다.

3 중세 유럽의 사람들이 과학적 지식이 부족하여 자연 현상에 대해 잘 알지 못했다는 내용이므로 '아는 것이 없고 사리에 어두움.'이라는 뜻을 지닌 '무지몽매'로 표현할 수 있습니다.

1 이성, 추리, 연역 추리, 삼단 논법, 연역 추리   2 ②

3 ⑤   4 ③   5 ②

해제 일반적인 원리를 근거로 삼아 구체적인 사실을 이끌어 내는 사고 과정인 연역 추리 중 특히 삼단 논법의 개념과 방법을 구체적인 사례를 활용하여 설명하는 글입니다.

문단별 중심 내용

1문단	이성의 개념
2문단	이성을 활용하는 논리적 사고와 추리
3문단	연역 추리의 개념 및 대표적인 방법
4문단	삼단 논법의 뜻과 예시
5문단	연역 추리의 한계와 가능성

글의 주제 연역 추리의 개념 및 방법

1 글의 구조_문단 내용 정리하기

2 내용 이해_세부 정보 파악하기

1문단에 따르면, 인간은 이성을 통해 감각적인 경험에 의지하지 않아도 수학적 사실이나 미처 경험하지 않은 새로운 사실을 알 수 있습니다. ①은 5문단에서, ③과 ④는 4문단에서, ⑤는 2문단에서 확인할 수 있습니다.

3 추론하기_세부 내용 추론하기

연역 추리는 일반적인 진리나 보편적인 사실을 근거로 삼아서 그와 관련된 구체적인 사실을 이끌어 내는 것입니다. ⑤는 자신이 만난 사람이라는 구체적인 사실을 바탕으로 모두가 그럴 것이라는 일반적인 결론을 이끌어 내고 있으므로 연역 추리가 아니라 귀납 추리에 해당합니다.

4 적용하기_다른 상황에 적용하기

㉯의 삼단 논법은 형식적인 측면에서는 오류가 없습니다. 'A는 B이다. C는 A이다. 따라서 C는 B이다.'라는 논리가 성립되기 때문입니다. 하지만 대전제가 거짓이므로 결론도 거짓이 됩니다. 흔하지 않다고 해서 모두 비싼 것은 아니기 때문입니다. 따라서 이 삼단 논법은 형식적으로는 타당하지만 내용적으로는 건전하지 않습니다.

---

4 이 글과 **보기**의 ㉮를 참고하여, ㉯를 평가한 내용으로 적절한 것은 무엇입니까? (③)

보기

㉮ 형식적인 측면에서는 '타당'이라는 표현을 쓰고, 내용적인 측면에서는 '건전'이라는 표현을 쓴다. 삼단 논법 같은 연역 추리는 전제와 결론 간의 형식만 따지는 것이므로 추리 과정에 오류가 없으면 (타당하다)고 표현한다. 따라서 상식과 맞지 않는 결론이 나오더라도 (타당)할 수 있다. 그리고 과정이 '타당'한데 전제나 결론이 참일 경우에는 '(건전하다)고 하며, 과정이 '타당'한데 전제나 결론이 거짓일 경우에는 (건전하지 않다)고 한다.

㉯ [대전제] 흔하지 않은 것은 비싸다. 거짓
　　[소전제] 1원짜리 동전은 흔하지 않다. 참
　　[결론] 그러므로 1원짜리 동전은 비싸다. 타당 ○ 건전 ✕

① 타당하면서 건전한 삼단 논법이다.
② 타당하지 않지만 건전한 삼단 논법이다.
③ 타당하지만 건전하지 않은 삼단 논법이다.
④ 타당하지 않고 건전하지도 않은 삼단 논법이다.
⑤ 대전제와 소전제는 참이지만 결론이 거짓인 추리이다.
　　　　　　　　　└ 대전제가 거짓

오답 피하기

① 내용적으로 대전제와 결론이 거짓이므로 건전하지 않은 삼단 논법입니다.
② 형식적으로는 타당하지만 내용적으로는 건전하지 않은 삼단 논법입니다.
④ 'A는 B이다. C는 A이다. 따라서 C는 B이다.'라는 논리가 성립되므로 형식적으로는 타당한 삼단 논법입니다.
⑤ 대전제가 거짓이기 때문에 결론이 거짓이 되었습니다.

5 어휘·어법_어휘의 문맥적 의미 파악하기

'도출하다'는 '판단이나 결론 따위를 이끌어 내다.'라는 뜻이므로 ㉠과 바꿔 쓰기에 적절합니다.

어휘력 완성   —— 039쪽

1 ㉠ 추리 ㉡ 검증   2 ③   3 ①

2 '시각'과 '감각'은 '시각'이 '감각'의 한 종류인 상하 관계입니다. '안면'과 '낯'은 서로 뜻이 비슷한 유의 관계입니다.

3 장사꾼은 스스로 앞뒤가 맞지 않는 말을 했습니다. 이 이야기에서 유래한 한자성어는 '어떤 사실의 앞뒤, 또는 두 사실이 이치상 어긋나서 서로 맞지 않음을 이르는 말.'인 '모순(矛盾)'입니다.

1 유명 브랜드, 선호, 쾌감 **2** ③ **3** ④ **4** ⑤ **5** ①

해제 사람들이 유명 브랜드를 선호하는 이유가 그것을 보면 쾌감을 느끼기 때문이라는 것을 과학적으로 설명하고, 그런 심리가 부적절한 소비를 초래할 수도 있음을 지적하는 글입니다.

문단별 중심 내용

1문단	유명 브랜드를 선호하는 현상
2문단	유명 브랜드를 선호하는 까닭
3문단	유명 브랜드를 보면 쾌감이 생기는 과학적 근거
4문단	유명 브랜드 선호 현상의 양면성

글의 주제 사람들이 유명 브랜드를 선호하는 까닭

1 글의 구조_문단 내용 정리하기

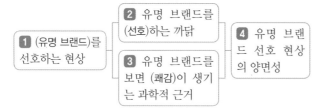

1 (유명 브랜드)를 선호하는 현상

2 유명 브랜드를 (선호)하는 까닭

3 유명 브랜드를 보면 (쾌감)이 생기는 과학적 근거

4 유명 브랜드 선호 현상의 양면성

2 내용 이해_세부 정보 파악하기

사람들은 실용성 때문에 비싼 유명 브랜드를 구매하는 것이 아닙니다. 우리의 뇌는 유명 브랜드를 보면 쾌감을 느끼는데, 이런 쾌감이 제품에 대한 긍정적인 감정으로 이어져 유명 브랜드 제품을 구매하게 하는 것입니다.

3 전개 방식_설명 방식 파악하기

1문단, **3**문단, **4**문단에서 질문의 형식으로 이어질 내용을 안내하고 있습니다.

오답 피하기

① **4**문단의 '매력적인 브랜드는 우리에게 쾌감을 주기도 하지만 부적절한 소비를 초래하기도 하는 양면성을 가지고 있다.'에서 유명 브랜드 선호 현상의 문제점을 제시하고 있습니다.
② 대상을 다른 것에 빗대어 설명하는 방법을 유추라고 합니다. 이 글에서는 유추의 설명 방법은 사용되지 않았습니다.
③ **1**문단에서 유명 브랜드 선호 현상을 예시를 들어 설명하였습니다.
⑤ **2**문단에서 유명 브랜드를 선호하는 까닭을 과학적 실험을 근거로 들어 설명하고 있습니다.

4 적용하기_구체적인 상황에 적용하기

비싸고 유명한 브랜드일수록 뇌의 쾌감 중추를 더 강하게 자극한다고 하였습니다. 따라서 유명 브랜드가 아니고 가격이 쌌다면 뇌의 쾌감 중추가 거의 자극되지 않았을 것입니다.

? 문제 돋보기

4 이 글을 읽은 학생이 보기 에 대해 보인 반응으로 적절하지 않은 것은 무엇입니까? (⑤)

> **보기**
> 서아는 학생들에게 큰 인기를 얻고 있는 <u>유명 브랜드</u>의 매장에서 상품을 구경하다가, 브랜드 로고를 큼지막하게 붙여 놓은 가방을 보았다. 그 가방의 가격은 매우 <u>비쌌다.</u> 서아는 그 가방을 너무 가지고 싶었다.

① 그 가방의 브랜드를 봤을 때 서아의 뇌에서 도파민이 분비되었을 것이다.   유명 브랜드 → 도파민 분비
② 서아는 그 가방의 <u>실용성이나 수선의 편리함</u> 등은 생각하지 않았을 것이다.
③ 서아에게 돈이 있다면 꼭 필요하지 않아도 그 가방을 구매할 가능성이 높다.   충동적인 소비
④ 서아는 그 가방을 구매했을 때 얻을 수 있는 <u>가치나 보상</u>을 예상했을 것이다.
⑤ 그 가방이 유명한 브랜드가 아니고 가격이 쌌다면 뇌의 쾌감 중추가 더 강하게 자극되었을 것이다.   비쌀수록 충동 구매↑

5 어휘·어법_한자성어로 표현하기

이 글에 따르면 유명 브랜드를 보았을 때 뇌의 쾌감을 느끼는 부분이 자극되면서 무리해서라도 그 제품을 구매하게 된다고 하였습니다. 따라서 유명 브랜드를 선호하는 사람들의 심리는 물건을 보면 그것을 가지고 싶은 욕심이 생긴다는 말인 '견물생심'이라는 한자성어로 나타낼 수 있습니다.

어휘력 완성 ──────── 045쪽

1 ㉠ 선호 ㉡ 양면성 **2** ② **3** ③

1 ㉠에는 '여러 가지 중에서 특별히 좋아함.'의 뜻인 '선호'가, ㉡에는 '한 가지 사물에 속하여 있는 서로 맞서는 두 가지의 성질.'의 뜻인 '양면성'이 알맞습니다.

3 밑줄 그은 부분은 유명 브랜드 제품을 가지고 싶다는 것이므로 '침을 삼키다'라는 관용어로 표현할 수 있습니다. '침을 삼키다'는 '음식 따위를 몹시 먹고 싶어 하다.'라는 뜻 외에 '자기 소유로 하고자 몹시 탐내다.'라는 뜻도 있습니다.

호텔의 얼굴, 호텔리어
046~048쪽

1 호텔리어, 호텔리어, 학과, 어려움 **2** ② **3** ⑤ **4** ②
5 ⑤

해제 호텔리어의 어원과 명칭, 직업으로서의 전망과 갖추어야 할 자질, 관련 학과, 어려움 등 호텔리어에 대한 여러 가지 정보를 전달하는 글입니다.

문단별 중심 내용

1문단	주목받는 직업 호텔리어
2문단	호텔리어의 뜻과 하는 일
3문단	호텔리어가 갖추어야 할 자질
4문단	호텔리어와 관련된 대학 학과
5문단	호텔리어의 어려움

글의 주제 호텔리어에 대한 여러 가지 정보

---

1 글의 구조_문단 내용 정리하기

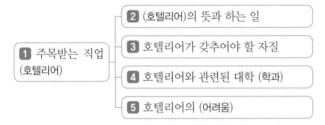

---

2 내용 이해_세부 정보 파악하기

호텔리어의 전문성을 기를 수 있는 관련 학교와 학과가 많아지고 있다고 했지만, 호텔리어가 되기 위해서 꼭 이 곳을 거쳐야 한다는 말은 없습니다.

---

3 전개 방식_설명 방식 파악하기

'호텔리어'라는 용어를 정의한 후, 호텔리어가 하는 일에 따라 다른 이름으로 불리는 것을 예시를 들면서 설명하고 있습니다. '객실 매니저', '벨맨', '총지배인' 등은 호텔리어를 분석한 것이 아니라 호텔리어의 다양한 업무를 설명하면서 예로 제시한 것입니다.

---

4 적용하기_다른 상황에 적용하기

2문단에 따르면, 최근에는 호텔에서 일하는 모든 종사자를 호텔리어라고 부릅니다. 따라서 로비에서 손님의 짐을 날라 주는 '제로'도 호텔리어라고 부를 수 있습니다.

---

4 이 글을 읽은 학생이 보기 의 영화를 보고 했을 생각으로 적절하지 **않은** 것은 무엇입니까? (②)

보기

『그랜드 부다페스트 호텔』은 호텔을 배경으로 하는 영화이다. 총지배인인 '구스타브'와 고객의 짐을 날라 주는 벨맨인 '제로'가 영화의 주인공이다. 오랫동안 호텔에서 일을 해 온 '구스타브'는 귀빈이 호텔을 방문하면 마치 개인 비서처럼 그 귀빈의 서비스를 전담하기도 한다. ─컨시어지 그러던 중 '구스타브'가 살인자라는 누명을 쓰고 교도소에 갇히게 되고, '제로'는 그의 누명을 풀어 주기 위해 노력한다.

① '제로'는 늘 웃으며 일을 하였지만 어려움도 있었을 거야.
② '구스타브'와 달리 '제로'는 호텔리어라고 부를 수 없겠어.
  └벨맨┘
③ '제로'가 다른 부서에서 일을 했다면 명칭이 달라졌을 거야.
④ '구스타브'는 귀빈이 방문하면 컨시어지 역할도 하였을 거야.
⑤ '구스타브'가 하는 일이 호텔리어의 본래 의미에 가까울 거야.
  └총지배인┘

---

5 어휘·어법_이어 주는 말

㉠의 앞 문장은 호텔리어의 멋진 모습을 언급하고 있는 반면, ㉠ 뒤의 문장은 호텔리어의 심리적 어려움을 언급하고 있습니다. 따라서 ㉠에는 '그러나', '하지만' 같은 접속어가 들어가야 합니다. 그리고 ㉡에는 앞의 문장과 뒤의 문장이 모두 호텔리어의 어려움을 언급하는 내용이므로 '또', '또한', '게다가', '그리고' 등과 같이 비슷한 내용이 이어질 때 사용하는 접속어가 들어가는 것이 어울립니다.

어휘력 완성
049쪽

1 ㉠ 연회 ㉡ 귀빈 **2** ④ **3** (1) ④ (2) ㉮

---

1 '연회'는 '축하, 위로, 환영, 석별 따위를 위하여 여러 사람이 모여 베푸는 잔치.'라는 뜻이고, '귀빈'은 '귀한 손님.'이라는 뜻입니다.

2 '빈번하다'는 '매우 잦다.'라는 뜻이므로, '잇따라 자주 있다.'라는 뜻을 지닌 '잦다'와 뜻이 유사합니다. 따라서 '잦아지면서'와 바꿔 쓸 수 있습니다.

오답 피하기

① '자주 있거나 많던 것이 한동안 드물거나 주춤하거나 드문드문함.'이라는 뜻입니다.
② '걸리는 시간이 길지 않음.'이라는 뜻입니다.
③ '있던 것이 사라져 없게 됨.'이라는 뜻입니다.
⑤ '힘이 많이 들어 하기가 쉽지 않게 됨.'이라는 뜻입니다.

재활용품 분리배출 방법

1 분리배출, 종류, 종이, 고철, 유리   **2** ④   **3** ②   **4** ③   **5** ④

해제 재활용품을 분리배출하는 방법과 배출 과정에서 유의해야 할 점을 구체적으로 설명하고 있는 글입니다.

문단별 중심 내용

1문단	재활용 쓰레기 분리배출의 중요성
2문단	재활용품의 종류
3문단	종이류 분리배출 방법
4문단	캔·고철류, 비닐류, 플라스틱류 등의 분리배출 방법
5문단	유리류 분리배출 방법
6문단	두 가지 이상의 재질로 된 물품 분리배출 방법

글의 주제 재활용품을 분리배출하는 방법

1 글의 구조_문단 내용 정리하기

2 내용 이해_세부 정보 파악하기

6문단에 따르면, 아이스 팩은 포장된 그대로 일반 쓰레기로 버려야 합니다.

오답 피하기

① **3**문단에서 확인할 수 있습니다.

② **3**, **4**문단에서 확인할 수 있습니다.

③ **6**문단에서 확인할 수 있습니다.

⑤ **2**문단에서 확인할 수 있습니다.

3 추론하기_세부 내용 추론하기

4문단에서 컵라면에서 은박으로 된 용기 뚜껑은 재활용 대상 비닐이라고 설명하였습니다.

4 적용하기_다른 상황에 적용하기

재활용하기 쉬운 페트병을 생산하는 업체에게 혜택을 주는 것이지, 그것을 분리배출하는 소비자에게 혜택을 주는 것은 아닙니다.

---

4 이 글을 읽은 학생이 보기 에 대해 보인 반응으로 적절하지 <u>않은</u> 것은 무엇입니까? (③   )

> **보기**
>
> 2020년부터 페트병이 확 달라진다. 환경부는 '포장재 재질·구조 개선 등에 관한 기준'을 개정하여 색깔이 들어가지 않은 투명 페트병에 접착제를 쓰지 않은 것에만 '최우수' 등급을 주기로 하였다. 투명한 페트병은 여러 번 재활용될 수 있는데 여기에 색이 있는 페트병이 섞이게 되면 품질이 떨어져 재활용될 수 있는 범위가 한정되기 때문이다. 또한 라벨은 물에 뜨는 비닐 재질로 만들되, 절취선을 만들어 분리하기 쉽도록 해야 한다. 최우수 등급을 받으면 국가에서 해당 업체에 여러 가지 혜택을 준다.

① 페트병의 재활용을 쉽게 하기 위해서 제도를 개선하였군.

② 제품을 만들 때부터 재활용을 고려하도록 유도하는 것이군.

③ 페트병을 분리배출하는 사람들에게 혜택을 주는 제도로군.
　└ 생산하는 업체에 혜택

④ 라벨을 떼기 쉽게 한 것은 몸통과 재질이 다르기 때문이겠군.
　└ 재질이 다르면 따로 배출

⑤ 색이 있는 페트병과 투명 페트병을 분리해서 배출하는 것이 좋겠군.

---

5 어휘·어법_어휘의 사전적 의미 파악하기

'현저히'는 '뚜렷이 드러날 정도로'라는 뜻을 지닌 낱말입니다.

오답 피하기

① '단순하고 간략하게.'라는 뜻을 지닌 낱말은 '간단히'입니다.

② '겨우 또는 가까스로.'라는 뜻을 지닌 낱말은 '간신히'입니다.

③ '아주 크고 훌륭하게.'라는 뜻을 지닌 낱말은 '굉장히'입니다.

⑤ '모자람이 없이 넉넉하게.'라는 뜻을 지닌 낱말은 '충분히'입니다.

---

1 ㉠ 재활용   ㉡ 오염   **2** (1) ㉮   (2) ㉰   (3) ㉯   **3** ①

1 플라스틱 컵으로 화분을 만들고 있는 상황이므로 ㉠에는 '재활용', ㉡에는 '오염'이 알맞습니다.

3 '절약하는 생활을 해야 합니다.'라는 말을 고려할 때, 빈칸에는 '강물도 쓰면 준다'라는 속담이 들어가는 것이 적절합니다. 이 속담은 굉장히 많은 강물도 쓰면 줄어든다는 뜻으로, 풍부하다고 하여 함부로 헤프게 쓰지 말라는 말입니다.

게임 과몰입은 질병이 아니다 054~056쪽

1 게임 과몰입, 질병, 스트레스, 절제 2 ③ 3 ② 4 ⑤
5 ①

해제 게임 과몰입을 질병으로 보고 사회적 차원에서 치료해야 한다는 주장을 소개한 뒤, 청소년들의 일반적인 특성을 근거로 들어 게임 과몰입을 질병으로 보면 안 된다고 주장하는 글입니다.

문단별 중심 내용

가 문단	게임 과몰입에 대한 사회적 우려
나 문단	게임 과몰입을 질병으로 보는 입장
다 문단	게임 과몰입을 질병으로 볼 수 없는 근거 ①
라 문단	게임 과몰입을 질병으로 볼 수 없는 근거 ②
마 문단	게임 과몰입을 예방하는 방법

글의 주제 게임 과몰입을 질병으로 여기면 안 되는 까닭

---

1 글의 구조_문단 내용 정리하기

> 가 청소년의 (게임 과몰입)에 대한 우려
>
> 나 게임 과몰입을 (질병)으로 보는 입장
>
> 다 반론 근거 ① – 게임 과몰입은 스스로 회복 가능함.
>
> 라 반론 근거 ② – 게임 과몰입은 부모와의 갈등이나 학업 (스트레스) 때문임.
>
> 마 게임 과몰입을 예방하는 방법: 평소에 스스로 (절제)하는 자세가 필요함.

2 내용 이해_세부 정보 파악하기

게임 과몰입을 약물 중독처럼 스스로 자신을 통제하지 못하는 상태로 보는 것은 게임 과몰입을 질병으로 보고 사회적 차원에서 예방해야 한다는 사람들의 주장입니다. ① 은 다 문단에서, ②는 나 문단에서, ④와 ⑤는 라 문단에서 확인할 수 있습니다.

3 전개 방식_문단별 서술 방식 파악하기

나 문단에서 게임 과몰입을 정의하는 설명 방법은 사용되지 않았습니다.

4 적용하기_다른 상황에 적용하기

리셋 증후군은 인터넷이나 컴퓨터 게임에 지나치게 몰입해서 생기는 것이므로, 이를 활용하여 게임 과몰입이 인간관계나 사회생활에 심각한 문제를 초래할 수도 있다는 내용을 추가하는 것이 가장 적절합니다.

---

4 이 글의 글쓴이가 보기 의 자료를 활용하여 글의 내용을 보완하려고 할 때, 가장 적절한 방법은 무엇입니까? (⑤   )

> 보기
>
> 리셋(Reset) 증후군은 현실과 게임 세계를 구분하지 못하고 다시 시작할 수 있다고 생각하는 증상이다. 인터넷이나 컴퓨터 게임에 지나치게 빠져들면서 현실과 가상 세계를 혼동하는 바람에, 컴퓨터 게임이 잘 진행되지 않을 때 리셋 버튼을 눌러 새롭게 시작하는 것처럼 '현실도 리셋이 가능하다'라고 생각하는 것이다. 현실에서 하기 싫은 일이나 곤란한 상황을 마주쳤을 때 이를 해결하려 하지 않고 무작정 회피하려는 모습을 보이는 것이 대표적인 사례이다.

① 게임 과몰입이 아직 자라고 있는 청소년들의 건강을 해칠 수 있다는 내용을 추가한다.
  └[보기]에 없는 내용

② 청소년들은 게임에 과몰입하였다가도 그리 어렵지 않게 빠져나온다는 내용을 추가한다.
  └이미 있는 내용

③ 어려움이 생겼을 때 포기하지 말고 스스로의 힘으로 해결해야 한다는 내용을 추가한다.
  └글의 내용과 관계 ×

④ 친구와 갈등이 생겼을 때에는 함께 그것을 해결할 방법을 찾아야 한다는 내용을 추가한다.
  └글의 내용과 관계 ×

⑤ 게임 과몰입이 인간관계나 사회생활에 심각한 문제를 초래할 수도 있다는 내용을 추가한다.

---

5 어휘·어법_어휘의 사전적 의미 파악하기

'도외시하다'는 '상관하지 아니하거나 무시함.'이라는 뜻입니다.

오답 피하기

② '멸시하다'에 해당하는 뜻입니다.
③ '차별하다'에 해당하는 뜻입니다.
④ '문제시하다'에 해당하는 뜻입니다.
⑤ '중시하다'에 해당하는 뜻입니다.

어휘력 완성 —————————— 57쪽

1 ㉠ 몰두 ㉡ 과도 2 ② 3 ④

---

2 '절제하다'는 '일정한 정도를 넘지 않도록 자기를 다스리다.'라는 뜻이고, '삼가다'는 '꺼리어 조심하며 피하거나, 하지 않다.'라는 뜻이므로, '절제하는'을 '삼가는'으로 바꿔 쓸 수 있습니다.

3 게임은 청소년들이 스트레스를 잊을 수 있는 수단이므로 '화를 냈거나 토라졌던 감정이 누그러짐.'을 뜻하는 '속이 내려가다'로 표현할 수 있습니다.

1 금리, 기준 금리, 경제   **2** ③   **3** ②   **4** ③   **5** ②

해제 중앙은행이 결정하는 기준 금리의 개념을 제시하고, 기준 금리가 경제에 큰 영향을 미친다는 것을 인과의 설명 방법으로 설명하는 글입니다.

문단별 중심 내용

1문단	금리의 개념
2문단	기준 금리의 개념
3문단	기준 금리가 경제에 미치는 영향
4문단	기준 금리와 세계 경제의 연관성

글의 주제 기준 금리가 경제에 미치는 영향

1 글의 구조_문단 내용 정리하기

1 (금리)의 개념 → **2** (기준 금리)의 개념 → **3** 기준 금리가 (경제)에 미치는 영향 / **4** 기준 금리와 세계 경제의 연관성

2 내용 이해_세부 정보 파악하기

2문단에 따르면 기준 금리가 오르면 일반 은행의 이자율도 오르고, 기준 금리가 떨어지면 일반 은행의 이자율도 떨어진다고 하였습니다.

3 추론하기_세부 내용 추론하기

미국의 금리가 우리나라보다 높아서 미국 은행에 예금하면 이자를 우리나라보다 많이 받을 수 있기 때문에 우리나라에 있던 돈이 미국으로 빠져나갈 가능성이 커지는 것입니다.

오답 피하기

① 금리가 오르면 기업 투자와 개인 소비가 줄어들게 됩니다.

③ 금리가 오르면 은행에서 돈을 빌릴 때 더 많은 이자를 내야 합니다.

④ 미국의 금리가 높아지면 우리나라와 금리 차이가 생겨서 돈의 가치가 떨어지게 됩니다.

⑤ 이 글의 내용과 관련이 없는 내용입니다.

4 적용하기_구체적인 상황에 적용하기

불경기에는 일반적으로 기준 금리를 내립니다. 기준 금리가 내려가면 은행의 이자율도 떨어지는데, 이 때문에 은행에서 돈을 빌린 사람들의 이자 부담이 적어지게 됩니다.

? 문제 돋보기

4 이 글을 읽은 학생이 보기 에 대해 보일 반응으로 적절한 것은 무엇입니까? (③)

보기

　코로나19 바이러스의 여파로 세계 주요 국가의 전력 생산량이 14년 만에 최저치로 떨어졌다. 기업의 생산 활동이 활발하면 전력 생산량이 많아지므로, 전력 생산량은 경기를 가늠하는 기준이 될 수 있다. 전력 생산량이 최저치로 하락한 것은 그만큼 경기 침체가 심각하다는 의미이다. 이 때문에 미국과 우리나라의 기준 금리도 같아졌다. 우리나라의 경우 수출이 16.6% 급감하였으며, 수입도 7.4% 감소하였다.
└ 기준 금리가 낮아질 가능성

① 세계 주요국의 은행 예금 이자율이 ~~높아~~지겠군. └ 낮아짐

② 우리나라에 있던 돈이 미국~~으로~~ ~~빠져나가~~겠군. └ 기준 금리가 같음

③ 은행에서 돈을 빌릴 때 이자 부담이 적어지겠군. └ 금리가 낮아지므로

④ 우리나라는 한국은행에서 기준 금리를 ~~높이~~겠군. └ 낮출 것

⑤ 시중의 통화량을 ~~감소~~시킬 수 있는 정책을 펴겠군. └ 증가

---

5 어휘·어법_어휘의 사전적 의미 파악하기

㉮와 ㉢는 모두 '영향이나 작용 따위가 대상에 가하여지다.'라는 뜻으로 사용되었습니다.

오답 피하기

① '어떤 일에 지나칠 정도로 열중하다.'의 뜻으로 쓰였습니다.

③ '정신에 이상이 생겨 말과 행동이 보통 사람과 다르게 되다.'의 뜻으로 쓰였습니다.

④ '정신이 나갈 정도로 매우 괴로워하다.'의 뜻으로 쓰였습니다.

⑤ '공간적 거리나 수준 따위가 일정한 선에 닿다.'의 뜻으로 쓰였습니다.

어휘력 완성   — 061쪽 —

1 (1) ㉢ (2) ㉰ (3) ㉮   **2** ⑤   **3** ⑤

2 '상승'은 '낮은 데서 위로 올라감.'이라는 뜻입니다. 쉽게 낮았다가 높아진다는 뜻으로 볼 수 있습니다. 따라서 이와 반대되는 말은 높았다가 낮아진다는 뜻을 지닌 말을 찾으면 됩니다. '하강'은 '높은 곳에서 아래로 향하여 내려옴.'이라는 뜻이니 '상승'의 반대말로 볼 수 있습니다.

3 ㉠과 ⑤의 '내다'는 모두 '돈이나 물건 따위를 주거나 바치다.'라는 뜻으로 사용되었습니다.

1 자백, 자백, 죄수의 딜레마, 협력 **2** ① **3** ④ **4** ②
5 ②

해제 '죄수의 딜레마' 이론을 구체적으로 제시하고, 개인의 이기적인 선택은 집단 전체의 손해를 초래하므로 서로 협력하는 것이 가장 좋은 결과를 가져옴을 설명하는 글입니다.

문단별 중심 내용

1문단	'죄수의 딜레마'의 상황
2문단	A, B가 모두 자백을 선택하는 까닭
3문단	'죄수의 딜레마'의 개념
4문단	협력의 중요성을 알려 주는 '죄수의 딜레마'

글의 주제 '죄수의 딜레마'로 알 수 있는 협력의 중요성

---

1 글의 구조_문단 내용 정리하기

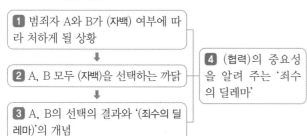

① 범죄자 A와 B가 (자백) 여부에 따라 처하게 될 상황
↓
② A, B 모두 (자백)을 선택하는 까닭
↓
③ A, B의 선택의 결과와 '죄수의 딜레마'의 개념

④ (협력)의 중요성을 알려 주는 '죄수의 딜레마'

2 내용 이해_세부 정보 파악하기

A와 B는 서로 상대방을 믿지 못해서 둘 다 자백을 하고 각각 3년 동안 복역하게 되었는데, 두 사람의 복역 기간을 합치면 가장 기간이 길지만, 두 사람 각각에게는 가장 긴 기간이 아닙니다. A와 B 각자가 가장 긴 교도소 생활을 하는 경우는 상대방이 자백했는데 자신은 침묵했을 때입니다. 이 경우에는 혼자 5년 동안 교도소 생활을 해야 합니다.

3 전개 방식_글의 서술 방식 파악하기

이 글에서 권위 있는 사람의 견해를 인용하고 있지는 않습니다. ①은 ③문단에서, ②는 ②문단에서, ③은 ①~③문단의 가상 실험에서, ⑤는 ④문단에서 확인할 수 있습니다.

4 적용하기_다른 상황에 적용하기

죄수의 딜레마와 [보기]의 사례에서 공동체의 이익을 위해 개인이 손해를 보아야 한다는 교훈을 이끌어 내는 것은 적절하지 않습니다. 개인과 공동체 모두에게 이익이 되는 방법이 있기 때문입니다.

---

4 이 글과 보기 에서 공통적으로 이끌어 낼 수 있는 교훈이 아닌 것은 무엇입니까? (②)

보기

어느 마을 한가운데에 무성한 풀밭이 있었다. 이 풀밭은 공유지라서 누구나 양들을 끌고 와서 풀을 먹일 수 있었다. 하지만 풀이 다시 자라날 수 있도록 한 번에 먹이는 양의 수를 제한해야 했다. 마을 사람들은 한 집에서 한 번에 열 마리의 양만 이 풀밭에 풀어 놓기로 약속하였다. 하지만 한두 집이 약속보다 더 많은 양을 풀어 놓기 시작했고, _{이기적인 행동} 곧 모든 집이 열 마리보다 많은 양을 풀어 놓게 되었다. 풀밭은 양들로 가득 찼고, 풀이 자라는 속도보다 양이 풀을 뜯는 속도가 더 빨라졌다. 결국 풀밭에는 풀이 더 자라지 못했고, 마을 사람들은 더이상 양에게 풀을 먹일 수 없게 되었다. _{공동체의 손해}

① 공동체의 구성원들이 모여 서로 약속한 것은 모두가 지켜야 한다. └열 마리의 양만 풀어 놓기
② 공동체의 이익을 위해서는 개인이 손해를 보는 것을 감수해야 한다.
③ 서로 협력하는 것이 장기적으로 자신을 포함하여 모두에게 이익이다. └풀밭을 지킬 수 있음.
④ 서로를 믿고 약속을 지킬 때 개인과 공동체 모두 이익을 얻을 수 있다. └풀밭은 지키고 양에게 풀도 먹임.
⑤ 이기적으로 행동하면 단기적으로는 이익이지만 결국 손해를 보게 된다. └더 이상 양을 먹일 수 없게 됨.

---

5 어휘·어법_한자성어로 표현하기

A와 B는 개인적인 이익을 얻으려다 가장 나쁜 선택을 한 것입니다. 즉, 큰 이익을 보지 못하고 작은 이익만 노리다가 손해를 본 것입니다. 이를 가리키는 말인 '소탐대실'이라는 한자성어로 ㉠을 평가할 수 있습니다.

1 ㉠ 심문 ㉡ 침묵 **2** (1) ④ (2) ㉓ (3) ㉑ **3** ③

---

1 형사가 범죄자에게 죄를 묻고 있는데 범죄자가 입을 꼭 다물고 말을 안 하는 상황이므로 ㉠에는 '용의자를 다그쳐 자세히 따져서 묻는 것.'이라는 뜻의 '심문'이, ㉡에는 '아무 말 없이 잠잠히 있음.'이라는 뜻의 '침묵'이 알맞습니다.

3 두 범죄자는 자백하지 말자고 약속해 놓고도 서로를 믿지 못해 둘 다 자백합니다. 동상이몽은 같은 자리에 자면서 다른 꿈을 꾼다는 뜻으로, 겉으로는 같이 행동하면서도 속으로는 각각 딴생각을 하고 있음을 이르는 말입니다.

사회 07 파레토 법칙과 롱테일 법칙 066~068쪽

1 파레토, 마케팅, 롱테일, 마케팅 **2** ④ **3** ② **4** ③
5 ④

해제 상위 20%의 소수에 초점을 두는 파레토 법칙과 하위 80%의 다수에 초점을 두는 롱테일 법칙을 온라인과 오프라인의 마케팅을 중심으로 설명하는 글입니다.

문단별 중심 내용

1문단	'파레토 법칙'의 개념
2문단	'파레토 법칙'에 따른 마케팅 방법
3문단	하위 80%에 주목하는 '롱테일 법칙'
4문단	'롱테일 법칙'을 적용한 온라인 마케팅
5문단	'롱테일 법칙'의 가치와 의의

글의 주제 파레토 법칙과 롱테일 법칙의 개념과 마케팅 사례

---

1 글의 구조_문단 내용 정리하기

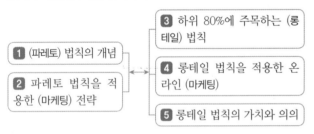

1 (파레토) 법칙의 개념
2 파레토 법칙을 적용한 (마케팅) 전략
3 하위 80%에 주목하는 (롱테일) 법칙
4 롱테일 법칙을 적용한 온라인 (마케팅)
5 롱테일 법칙의 가치와 의의

2 내용 이해_세부 정보 파악하기

4문단에 따르면, 온라인 시장에서는 하위 80%의 매출이 상위 20%의 매출과 맞먹는다고 하였습니다.

3 추론하기_세부 내용 추론하기

롱테일 법칙은 주로 온라인 매장에서 이용되며, 오프라인 매장과 달리 많이 팔리지 않는 상품도 진열한다고 하였습니다. 따라서 많은 소비자가 찾지 않는 오래된 소설책을 취급하는 온라인 매장의 예가 가장 적절합니다. ③, ⑤는 파레토 법칙을 설명하기에 적절하고, ①과 ④는 두 법칙과 상관없는 예입니다.

4 적용하기_시각 자료에 적용하기

4문단에 따르면 오프라인 매장에서는 상품 진열 비용이 많이 들기 때문에 상품의 종류는 많고 개별 상품의 매출은 낮은 ⓒ에 초점을 둔 판매를 하면 비용이 늘어나면서 매출액은 오히려 감소할 수 있습니다.

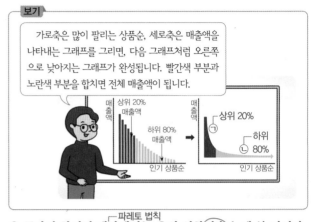

4 이 글을 읽은 학생이 [보기]를 이해한 내용으로 적절하지 않은 것은 무엇입니까? (③)

보기

> 가로축은 많이 팔리는 상품순, 세로축은 매출액을 나타내는 그래프를 그리면, 다음 그래프처럼 오른쪽으로 낮아지는 그래프가 완성됩니다. 빨간색 부분과 노란색 부분을 합치면 전체 매출액이 됩니다.

① 공간이 한정된 매장에서는 ⓧ의 영향력을 높게 볼 것이다. ┌파레토 법칙
② 롱테일 법칙을 따를 경우에는 ⓒ에 초점을 두는 마케팅을 할 것이다.
③ 오프라인 매장도 ⓒ에 초점을 둔 판매를 해야 매출이 늘어날 것이다. └공간 한정 → 상위 20% 판매
④ 파레토 법칙을 따를 경우에는 ⓧ에 초점을 두는 마케팅을 할 것이다.
⑤ 온라인 매장에만 집중할 경우에는 ⓒ을 ⓧ만큼 중요하게 생각할 것이다. └롱테일 법칙

---

5 어휘·어법_속담으로 표현하기

롱테일 법칙은 하나하나의 영향력은 미약하지만 그 수가 많은 하위 80%의 가치에 초점을 둡니다. 따라서 아무리 작은 것이라도 모이고 모이면 나중에 큰 덩어리가 됨을 비유적으로 이르는 말인 '먼지도 쌓이면 큰 산이 된다'라는 속담으로 표현할 수 있습니다.

어휘력 완성 ──── 069쪽

1 ⓧ 창출 ⓒ 수치 **2** ② **3** ④

1 수익을 많이 낸 상황이므로 ⓧ에는 '전에 없던 것을 처음으로 생각하여 지어내거나 만들어 냄.'을 뜻하는 '창출'이 알맞습니다. 백억 원 대는 구체적인 수이므로 ⓒ에는 '계산하거나 재어서 얻은 수.'를 뜻하는 '수치'가 알맞습니다.

2 '우수'는 '여럿 가운데 뛰어남.'이라는 뜻입니다. 따라서 '보통의 수준이나 등급보다 낮음.'이라는 뜻을 지닌 '열등'이 반대말이 됩니다.

3 아무 하는 일 없이 왔다 갔다 하는 모습을 표현하기에 적절한 순우리말은 어영부영입니다. 어영부영은 '뚜렷하거나 적극적인 의지가 없이 되는대로 행동하는 모양.'을 나타내는 말입니다.

1 이식, 기증, 인공 장기, 이종 이식　**2** ⑤　**3** ④　**4** ④
5 ③

해제 환자에게 이식할 장기가 부족한 문제 상황을 제시하고, 이를 해결할 수 있는 대표적인 방안인 인공 장기와 이종 이식의 연구 현황과 각각의 문제점을 설명하는 글입니다.

문단별 중심 내용

가문단	장기 이식의 뜻
나문단	장기 기증 실태
다문단	인간의 장기를 대체할 수 있는 방법 ① – 인공 장기
라문단	인간의 장기를 대체할 수 있는 방법 ② – 이종 이식
마문단	이종 이식의 한계와 개선점

글의 주제 생체 장기의 대안인 인공 장기와 이종 이식

---

1 글의 구조_문단 내용 정리하기

2 내용 이해_세부 정보 파악하기
라문단에서 과학자들이 거부 반응을 일으키게 하는 유전자가 없는 동물을 연구하여 어느 정도 성과를 내고 있다고 설명했지만, 거부 반응을 일으키는 유전자를 제거하기 위해서 어떤 방법을 사용했는지에 대한 설명은 하지 않았습니다.

3 전개 방식_문단별 서술 방식 파악하기
라문단에서 다른 대상에 빗대어 표현하는 비유적인 표현은 사용되지 않았습니다.

4 적용하기_구체적인 상황에 적용하기
이종 이식은 장기 이식 문제를 해결하는 방법 중 하나이므로 적절한 반응입니다.

❓ 문제 돋보기

4 이 글을 읽은 학생이 [보기]에 대해 보인 반응으로 가장 적절한 것은 무엇입니까? (　④　)

　우리나라는 2018년 기준으로 약 3만여 명의 환자가 장기 이식을 받기 위해 대기하고 있다. 하지만 장기 기증자는 그에 턱없이 못 미치는 수준으로, 장기 이식 비율이 10%를 밑돈다. 이 때문에 장기 이식을 기다리다 사망한 환자 수가 2010년 900여 명에서 2014년 1100여 명, 2018년 1900여 명으로 증가하고 있다.

(출처: 질병 관리 본부, 2019.)

① 신장보다 ~~심장~~을 기증하는 수가 더 많겠군.
② 사회적으로 장기 기증에 대한 인식이 ~~높은~~ 상태군.
　└인식이 낮음.
③ 우리 몸의 면역 체계를 ~~없애는~~ 방법을 찾아야겠군.
④ 이종 이식에 대한 연구를 더욱 ~~적극적~~으로 해야겠군.
⑤ 인공 장기에 대한 투자가 ~~성공적~~으로 이루어지고 있군.
　└더욱 적극적으로 투자 필요

오답 피하기

① [보기]의 내용으로는 알 수 없습니다.
② 사회적으로 장기 기증에 대한 인식이 더 높아져야 합니다.
③ 우리 몸의 면역 체계는 외부에서 이식된 장기만이 아니라 병원균이나 바이러스같이 질병을 일으키는 것을 없애는 기능을 하므로 장기 이식 문제를 해결하기 위해 면역 체계를 없애는 연구는 적절하지 않습니다.
⑤ 앞으로 인공 장기가 생체 장기를 대체할 유력한 방법이므로 투자가 더 이루어져야 합니다.

5 어휘·어법_어휘의 문맥적 의미 파악하기
'얻은'은 문맥상 '구하거나 찾아서 가진.'이라는 뜻으로 사용되었습니다. 그런데 '적중할'은 '화살 따위가 목표물에 맞을.' 또는 '예상이나 추측 또는 목표 따위에 꼭 들어맞을.'이라는 뜻이므로 바꿔 쓰기에 적절하지 않습니다. '획득할'이나 '구할'이 바꿔 쓰기에 적절합니다.

어휘력 완성　　　077쪽

1 ㉠ 소실　㉡ 노출　**2** ③　**3** ④

2 '이종(다른 종류)'과 '동종(같은 종류)'은 서로 뜻이 반대인 반의 관계입니다. ③의 '신장'과 '장기'는 '장기(내장의 여러 기관)'가 '신장'을 포함하는 상하 관계입니다.

3 밑줄 그은 부분은 조금도 방심하지 말고 철저한 실험을 거쳐야 한다는 것입니다. 따라서 잘 아는 일이라도 세심하게 주의를 하라는 뜻을 지닌 '돌다리도 두들겨 보고 건너라'라는 속담으로 표현할 수 있습니다.

1 당분, 설탕, 포도당, 권장량, 설탕 **2** ③ **3** ④ **4** ③
5 ②

해제 우리 몸은 당분을 필요로 하지만 당분을 과다하게 섭취하면 오히려 신체 이상이 생긴다는 점을 과학적으로 설명하고, 설탕 섭취량을 적절하게 조절해야 함을 당부하는 글입니다.

문단별 중심 내용

1문단	생명을 유지하는 데 필요한 당분
2문단	맛있지만 몸에는 좋지 않은 설탕
3문단	설탕이 우리 몸에 미치는 영향
4문단	설탕의 하루 섭취 권장량 초과 섭취 실태
5문단	설탕을 적절하게 섭취하기 위한 방법

글의 주제 설탕을 과다 섭취할 경우의 문제점

1 글의 구조_문단 내용 정리하기

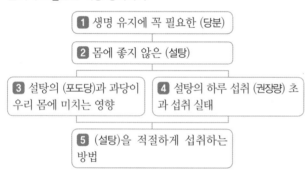

2 내용 이해_세부 정보 파악하기

3문단에 따르면, 설탕에 들어 있는 포도당은 소화 과정을 거치지 않은 채 바로 혈액 속으로 흡수됩니다. ①은 **2**문단에서, ②는 **1**문단에서, ④는 **4**문단에서, ⑤는 **3**문단에서 확인할 수 있습니다.

3 전개 방식_설명 방법 파악하기

이 글에서 두 대상을 비교하여 공통점을 강조하는 비교의 설명 방법은 사용되지 않았습니다. ①과 ②는 **4**문단에서, ③과 ⑤는 **3**문단에서 확인할 수 있습니다.

4 추론하기_세부 내용 추론하기

[보기]에 따르면, 설탕은 이당류이고 액상 과당은 단당류입니다. 단당류의 체내 흡수 속도가 이당류보다 빠릅니다. 그리고 설탕과 액상 과당의 구성 요소는 같습니다. 따라서 액상 과당을 설탕 대신 사용하면 오히려 설탕보다

건강에 좋지 않습니다.

4 이 글을 참고하여 보기 에 대해 이해한 내용으로 적절하지 않은 것은 무엇입니까? (③   )

> 보기
>
> 당분은 포도당과 과당처럼 당 분자 하나로만 구성된 단당류, 설탕이나 맥아당처럼 당 분자 두 개가 결합한 이당류, 녹말처럼 당 분자 세 개 이상이 결합한 다당류로 나누어진다. 일반적으로 단당류와 이당류에서 단맛을 쉽게 느낄 수 있으며, 단당류일수록 체내 흡수가 빠르다. 현대인이 일상생활에서 쉽게 섭취하는 당분은 설탕과 액상 과당이다. 설탕은 포도당 분자 하나와 과당 분자 하나가 같은 비율로 결합한 이당류이다. 이와 달리 액상 과당은 옥수수 녹말에서 추출한 포도당과, 이를 변환시킨 과당이 일정한 비율로 섞여 있는 단당류이다. 액상 과당은 설탕보다 가격이 저렴하고, 물에 잘 녹아서 탄산음료, 빵, 과자 등의 가공식품을 만들 때 많이 사용된다.

① 설탕보다 액상 과당이 몸속에서 더 빨리 흡수되겠군.
└ 단당류
② 액상 과당을 많이 먹으면 인슐린 분비가 촉진되겠군.
└ 당분 섭취 → 인슐린 분비
③ 건강을 위해 액상 과당을 설탕 대신 사용하면 되겠군.
└ 체내 흡수가 더 빠르므로 건강에 안 좋음.
④ 설탕을 먹지 않더라도 당분을 과다 섭취할 수 있겠군.
└ 가공식품에 액상 과당이 많음.
⑤ 액상 과당과 설탕은 모두 단맛을 내지만 원료가 다르군.
└ 옥수수 녹말 └ 사탕수수, 사탕무

5 어휘·어법_어휘의 문맥적 의미 파악하기

'초래하다(초래하여)'는 문맥상 '일의 결과로서 어떤 현상을 생겨나게 하다.'라는 뜻입니다. 따라서 '어떤 행동이나 감정 또는 상태를 일어나게 하다.'라는 뜻을 지닌 '불러오다(불러와서)'로 바꿔 쓸 수 있습니다.

1 ㉠ 당분 ㉡ 권장량 **2** (1) ㉯ (2) ㉱ (3) ㉮ **3** ①

1 단 음식을 먹고 있는 상황이므로, ㉠에는 '당분'이, ㉡에는 '건강한 생활을 위해 섭취하기를 권하는 양.'을 뜻하는 '권장량'이 알맞습니다.

3 [보기]는 당분은 우리 몸에 꼭 필요하지만 과다하게 섭취할 때는 오히려 신체 기능에 이상을 초래한다는 내용입니다. 즉 너무 많이 섭취해도 안 되며, 너무 적게 섭취해도 안 됩니다. 따라서 이를 나타내기에는 정도를 지나침은 미치지 못함과 같다는 뜻의 '과유불급'이 적절합니다.

과학 03 물의 중요성과 물맛 082~084쪽

1 물, 몸, 물, 무기 염류, 온도 **2** ⑤ **3** ④ **4** ⑤
5 ③

해제 우리 몸의 많은 부분이 물로 구성되어 있다는 것을
바탕으로 물의 중요성을 강조하고 물맛은 물의 온도와 물속
에 함유된 무기 염류에 따라 달라진다는 점을 설명하는 글
입니다.

문단별 중심 내용

가문단	생명을 유지하는 데 필수적인 물
나문단	우리 몸에서 물이 차지하는 비율과 물의 역할
다문단	물을 중요하게 여기는 사람들
라문단	물맛을 좌우하는 무기 염류
마문단	물맛을 좌우하는 물의 온도

글의 주제 물의 중요성과 물맛을 결정하는 요소

---

1 글의 구조_문단 내용 정리하기

2 내용 이해_세부 정보 파악하기
마문단에 따르면, 일반적으로 사람의 체온과 가까운
35~45도의 물을 가장 맛이 없다고 느낍니다. ①과 ②는
나문단에서, ③은 **마**문단에서, ④는 **라**문단에서 확인할
수 있습니다.

3 전개 방식_문단별 서술 방식 파악하기
라문단에서는 무기 염류의 성분을 분석한 것이 아니라
물맛을 결정하는 핵심 요소 두 가지 중 첫 번째로 무기
염류를 제시하였습니다.

4 적용하기_다른 상황에 적용하기
[보기]의 내용은 우리 몸에 물이 부족해지면 기분이 우울
해지기도 하며, 물을 충분하게 마시면 스트레스 해소에도
도움이 된다는 내용입니다. 따라서 [보기]를 활용하여 물
은 신체적인 부분뿐만 아니라 정신적인 부분에도 영향을
끼친다는 내용을 추가하는 것이 적절합니다.

? 문제 돋보기

4 보기 를 활용하여 이 글을 보완할 방안으로 가장 적절한 것은 무
엇입니까? (⑤)

보기

　몸에 물이 부족해지면 몸의 신진대사가 원활하게 이루
어지지 않아 몸이 나른해지는 느낌이 들면서 기분이 우
울해지기도 한다. 따라서 괜히 우울하거나 짜증이 날 때
는 물을 두세 잔 천천히 마시면 편안한 마음을 되찾을 수
있다. 물을 충분하게 마시면 불안 증상이나 스트레스를
해소하는 데에도 도움이 된다. └정신적인 부분에도 영향

① 물에도 우리 몸에 필요한 영양소가 들어 있다는 내용을 추
가한다. └알 수 없음.
② 물은 건강을 유지하는 데 중요한 역할을 한다는 내용을 추
가한다. └이미 나와 있음.
③ 불순물이 섞여 있지 않은 깨끗한 물을 마셔야 한다는 내용
을 추가한다. └이미 나와 있음.
④ 카페인이 든 음료수보다 물이 집중력 향상에 더 좋다는 내
용을 추가한다. └알 수 없음.
⑤ 물은 신체적인 부분만이 아니라 정신적인 부분에도 영향
을 끼친다는 내용을 추가한다. └불안 증상이나 스트레스 해소

---

5 어휘·어법_어휘의 사전적 의미 파악하기
㉠은 '어떤 상태나 현상을 그대로 이어 가거나 계속하는
것.'이라는 뜻입니다. 그러나 ③에 쓰인 '유지'는 '어떤 지
역에서 이름 있고 영향력을 가진 사람.'이라는 뜻입니다.

어휘력 완성 ───── 085쪽

1 ㉠ 일상적 ㉡ 매개체 **2** ⑤ **3** ②

---

1 평범한 옛날 사진을 보면서 추억을 떠올리는 상황이므로
㉠에는 '날마다 볼 수 있는.'을 뜻하는 '일상적'이, ㉡에는
'둘 사이에서 어떤 일을 맺어 주는 것.'을 뜻하는 '매개체'
가 들어가는 것이 알맞습니다.

2 '늘'은 '계속하여 언제나.'라는 뜻이므로, '언제나 변함없
이.'라는 뜻을 지닌 '항상'과 뜻이 비슷하여 바꿔 쓸 수 있
습니다.

3 밑줄 그은 부분은 주변 환경의 중요성을 강조하고 있습니
다. 따라서 먹을 가까이하는 사람은 검어진다는 뜻으로,
나쁜 사람과 가까이 지내면 나쁜 버릇에 물들기 쉬움을
비유적으로 이르는 말인 '근묵자흑'으로 표현할 수 있습니
다.

살아 있는 지구, 가이아 이론 086~088쪽

1 가이아 이론, 항상성, 공격, 생태계 **2** ④ **3** ⑤ **4** ②
5 ①

해제 지구를 거대한 하나의 생명체로 보고, 다른 생명체와 마찬가지로 지구 또한 항상성을 유지하기 위해 스스로 노력한다는 가이아 이론에 대해 설명하는 글입니다.

문단별 중심 내용

1문단	지구를 생명체로 보는 가이아 이론
2문단	항상성을 갖고 있는 지구
3문단	항상성을 위협하는 존재를 공격하는 지구
4문단	가이아 이론의 의의

글의 주제 지구를 하나의 생명체로 보는 가이아 이론

1 글의 구조_문단 내용 정리하기

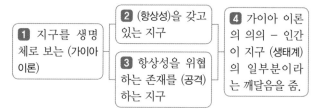

2 내용 이해_세부 정보 파악하기
2문단에 따르면, 지구의 항상성을 유지하기 위한 활동은 인간만이 아니라 지구에 존재하는 모든 생물들에 의해 자연스럽게 이루어집니다. ①, ②는 **1**문단에서, ③은 **3**문단에서, ⑤는 **2**문단에서 확인할 수 있습니다.

3 전개 방식_설명 방식 파악하기
이 글은 가이아 이론이나 항상성 같은 비교적 어려운 개념을 거대한 나무와 사람의 몸에 빗대면서 쉽게 설명하고 있습니다.

4 비판하기_외부 자료를 바탕으로 비판하기
[보기]는 지진이나 급격한 날씨 변화 같은 대규모 자연 현상은 인간과 상관없이 꾸준히 발생하였으며, 그런 자연 현상이 오히려 지구상에 존재하는 생명체들의 생존과 번성에 불리한 환경을 만들었다는 내용입니다. 따라서 이를 활용하여 지구 환경이 급격하게 변한 원인이 인간의 잘못이라고 보는 가이아 이론은 과장된 측면이 있다고 비판할 수 있습니다.

4 보기 를 참고하여 이 글을 비판하려고 할 때, 가장 적절한 내용은 무엇입니까? (②)

보기
> 과학 연구에 따르면, 지진이나 화산 폭발, 빙하기 같은 급격한 기후 변화 등의 수많은 자연 현상들은 인류와 아무런 관계없이 수십억 년 동안 꾸준히 발생했으며, 인류가 지구에 나타나기 전에도 이런 현상은 있었다. 또한 이런 자연 현상들이 지구 생태계에 긍정적인 영향을 끼쳤다고 볼 만한 근거가 없다. 지진, 화산 폭발, 빙하기 등은 오히려 생명체들의 생존과 번성에 불리한 환경을 만들어 지구에 사는 많은 생물들을 멸종시켰다.

① 인간의 이기적인 행태가 ✕ 계속되면 지구 전체의 생물들이 멸종될 수도 있다. └─가이아 이론의 주장

② 인간의 잘못으로 지구 환경이 급격하게 변했다는 주장은 과장된 측면이 있다.

③ 지구는 지구상에 존재하는 모든 생물들이 서로 ✕ 영향을 미치며 살아가는 공간이다. └─가이아 이론의 주장

④ 지구에서 일어나는 대규모의 자연 현상은 잘못된 ✕ 생태계를 바로잡는 계기가 된다. └─글과 일치 ✕

⑤ 인간은 높은 지능 ✕ 으로 인해 짧은 시간에 지구의 모든 것을 지배하는 존재가 되었다. └─알 수 없음.

5 어휘·어법_속담으로 표현하기
㉠은 인간의 이기적인 행위가 결국은 인간을 해치는 결과로 돌아올 수 있다는 뜻입니다. 따라서 '누워서 침 뱉기'라는 속담으로 표현할 수 있습니다. '누워서 침 뱉기'는 하늘을 향하여 침을 뱉어 보아야 자기 얼굴에 떨어진다는 뜻으로, '자기에게 해가 돌아올 짓을 함.'을 비유적으로 이르는 속담입니다.

어휘력 완성 ──────── 089쪽

1 (1) ④ (2) ㉮ ③ ㉰ **2** ② **3** ③

2 밑줄 그은 부분은 지구의 항상성을 유지하기 위해 지구에 존재하는 생물들이 자연스럽게 상호 작용한다는 내용이므로 '유기적'이라는 말과 서로 통합니다. '유기적'은 '생물체처럼 전체를 구성하고 있는 각 부분이 서로 밀접하게 관련을 가지고 있어서 떼어 낼 수 없는. 또는 그런 것.'이라는 뜻입니다.

3 '순망치한'은 서로 이해관계가 밀접한 사이에 어느 한쪽이 망하면 다른 한쪽도 그 영향을 받아 온전하기 어려움을 이르는 한자성어이므로 빈칸에 들어가기에 가장 적절합니다.

1 모천회귀, 유전적, 냄새, 방향 **2** ① **3** ② **4** ③
5 ③

해제 유전적 본능, 냄새의 기억, 방향 탐지 능력 등 연어가 태어난 곳으로 정확하게 되돌아올 수 있는 이유를 다양한 주장을 언급하며 설명하는 글입니다.

문단별 중심 내용

1문단	연어가 모천회귀를 하는 까닭
2문단	유전적인 본능이라는 주장
3문단	태어난 강의 냄새를 기억한다는 주장
4문단	방향 탐지 능력을 지니고 있다는 주장
5문단	그 외 연어의 모천회귀에 대한 다양한 주장

글의 주제 연어의 모천회귀에 대한 다양한 주장

---

1 글의 구조_문단 내용 정리하기

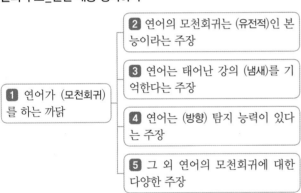

2 내용 이해_세부 정보 파악하기

1 문단에 따르면, 연어는 모천으로 돌아오기 위해 민물에 들어서면서부터는 일체의 먹이 활동을 중단합니다. ②는 **5** 문단에서, ③은 **3** 문단에서, ④는 **1** 문단에서, ⑤는 **2** 문단에서 확인할 수 있습니다.

3 전개 방식_설명 방법 파악하기

1 문단에서 연어의 모천회귀를 소개한 뒤, **2** ~ **5** 문단에서 연어가 모천회귀를 할 수 있는 까닭에 관한 다양한 주장을 나열하고 있습니다.

4 적용하기_구체적인 상황에 적용하기

1 문단에 따르면, 모천으로 돌아온 연어는 알을 낳은 뒤 죽습니다. 따라서 방류한 연어도 남대천으로 돌아온 뒤에 알을 낳고 죽을 것입니다.

---

4 이 글을 읽은 학생이 보기 에 대해 보인 반응으로 적절하지 않은 것은 무엇입니까? (③)

> **보기**
>
> 우리나라 강원도 양양의 남대천에서는 매년 이른 봄에 갓 태어난 어린 연어를 방류하는 행사를 벌인다. 어린 연어는 이곳에서 잡은 연어의 알을 기른 것이다. 세상 밖으로 나간 어린 연어들은 강을 타고 바다로 나아가 먼바다를 떠돌며 지내다가 다 자란 뒤에 다시 남대천으로 거슬러 돌아온다. └모천회귀

① 남대천으로 돌아오기를 기대하면서 어린 연어를 방류하는 것이겠군.
② 어린 연어는 먼바다로 나아가서 살다가 3~4년쯤 지난 후에 돌아오겠군.
③ 남대천으로 돌아온 연어는 알을 낳은 뒤에 다시 먼바다로 되돌아가겠군. └알을 낳은 뒤 죽음
④ 방류된 연어는 부모 세대의 연어와 비슷한 시기에 남대천으로 돌아오겠군.
⑤ 먼바다에서 살던 연어는 알을 낳기 위해서 남대천으로 돌아오는 것이겠군.

---

5 어휘·어법_어휘의 사전적 의미 파악하기

㉠과 ③의 '돌아오다(돌아왔으면)'는 모두 '떠났다가 본래 자리로 다시 오다.'라는 뜻으로 사용되었습니다.

오답 피하기

① '먼 쪽으로 둘러서 오다.'라는 뜻으로 사용되었습니다.
② '무엇을 할 차례가 되다.'라는 뜻으로 사용되었습니다.
④ '어떤 장소를 끼고 원을 그리듯이 방향을 바꿔 움직여 오다.'라는 뜻으로 사용되었습니다.
⑤ '본래의 상태로 회복되다.'라는 뜻으로 사용되었습니다.

어휘력 완성 ─── 093쪽

1 ② **2** ③ **3** ②

---

1 연어가 태어났던 곳으로 돌아가는 상황이므로 '멀리 떠나 있다가 본래의 자리로 돌아옴.'을 뜻하는 '회귀'가 알맞습니다.

2 ㉠과 ③의 '녹다'는 모두 '결정체 따위가 액체 속에서 풀어져 섞이다.'라는 뜻으로 사용되었습니다.

3 상처투성이가 되면서 태어난 곳을 찾아 가는 연어들의 상황은 '몹시 견디기 어려울 정도로 고통스러움.'이라는 뜻을 지닌 '뼈를 깎다'로 표현할 수 있습니다.

1 파동, 파장, 산란, 하늘   **2** ④   **3** ②   **4** ②   **5** ①

해제 파동을 지니면서 일정한 속도로 직진하는 빛이 입자를 만나 산란하면서 우리가 대상의 형태와 색깔을 인식하게 된다는 것을 예를 들며 설명하는 글입니다.

문단별 중심 내용

1문단	파동의 개념
2문단	빛의 속성과 파장
3문단	빛의 산란과 색을 인식하는 원리
4문단	빛의 산란에 따른 하늘 색의 변화

글의 주제 빛의 산란과 그로 인해 나타나는 현상

1 글의 구조_문단 내용 정리하기

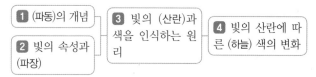

1 (파동)의 개념   **3** 빛의 (산란)과 색을 인식하는 원리   **4** 빛의 산란에 따른 (하늘) 색의 변화

2 빛의 속성과 (파장)

2 내용 이해_세부 정보 파악하기

2문단에 따르면, 우리가 무지개의 색으로 알고 있는 '빨주노초파남보'가 가시광선을 구성하고 있는 색들입니다.

오답 피하기

① 빛은 파동을 지니면서 일정한 속도로 직진합니다.
② 인간은 가시광선만 눈으로 볼 수 있습니다.
③ 직진하던 빛이 입자에 부딪히면 여러 방향으로 흩어집니다.
⑤ 파장이 짧은 빛일수록 산란이 잘 일어납니다.

3 전개 방식_서술 방식 파악하기

2문단에서 빛이 적외선, 가시광선, 자외선으로 나뉜다고 하였지만 가시광선의 특징만을 설명하였습니다.

오답 피하기

① **2**문단에서 파동을 시각 자료로 제시하였습니다.
③ 붉은색 옷이 붉은색으로 보이는 예를 들어 빛의 산란을 설명하였습니다.
④ 파도타기 응원에 빗대어서 파동의 개념을 설명하였습니다.
⑤ **4**문단에서 한낮의 하늘 색과 해가 뜨고 질 때의 하늘 색이 다른 것을 대비하여 빛의 파장과 산란의 관계를 설명하였습니다.

4 적용하기_구체적인 상황에 적용하기

파장이 짧을수록 산란이 잘 일어나는데, 붉은색 계열은 파장이 길어서 상대적으로 먼 곳까지 도달합니다. 이는 가시광선의 색깔들 중에서 붉은색 계열의 신호나 기호를 가장 멀리에서 볼 수 있다는 뜻입니다.

❓ 문제 돋보기

4 이 글을 참고할 때, 보기 에 대한 반응으로 가장 적절한 것은 무엇입니까? (②)

보기

교통 신호등에서 붉은색은 정지 신호이다. 즉, 멈추지 않으면 위험하다는 것을 알리는 것이다. 이처럼 위험을 알리는 신호나 기호는 대개 붉은색으로 표시한다. 이는 붉은색이 피를 연상하게 해 대부분의 사람들이 심리적으로 경계하기 때문이다. 붉은색을 금지나 경고의 의미를 담은 신호나 기호에 사용하는 것은 과학적으로는 빛의 파장과 관련이 있다.

① 붉은색 계열의 빛이 공기 중에서 다른 색보다 ~~빨리~~ 산란되기 때문이군. └파장이 김. → 적게 산란함.
② 붉은색 계열의 파장이 다른 색보다 (길어) 멀리서도 잘 보이기 때문이군.
③ 사람들이 다른 색에 비해 ~~익숙한~~ 붉은색 계열을 더 선호하기 때문이군. └경계함.
④ 붉은색 계열이 신호나 기호의 모양을 다른 ~~색~~보다 잘 드러내기 때문이군. └알 수 없음.
⑤ 붉은색 계열의 빛이 다른~~색~~과 달리 파동을 지니면서 직진하기 때문이군. └모든 빛은 파동을 지니면서 직진

5 어휘·어법_어휘의 사전적 의미 파악하기

㉠의 '이르다'는 문맥상 '어떤 장소나 시간에 닿다.'라는 뜻입니다.

어휘력 완성   097쪽

1 ㉠ 일출 ㉡ 일몰   **2** ①   **3** ⑤

1 '해가 뜸.'이라는 뜻을 지닌 낱말은 '일출'이고, '해가 짐.'이라는 뜻을 지닌 낱말은 '일몰'입니다.

2 '산란'은 빛이 직진하다가 물질과 부딪혀서 반사되어 흩어지는 것입니다. 따라서 '빨아서 거두어들임.'이라는 뜻을 지닌 '흡수'가 반대되는 낱말로 적절합니다.

3 ㉮의 '부딪히다'는 문맥상 '무엇과 무엇이 힘 있게 마주 닿게 되거나 마주 대게 되다.'라는 뜻으로 사용되었는데, ⑤의 '부딪히다'는 문맥상 '예상치 못한 일이나 상황 따위에 직면하게 되다.'라는 뜻으로 사용되었습니다.

하이브리드 자동차

1 자동차, 친환경, 하이브리드, 전기 모터, 하이브리드
2 ① **3** ③ **4** ③ **5** ②

해제 수소 자동차와 전기 자동차의 현실적인 한계를 제시한 뒤 현재로서는 두 가지 동력원을 함께 사용하는 하이브리드 자동차가 환경 보호를 위한 대안이 될 수 있음을 설명하는 글입니다.

문단별 중심 내용

1문단	자동차로 인한 대기 오염과 자원 고갈 문제
2문단	친환경 자동차 개발
3문단	현실적 대안인 하이브리드 자동차
4문단	하이브리드 자동차의 엔진과 전기 모터 사용 원리
5문단	하이드리드 자동차의 장단점

글의 주제 하이브리드 자동차의 원리와 효과

---

1 글의 구조_문단 내용 정리하기

1 (자동차)로 인한 대기 오염과 자원 고갈 문제
2 (친환경) 자동차 개발 – 전기 자동차, 수소 자동차
3 현실적인 대안인 (하이브리드) 자동차
4 하이브리드 자동차의 엔진과 (전기 모터) 사용 원리
5 (하이브리드) 자동차의 장단점

2 내용 이해_세부 정보 파악하기

하이브리드 자동차는 엔진과 전기 모터를 함께 사용합니다. **4**문단에 따르면, 하이브리드 자동차에서 전기 모터는 엔진을 보조하는 용도로 사용됩니다. 따라서 전기 모터를 주 동력원으로 사용한다는 설명은 적절하지 않습니다. ②는 **3**문단에서, ③은 **2**, **5**문단에서, ④는 **1**문단에서, ⑤는 **5**문단에서 확인할 수 있습니다.

3 전개 방식_서술 방식 파악하기

분류는 객관적인 기준에 따라 대상을 나누는 설명 방법입니다. 이 글에서 하이브리드 자동차를 분류하고 있지는 않습니다. ①은 **4**문단에서, ②는 **1**문단과 **2**문단에서, ④는 **3**문단에서, ⑤는 **5**문단에서 확인할 수 있습니다.

4 적용하기_시각 자료에 적용하기

4문단에 따르면, 출발하거나 속도를 높일 때, 추월할 때와 같이 많은 동력이 필요할 때는 엔진과 전기 모터를 동

시에 사용합니다. 가속은 속도를 높이는 것이므로 엔진과 전기 모터를 모두 사용하게 됩니다.

? 문제 돋보기

4 이 글을 읽은 학생이 보기 를 보고 한 생각으로 적절한 것은 무엇입니까? (③)

보기

하이브리드 자동차의 운행 과정

㉮ 시동 → ㉯ 출발 및 가속 → ㉰ 정속 → ㉱ 감속

① ㉮에서는 <s>전기 모터</s>만을 사용하였겠군. ┌엔진만 사용
② ㉯의 출발 시에는 <s>엔진</s>만을 사용하였겠군. ┌엔진과 전기 모터
③ ㉯의 가속 시에는 <u>엔진과 전기 모터</u>를 모두 사용하였겠군.
④ ㉰에서는 엔진과 <s>전기 모터</s>를 모두 사용하였겠군.
⑤ ㉱에서는 엔진을 <s>정지</s>하고 배터리를 충전하겠군. ┌엔진만 사용

오답 피하기

① 시동을 걸 때는 엔진만 사용합니다.
② 출발 시에는 자동차의 엔진과 전기 모터를 모두 사용합니다.
④ 일정한 속도로 달릴 때는 자동차의 엔진만 사용합니다.
⑤ 감속할 때는 엔진의 남는 에너지를 이용하여 배터리를 충전합니다. 이때 엔진을 정지하지는 않습니다.

5 어휘·어법_속담으로 표현하기

㉠은 하이브리드 자동차가 여러모로 장점을 지니고 있다는 것을 설명하고 있습니다. '병 주고 약 준다'는 남을 해치고 나서 약을 주며 그를 구원하는 체한다는 뜻으로, 교활하고 음흉한 자의 행동을 비유적으로 이르는 속담이므로 ㉠을 표현하기에 적절하지 않습니다.

어휘력 완성

1 ③ **2** ② **3** ⑤

2 '감소'와 '증가'는 서로 뜻이 반대되는 반의 관계입니다. '수송(기차나 자동차, 배, 항공기 따위로 사람이나 물건을 실어 옮김.)'과 '운송(사람을 태워 보내거나 물건 따위를 실어 보냄.)'은 서로 뜻이 비슷한 유의 관계입니다. ①, ③, ④, ⑤는 모두 반의 관계입니다.

3 나라에서 시행되는 정책을 따르고 있다는 뜻이므로 '함께 일을 하는 데에 마음이나 의견, 행동 방식 등을 서로 맞게 하여.'의 뜻인 '손발을 맞추어'가 알맞습니다.

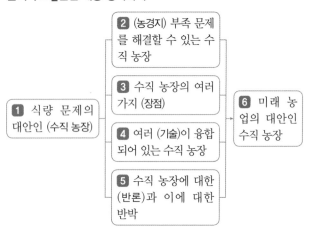

기술 02 새로운 농업, 수직 농장 106~108쪽

1 수직 농장, 농경지, 장점, 기술, 반론 **2** ⑤ **3** ④
4 ① **5** ②

해제 수직 농장이 인류의 식량 문제를 해결할 수 있는 대안임을 제시한 뒤 수직 농장에 사용되는 기술과 수직 농장의 장점을 구체적으로 설명하는 글입니다.

문단별 중심 내용

1문단	식량 문제를 해결할 수 있는 수직 농장
2문단	공간 활용도가 매우 높은 수직 농장
3문단	수직 농장의 여러 가지 장점
4문단	수직 농장에 활용되는 기술들
5문단	수직 농장에 대한 반론과 이에 대한 반박
6문단	미래 농업의 대안인 수직 농장

글의 주제 수직 농장의 개념 및 장점

---

1 글의 구조_문단 내용 정리하기

2 (농경지) 부족 문제를 해결할 수 있는 수직 농장

3 수직 농장의 여러 가지 (장점)

1 식량 문제의 대안인 (수직 농장)

4 여러 (기술)이 융합되어 있는 수직 농장

6 미래 농업의 대안인 수직 농장

5 수직 농장에 대한 (반론)과 이에 대한 반박

2 내용 이해_중심 내용 파악하기

이 글에서 수직 농장의 한계는 언급하지 않았습니다. **5**문단에서 '경제성이 떨어진다'고 언급한 것은 수직 농장을 부정적으로 보는 사람들의 의견이지만, 글쓴이는 사례를 들어 이를 반박하고 있습니다. ①은 **1**문단에서, ②는 **4**문단에서, ③은 **1**문단과 **6**문단에서, ④는 **2**문단과 **3**문단에서 확인할 수 있습니다.

3 내용 이해_세부 정보 파악하기

4문단에 따르면, 수직 농장의 원리를 이용하여 가정에서 직접 소규모로 채소를 길러 먹을 수 있는 식물 재배기가 개발되었지만 수직 농장의 목표가 각 가정에서 농작물을 직접 길러 먹는 것은 아닙니다.

---

4 추론하기_외부 자료를 바탕으로 추론하기

한 수직 농장의 사례를 들어 수직 농장의 생산성이 높다는 주장을 뒷받침하는 방법으로 예상되는 반론을 반박하고 있습니다.

❓ 문제 돋보기

4 <u>보기</u>를 참고할 때, [가]에서 사용된 반박 전략으로 가장 적절한 것은 무엇입니까? (①)

> **보기**
>
> 상대방을 설득하는 전략에는 이성적 설득, 감성적 설득, 인성적 설득 등이 있다. 이성적 설득은 논리적인 방법으로 주장을 뒷받침하는 전략으로, 전문가의 의견이나 통계 자료를 인용하거나, 연역이나 귀납 같은 논증 방법 등을 활용하는 것이 대표적이다. 감성적 설득은 상대방의 감정에 호소하여 마음을 움직이는 전략으로, 유머를 사용하여 즐거움을 주거나 동정심, 자긍심, 공포심 같은 특정 감정을 이끌어 내는 방법이 대표적이다. 마지막으로 인성적 설득은 글쓴이의 사람 됨됨이를 강조하여 내용에 신뢰감을 갖게 하는 전략으로, 글쓴이의 도덕성이나 사회성, 평가, 전문성 등을 부각하는 것이 대표적이다.

① ~~구체적인 사례~~를 들어 주장을 뒷받침하는 이성적 설득 전략을 쓰고 있다. └─ 한 수직 농장의 사례를 제시함.
② ~~전문가의 의견~~을 인용하여 주장을 강화하는 이성적 설득 전략을 쓰고 있다.
③ ~~부정적 상황~~을 언급하며 공포심을 자극하는 감성적 설득 전략을 쓰고 있다.
④ 통계 자료를 활용하여 상대의 마음을 움직이는 ~~감성적 설득~~ 전략을 쓰고 있다.
⑤ ~~글쓴이의 전문성~~을 부각하여 신뢰를 갖게 하는 인성적 설득 전략을 쓰고 있다.

---

5 어휘·어법_어휘의 사전적 의미 파악하기

㉠은 문맥상 '한 제품이 완성되기까지 거쳐야 하는 하나하나의 작업 단계.'라는 뜻입니다. ②의 '공정'도 같은 뜻으로 사용되었습니다.

어휘력 완성 ──────── 109쪽

1 (1) ㉮ (2) ㉰ (3) ㉯ **2** ③ **3** ⑤

2 '개간(거친 땅이나 버려 둔 땅을 일구어 논밭이나 쓸모 있는 땅으로 만듦.)'과 '개척(거친 땅을 일구어 논이나 밭과 같이 쓸모 있는 땅으로 만듦.)'은 서로 뜻이 유사한 유의 관계입니다. '수직'과 '수평'은 서로 뜻이 반대인 반의 관계입니다.

디지털 발자국의 양면성 110~112쪽

1 디지털 발자국, 유용, 악용, 제도적, 개인적 **2** ②

3 ③ **4** ⑤ **5** ③

해제 디지털 발자국의 개념과 특징을 제시한 뒤, 디지털 발자국이 지닌 긍정적인 면과 부정적인 면, 예방 방안 등을 예를 들어 설명하는 글입니다.

문단별 중심 내용

1문단	디지털 발자국의 개념 및 특징
2문단	디지털 발자국을 유용하게 사용하는 사례
3문단	디지털 발자국을 악용하는 사례
4문단	디지털 발자국의 악용을 막기 위한 제도적 해결 방법
5문단	디지털 발자국의 악용을 막기 위한 개인적 해결 방법

글의 주제 디지털 발자국의 양면성

1 글의 구조_문단 내용 정리하기

1 (디지털 발자국)의 뜻과 특징

2 디지털 발자국을 (유용)하게 사용하는 사례

3 디지털 발자국을 (악용)하는 사례

4 (제도적) 차원의 해결 방법

5 (개인적) 차원의 해결 방법

2 내용 이해_세부 정보 파악하기

디지털 발자국은 인터넷을 이용하는 과정에서 자연스럽게 생기는 흔적이므로 이용자가 필요에 따라 만들거나 지울 수 없습니다. ①은 **3**문단에서, ③은 **2**문단에서, ④는 **1**문단에서, ⑤는 **2**문단에서 확인할 수 있습니다.

3 전개 방식_서술 방식 파악하기

이 글에서 전문가의 말을 인용하는 부분은 찾을 수 없습니다. ①은 **1**문단에서, ②는 **2**문단과 **3**문단에서, ④는 **1**문단에서, ⑤는 **4**문단과 **5**문단에서 확인할 수 있습니다.

4 적용하기_구체적인 상황에 적용하기

자신에게 도움이 될 만한 정보만 골라서 올리는 것이 아니라 개인 정보나 사생활이 노출될 수 있는 자료는 올리지 말아야 합니다. 자신에게 도움이 될 만한 정보라도 거기에 개인 정보가 담겨 있을 수 있기 때문입니다.

---

4 이 글을 참고할 때, 보기 에 대해 보일 수 있는 반응으로 적절하지 않은 것은 무엇입니까? (⑤)

보기

미국의 한 인터넷 보안 회사가 발표한 보고서에 따르면, 미국 내 어린이의 92%가 두 살 때부터 디지털 발자국을 가지는 것으로 나타났다. 어릴 때는 부모들이 아이들이 성장하는 모습을 누리 소통망에 올리고, 아이들이 성장하고 나서는 아이들 스스로 자신의 일상을 올리는 것이다. 그런데 전문가들은 이런 디지털 발자국으로 인해 <u>아이들이 범죄에 노출되거나 친구들로부터 따돌림을 당할 수도 있다</u>는 경고를 하고 있다. 이런 위험은 성인이 되어도 여전하다. 누리 소통망에 올라간 사진에는 이름은 물론 사는 곳과 사소한 일정 등 <u>엄청난 양의 개인 정보</u>가 담겨 있기 때문이다.

① 어릴 때 올린 사진 때문에 취업할 때 불이익을 받을 수도 있겠군.
└ **3**문단

② 별생각 없이 올린 사진 하나 때문에 범죄의 대상이 될 수도 있겠군.
└ **3**, **5**문단

③ 청소년뿐만 아니라 어른에게도 디지털 발자국의 위험성을 알려야겠군.
└ 아이들의 성장 모습을 올리는 어른들

④ 개인 정보가 드러나는 자료는 누리 소통망에 올리지 않도록 조심해야겠군.

⑤ 누리 소통망에는 나중에 자신에게 도움이 될 만한 정보만 골라서 올려야겠군.
└ 도움이 되더라도 개인 정보가 드러나면 안 됨.

5 어휘·어법_어휘의 문맥적 의미 파악하기

'흔적'은 '어떤 현상이나 실체가 없어졌거나 지나간 뒤에 남은 자국이나 자취.'라는 뜻입니다. 따라서 '자취'로 바꾸어 쓸 수 있습니다. '자취'는 '남아 있는 흔적.'이라는 뜻입니다.

어휘력 완성 ─── 113쪽

1 ② **2** (1) ㉮ (2) ㉰ (3) ㉯ **3** ③

1 개인 정보가 범죄에 나쁘게 이용될 수 있다는 말을 하고 있으므로 '나쁜 데에 쓰임.'을 뜻하는 '악용'이 알맞습니다.

3 밑줄 그은 부분은 이미 일이 벌어지고 난 뒤에는 후회해도 소용없다는 뜻이므로 '소 잃고 외양간 고친다'라는 속담으로 표현할 수 있습니다. 이 속담은 소를 도둑맞은 다음에서야 빈 외양간의 허물어진 데를 고치느라 수선을 떤다는 뜻으로, 일이 이미 잘못된 뒤에는 손을 써도 소용이 없음을 비꼬는 말입니다.

1 로봇세, 찬성, 반대, 로봇세 **2** ② **3** ④ **4** ⑤ **5** ②

해제 로봇세가 등장하게 된 배경을 제시한 뒤, 로봇세를 도입하여 실업 문제를 해결하는 비용으로 사용해야 한다는 찬성 주장과 로봇세는 산업 발전을 가로막을 것이라는 반대 주장을 각각 보여 주는 글입니다.

문단별 중심 내용

1문단	로봇세 도입 문제가 등장한 배경
2문단	로봇세 도입을 찬성하는 사람들의 주장
3문단	로봇세 도입을 반대하는 사람들의 주장
4문단	로봇세에 대한 사회적 논의의 필요성

글의 주제 로봇세에 대한 찬반 양론

1 글의 구조_문단 내용 정리하기

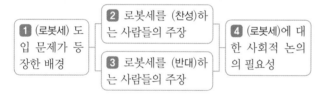

2 내용 이해_세부 정보 파악하기

1문단과 **4**문단에 따르면, 로봇세는 아직 도입되지 않았으며 도입 여부를 두고 찬성과 반대 견해가 팽팽하게 대립하고 있는 상황입니다. ①은 **2**문단에서, ③은 **2**문단과 **4**문단에서, ④는 **3**문단에서, ⑤는 **1**문단에서 확인할 수 있습니다.

3 전개 방식_서술 방식 파악하기

이 글의 중심 화제는 로봇세 도입입니다. 그러나 시간의 경과에 따른 로봇세의 변화 양상은 나타나지 않습니다. ①, ②는 **1**문단에서, ③은 **3**문단에서, ⑤는 **2**문단과 **3**문단에서 확인할 수 있습니다.

4 추론하기_외부 자료를 바탕으로 추론하기

[보기]는 기계를 파괴하면 자신들의 일자리를 지킬 수 있을 것으로 생각한 노동자들이 기계를 파괴하는 운동을 벌였지만 결국 소용이 없었음을 보여 주는 사례입니다. 따라서 로봇의 발전을 받아들이고 이로 인해 실업을 겪은 사람들이 새 직업을 구할 수 있도록 교육하거나 지원해야 한다는 주장이 가장 적절합니다.

4 이 글과 **보기**를 통해 이끌어 낼 수 있는 주장으로 가장 적절한 것은 무엇입니까? (⑤)

보기

18세기 말부터 19세기 초까지 영국의 노동자들이 공장의 기계를 파괴하는 운동을 벌였다. 당시 영국에는 기계를 중심으로 하는 산업 혁명이 한창 진행되고 있었다. 이 때문에 공장에서 기계를 도입하면서 노동자들을 해고하는 경우가 많았다. 이런 상황에 불만을 지닌 노동자들이 자신들의 일자리를 빼앗는 기계를 파괴하기 시작한 것이다. 이를 '러다이트 운동'이라고 한다. 하지만 결국 기계의 발전과 그로 인한 일자리 대체를 막을 수는 없었다.

① 빨리 로봇세를 도입하여 회사가 로봇 대신 사람을 고용하도록 해야 한다. └ 일자리 대체 막을 수 ×

② 로봇 기술이 발전하는 속도를 늦추어서 우리가 대응할 시간을 벌어야 한다. └ 늦춘다고 해결 ×

③ 국가적 차원에서 첨단 기술인 로봇의 개발을 지원하는 제도를 마련해야 한다. └ 실업 문제를 해결해야 함.

④ 로봇과 관련해서 새로 생기는 일자리가 없어지는 일자리보다 많아지도록 해야 한다. ─ 불가능

⑤ 로봇의 발전을 수용하고 실업자들에게 새 직업을 구할 수 있는 교육을 제공해야 한다. └ 발전을 막을 수는 없음.

5 어휘·어법_한자성어로 표현하기

로봇세를 반대하는 사람들은 로봇세를 도입할 경우 그것으로 얻는 이익보다 손해가 더 클 것이라고 주장합니다. 따라서 '작은 것을 탐하다가 큰 것을 잃음.'이라는 뜻인 '소탐대실'로 표현할 수 있습니다.

어휘력 완성 ──────── 117쪽

1 ④ **2** (1) ④ (2) ④ (3) ② **3** ③

1 ㉠과 ④에서 '뜨겁다'는 모두 '감정이나 열정 따위가 격렬하다.'라는 뜻으로 사용되었습니다.

오답 피하기

①, ③ '뜨겁다'가 '손이나 몸에 상당한 자극을 느낄 정도로 온도가 높다.'라는 뜻으로 사용되었습니다.

② '뜨겁다'가 '사람의 몸이 정상보다 열이 높다.'라는 뜻으로 사용되었습니다.

⑤ '뜨겁다'가 '무안하거나 부끄러워 얼굴이 몹시 화끈하다.'라는 뜻으로 사용되었습니다.

3 로봇 두세 대만으로 대부분의 일을 처리할 정도라고 하였으므로, '일처리가 빠르다.'라는 뜻의 '손이 빠르다'가 알맞습니다.

날개 없는 선풍기의 원리 118~120쪽

1 선풍기, 날개, 날개, 받침대, 고리 **2** ③ **3** ① **4** ④
5 ①

해제 일반 선풍기의 원리와 문제점을 제시한 뒤, 날개를 없애 일반 선풍기의 문제점을 해결한 '날개 없는 선풍기'의 작동 원리를 설명하는 글입니다.

문단별 중심 내용

1문단	더위를 식혀 주는 선풍기
2문단	일반 선풍기 날개의 문제점
3문단	일반 선풍기의 문제를 해결한 날개 없는 선풍기
4문단	날개 없는 선풍기의 받침대의 기능
5문단	날개 없는 선풍기의 둥근 고리의 기능

글의 주제 날개 없는 선풍기의 작동 원리

---

1 글의 구조_문단 내용 정리하기

2 내용 이해_중심 내용 파악하기

이 글의 **2**문단에 일반 선풍기의 문제점은 제시되어 있지만 날개 없는 선풍기의 문제점은 언급되지 않았습니다. ①은 **4**문단에서, ②는 **3**문단에서, ④는 **4**문단과 **5**문단에서, ⑤는 **1**문단에서 확인할 수 있습니다.

3 내용 이해_세부 정보 파악하기

날개 없는 선풍기의 날개는 아래쪽 받침대에 숨겨져 있습니다.

> **오답 피하기**
> ② 바람이 불면 피부에 있는 수분이 증발하면서 시원해집니다.
> ③ **4**문단에 따르면, 날개 없는 선풍기 위쪽의 둥근 고리는 안이 비어 있습니다. 작은 팬은 위쪽의 둥근 고리가 아니라 아래쪽의 받침대 안에 들어가 있습니다.
> ④ 날개 없는 선풍기의 받침대로 들어온 공기는 둥근 고

리를 통해 나온다고 했습니다.
⑤ 날개 없는 선풍기는 둥근 고리 주변의 공기를 이용해 바람을 만듭니다.

4 적용하기_시각 자료에 적용하기

이 글과 [보기] 어디에서도 날개 없는 선풍기의 크기에 대한 언급은 하지 않았습니다. 따라서 날개 없는 선풍기의 크기가 얼마나 되는지는 알 수 없습니다.

> **❓ 문제 돋보기**

4 이 글의 내용을 참고하여 보기 를 이해한 내용으로 적절하지 않은 것은 무엇입니까? (④)

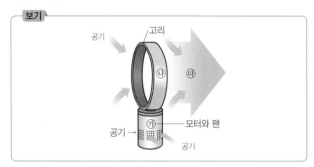

① ㉮ 속의 모터와 팬에 의해 외부 공기가 빨려 들어가겠군.
② ㉯의 안쪽 면에는 약 1.3mm 정도의 작은 틈이 있겠군.
③ ㉯는 비행기 날개의 원리를 이용하여 바람을 만들어 내겠군.
④ ㉮와 ㉯를 모두 합쳐도 일반 선풍기보다는 크기가 작겠군. → 알 수 없음.
⑤ ㉰의 공기는 ㉮로 들어온 공기보다 15배 정도 늘어났겠군.

---

5 어휘·어법_속담으로 표현하기

㉠은 선풍기가 매우 유용하지만 사소한 문제점이 있다는 의미입니다. 따라서 아무리 좋은 물건이라 하여도 자세히 따지고 보면 사소한 흠은 있다는 뜻을 가진 '옥에도 티가 있다'라는 속담으로 표현할 수 있습니다.

> **어휘력 완성** ──────── 121쪽
>
> **1** (1) ㉯ (2) ㉮ **2** ③ **3** ②

1 '빨아들인다'는 '흡입한다'로, '늘어난다'는 '증가한다'로 바꿔 쓸 수 있습니다.

2 ㉠과 ③의 '나다'는 모두 '철이나 기간을 보내다.'라는 뜻으로 사용되었습니다.

3 제시된 글은 문제의 원인을 아예 없애 버린 상황이므로 '발본색원'이라는 한자성어로 표현할 수 있습니다. '발본색원'은 '좋지 않은 일의 근본 원인이 되는 요소를 완전히 없애 다시는 그러한 일이 생기지 않게 함.'이라는 뜻입니다.

1 망원경, 리퍼세이, 망원경, 갈릴레이, 발전 **2** ⑤ **3** ④
4 ④ **5** ④

해제 리퍼세이가 망원경을 발명한 과정과 갈릴레이가 망원경을 개량하여 천체를 관찰하여 지동설을 주장한 과정 등을 시간의 흐름에 따라 설명하고 있는 글입니다.

문단별 중심 내용

가문단	망원경의 용도
나문단	망원경을 발명한 리퍼세이
다문단	리퍼세이가 발명한 망원경의 생김새
라문단	리퍼세이의 망원경을 개량한 갈릴레이
마문단	망원경의 활용과 발전

글의 주제 망원경을 발명한 사람과 망원경의 역사

1 글의 구조_문단 내용 정리하기

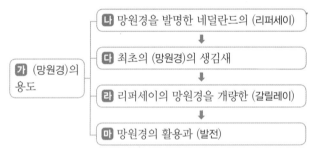

가 (망원경)의 용도
→ 나 망원경을 발명한 네덜란드의 (리퍼세이)
→ 다 최초의 (망원경)의 생김새
→ 라 리퍼세이의 망원경을 개량한 (갈릴레이)
→ 마 망원경의 활용과 (발전)

2 내용 이해_세부 정보 파악하기

다문단에 따르면, 리퍼세이는 볼록 렌즈를 대물렌즈로, 오목 렌즈를 접안렌즈로 사용하였습니다.

4 추론하기_세부 내용 추론하기

라문단의 설명에서 갈릴레이가 만든 망원경은 리페세이의 망원경과 구조가 같았음을 알 수 있습니다. 리퍼세이의 망원경은 볼록 렌즈와 오목 렌즈를 사용한 굴절 망원경이므로 상이 똑바로 보일 것입니다.

5 어휘·어법_어휘의 문맥적 의미 파악하기

㉠은 리퍼세이의 망원경을 개량하여 새로운 망원경을 만들었다는 뜻입니다. 따라서 '물건이나 작품을 만들다.'라는 뜻을 지닌 '제작하다'로 바꿀 수 있습니다.

어휘력 완성 ─────────── 125쪽

1 ③ **2** (1) ⓝ (2) ㉠ (3) ⓒ **3** ⑤

---

1 디자인, 경쟁력, 예술, 경쟁력 **2** ① **3** ④ **4** ④
5 ④

해제 오늘날은 디자인이 제품의 경쟁력을 좌우하는 시대임을 언급한 뒤, 우리의 전통 문화를 재해석함으로써 디자인 경쟁력을 높일 수 있다는 글쓴이의 의견을 제시하는 글입니다.

문단별 중심 내용

가문단	디자인의 중요성
나문단	디자인에 대한 19세기와 20세기의 인식
다문단	제품의 경쟁력을 좌우하는 오늘날의 디자인
라문단	예술적인 감각이 필요한 디자인
마문단	디자인 경쟁력을 높일 수 있는 방법

글의 주제 디자인의 중요성과 디자인 경쟁력을 높이는 방법

1 글의 구조_문단 내용 정리하기

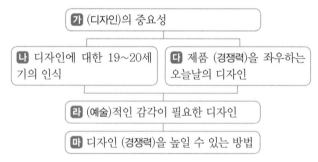

가 (디자인)의 중요성
나 디자인에 대한 19~20세기의 인식 / 다 제품 (경쟁력)을 좌우하는 오늘날의 디자인
→ 라 (예술)적인 감각이 필요한 디자인
→ 마 디자인 (경쟁력)을 높일 수 있는 방법

2 내용 이해_세부 정보 파악하기

나문단에 따르면 20세기까지는 제품의 경쟁력에서 디자인이 그리 중요한 역할을 차지하지 못했습니다. 디자인 자체가 제품의 경쟁력을 좌우하게 된 것은 오늘날의 일입니다.

4 적용하기_다른 상황에 적용하기

좋은 디자인을 위해서는 인간과 관련한 다양한 지식이 필요하다는 내용을 추가하는 자료로 활용하기에 적절합니다.

5 어휘·어법_속담으로 표현하기

겉모양새를 잘 꾸미는 것도 필요함을 비유적으로 이르는 '보기 좋은 떡이 먹기도 좋다'라는 속담으로 디자인의 중요성을 나타낼 수 있습니다.

어휘력 완성 ─────────── 131쪽

1 (1) ⓒ (2) ⓝ (3) ㉠ **2** ④ **3** ④

1 픽토그램, 픽토그램, 규칙, 사회적 **2** ⑤ **3** ③ **4** ③ **5** ③

해제 픽토그램을 활용하면 누구에게나 쉽게 메시지를 전달할 수 있음을 언급한 뒤, 최근에는 픽토그램에도 사회적 의미를 반영하기 시작하였음을 예시의 방법으로 설명하는 글입니다.

문단별 중심 내용

1문단	픽토그램의 개념 및 효과
2문단	픽토그램을 활용하는 까닭
3문단	픽토그램의 몇 가지 규칙
4문단	사회적 의미를 담은 픽토그램

글의 주제 픽토그램의 개념과 효과

1 글의 구조_문단 내용 정리하기

① (픽토그램)의 개념 및 효과 ─ ② (픽토그램)을 활용하는 까닭
③ 픽토그램의 (규칙)
④ (사회적) 의미를 담은 픽토그램

2 내용 이해_세부 정보 파악하기

①문단에 따르면, 픽토그램에는 간단하게 상징화한 그림을 사용합니다. ①은 ②문단에서, ②는 ①문단에서, ③은 ④문단에서, ④는 ③문단에서 각각 확인할 수 있습니다.

3 적용하기_구체적인 상황에 적용하기

금지를 나타낼 때는 빨간색 테두리의 원에 왼쪽에서 오른쪽으로 내려오는 사선을 그어야 합니다.

오답 피하기

① '비상구' 표시는 국제 표준으로 정해진 것입니다.
② 소방 시설을 나타내는 픽토그램은 빨간색 바탕의 사각형을 사용한다고 하였습니다.
④ 금지를 의미할 때는 빨간색 테두리의 원에 왼쪽 위에서 오른쪽 아래로 내려오는 빨간 선을 긋습니다.
⑤ 경고나 주의를 나타낼 때에는 노란색 바탕에 검은색 테두리로 된 삼각형을 사용합니다.

4 적용하기_구체적인 상황에 적용하기

[보기]에서 확인할 수 있는 정보는 여자 화장실은 빨간색 여성 그림, 남자 화장실은 파란색 남성 그림으로 표시하는 경우가 많다는 것입니다. ④문단에 따르면, 이런 색깔 구분은 여자는 빨간색, 남자는 파란색이라는 성별에 따른 고정 관념을 심어 줄 수 있습니다.

? 문제 돋보기

4 이 글을 참고할 때, [보기]와 같은 지적이 나오는 이유로 가장 적절한 것은 무엇입니까? (③)

[보기]

학교나 공공기관에서 여자 화장실은 빨간색 여성 그림, 남자 화장실은 파란색 남성 그림으로 표시하는 경우가 많다. 이는 시각적으로 여성용과 남성용을 구분하기 쉽게 하려는 의도에서 비롯된 것이다. 하지만 최근에는 이런 화장실 픽토그램의 색깔을 하나로 통일해야 한다는 지적이 나오고 있다.

① 여성과 남성의 성 구분이 뚜렷하게 드러나기 때문이다.
    └ 화장실은 뚜렷한 성 구분 필요
② 국제적으로 널리 알려진 화장실 표시와 다르기 때문이다.
    └ 전 세계가 비슷함.
③ 성별에 따른 그릇된 고정 관념을 심어 줄 수 있기 때문이다.
④ 사람들이 화장실임을 직관적으로 이해하기 어렵기 때문이다.
    └ 쉬움
⑤ 여자는 치마만 입어야 한다는 인식을 심어 줄 수 있기 때문이다.
    └ [보기]로는 알 수 없음.

5 어휘·어법_어휘의 문맥적 의미 파악하기

㉠은 경직되고 수동적으로 느껴지는 장애인 표시 픽토그램을 역동적이고 능동적인 느낌을 주는 픽토그램으로 새롭게 바꾼다는 뜻입니다. 따라서 '다르게 바꾸어 새롭게 고치다.'라는 뜻을 지닌 '변경하다'와 가장 비슷합니다.

어휘력 완성 ─ 155쪽

1 ③ **2** ③ **3** ④

1 산길이 가파르고 위험함을 알리는 표지판입니다. '위험하므로 조심하라고 알림.'을 뜻하는 '경고'가 가장 알맞습니다.

2 '능동적'은 '다른 것에 이끌리지 아니하고 스스로 일으키거나 움직이는. 또는 그런 것.'이라는 뜻입니다. 쉽게 말해서 자기 스스로 어떤 일을 한다는 것입니다. 그런데 '수동적'은 '스스로 움직이지 않고 다른 것의 작용을 받아 움직이는. 또는 그런 것.'이라는 뜻이므로 '능동적'과 뜻이 반대가 됩니다.

3 '사선'은 '비스듬하게 비껴 그은 줄.'이라는 뜻이므로, 밑줄 그은 부분의 '선'과 바꿔 쓸 수 있습니다.

1 모나리자, 원근법, 스푸마토, 다빈치, 효과 **2** ④ **3** ⑤
4 ② **5** ⑤

해제 레오나르도 다빈치가 고안한 스푸마토 기법에 담긴 과학적인 원리와 그것의 효과, 구현하는 방법 등을 「모나리자」 그림을 활용하여 설명하는 글입니다.

문단별 중심 내용

1문단	보는 이의 상상력을 자극하는 「모나리자」
2문단	다빈치 이전 회화에서 입체감을 나타낸 방법
3문단	윤곽선을 희미하게 처리하는 스푸마토 기법
4문단	다빈치가 경계를 희미하게 그린 방법
5문단	스푸마토 기법의 효과

글의 주제 스푸마토 기법의 과학적 원리 및 효과

---

1 글의 구조_문단 내용 정리하기

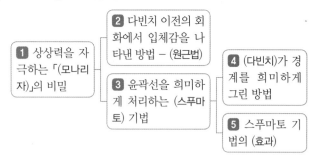

1 상상력을 자극하는 「모나리자」의 비밀

2 다빈치 이전의 회화에서 입체감을 나타낸 방법 – (원근법)

3 윤곽선을 희미하게 처리하는 (스푸마토) 기법

4 (다빈치)가 경계를 희미하게 그린 방법

5 스푸마토 기법의 (효과)

2 내용 이해_세부 정보 파악하기

스푸마토 기법은 이전의 원근법이 지닌 한계를 보완하는 회화 기법이지, 원근법의 장점을 발전시킨 것은 아닙니다. ①은 **2**문단, ②는 **4**문단, ③, ⑤는 **5**문단에서 확인할 수 있습니다.

3 전개 방식_서술 방식 파악하기

이 글에서 글쓴이의 경험을 제시하는 내용은 나타나지 않습니다. 글쓴이는 널리 알려진 작품인 「모나리자」를 활용하여 화제에 대한 독자의 흥미를 유발하고 있습니다. ①, ②는 **3**문단, ③은 **1**, **4**문단, ④는 **1**, **5**문단에서 확인할 수 있습니다.

4 적용하기_유사한 대상과 비교하기

5문단에 따르면 스푸마토 기법을 사용하면 대상이 먼 곳으로 물러나 있는 듯한 입체감이 형성됩니다. 그리고 [보기]에 따르면, 선 원근법도 입체적인 느낌을 구현합니다. 따라서 두 기법 모두 평면 그림에 입체감을 부여하는

효과가 있습니다.

❓ 문제 돋보기

4 이 글과 보기 의 내용으로 보아, '스푸마토 기법'과 '선 원근법'의 공통점으로 가장 적절한 것은 무엇입니까? (②)

> 보기
>
> 철길처럼 평행한 선이 멀리까지 계속될 때 우리 눈에는 그것이 마치 하나의 점으로 만나는 것같이 보인다. 이렇게 평행한 선이 모이는 점을 소실점이라고 한다. 선 원근법은 소실점을 중심으로 화면을 구성하여 입체적인 느낌을 구현하는 방법으로, 실제 우리 눈에 보이는 것과 비슷해서 사실적으로 느껴진다. 레오나르도 다빈치의 「최후의 만찬」은 가운데에 자리 잡은 예수의 머리 뒷부분을 소실점으로 하는 선 원근법을 사용하고 있다.
>
>
> ▲ 「최후의 만찬」에 사용된 선 원근법

① 초점이 되는 대상의 ~~크기~~를 알 수 있다.
  └ 두 기법 다 크기는 알 수 없음.
② 평면 그림에 입체적인 느낌을 부여한다.
③ 대상에 그림자가 ~~진~~ 듯한 효과를 낸다.
  └ 스푸마토 기법의 특징
④ 대상을 흐릿하게 그려서 상상력을 자극한다.
  └ 스푸마토 기법의 특징
⑤ 빛의 상태에 따라 미묘하게 달라 보이게 한다.
  └ 스푸마토 기법의 특징

---

5 어휘·어법_한자성어로 표현하기

'십상'은 '그러할 가능성이 아주 높음.'이라는 뜻입니다. 따라서 '열 가운데 여덟이나 아홉 정도로 거의 대부분이거나 거의 틀림없음.'이라는 뜻을 지닌 '십중팔구'가 '십상'과 비슷한 뜻입니다.

어휘력 완성 ———— 159쪽

1 ② **2** ⑤ **3** ④

1 '좌우하다'는 '어떤 일에 영향을 주어 지배하다.'라는 뜻입니다. 따라서 문맥에 맞게 '결정하는'으로 바꿔 쓸 수 있습니다.

2 '얇다'는 '두께가 두껍지 않음.', '빛깔이 연함.' 등의 뜻을 가진 말입니다. 나무와 같은 물체나 신체의 둘레, 너비, 부피 등을 나타낼 때에는 '가늘다'를 쓰는 것이 맞습니다. 그러므로 ⑤는 '이 나무는 가지가 너무 가늘어서 금방 부러질 것 같다.'와 같이 고쳐 써야 합니다.

3 「모나리자」의 미소가 뜻을 알 수 없이 애매하다는 내용이므로 '그런 것 같기도 하고 그렇지 않은 것 같기도 하여 얼른 분간이 안 되는 모양.'인 '알쏭달쏭'이 알맞습니다.

1 디자인, 지속, 지속성, 재생성 **2** ⑤ **3** ⑤ **4** ③
5 ④

해제 소비만을 목적으로 하는 디자인에는 자원을 낭비하고 환경을 파괴하는 문제점이 있음을 지적한 뒤, 이를 해결할 수 있는 '지속 가능한 느린 디자인'에 대해 설명하는 글입니다.

문단별 중심 내용

1문단	앨리스 로손이 제시한 좋은 디자인의 조건
2문단	지속 가능한 느린 디자인을 추구한 계기
3문단	지속 가능한 느린 디자인의 특성
4문단	지속 가능한 느린 디자인의 의의

글의 주제 지속 가능한 느린 디자인의 특성과 의의

---

1 글의 구조_문단 내용 정리하기

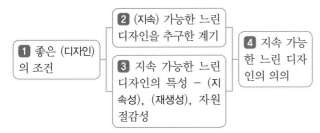

2 내용 이해_세부 정보 파악하기

2문단에 따르면 지속 가능한 느린 디자인은 인류의 지속 가능한 발전을 추구하는데, 지속 가능한 발전은 삶의 질을 유지하면서 환경을 보전하려 합니다. 따라서 인류의 삶의 질이 떨어지더라도 환경을 보전하려 한다는 내용은 적절하지 않습니다. ①은 **3**문단에서, ②는 **2**문단과 **4**문단에서, ③은 **4**문단에서, ④는 **2**문단에서 확인할 수 있습니다.

3 전개 방식_설명 방식 파악하기

소비자의 욕구를 자극하는 디자인이 원인이 되어 물건이 과잉 생산되는 결과가 생겼고, 이것이 다시 원인이 되어 한정된 자원을 낭비하고 환경을 파괴하는 결과가 나타났다는 것을 설명하고 있습니다. 이는 인과의 설명 방법에 해당합니다. ①은 예시, ②는 분류, ③은 순서, ④는 대조의 설명 방법입니다.

4 적용하기_구체적인 상황에 적용하기

[보기]의 사례는 텔레비전 포장 상자를 다른 용도로 사용

할 수 있도록 하는 설명서를 제공하여 포장 상자의 재활용을 유도한 것이므로 재생성을 추구하였다고 볼 수 있습니다.

? 문제 돋보기

4 이 글을 읽은 학생이 보기 에 대해 보인 반응으로 가장 적절한 것은 무엇입니까? (③)

> **보기**
>
> 최근 ○○전자에서 텔레비전을 포장하는 골판지 상자를 반려 동물용 물품, 소형 가구 등 다양한 형태의 물건을 제작할 수 있도록 디자인하여 관심을 끌고 있다. 이 회사는 텔레비전 포장 상자로 고양이 집이나 잡지꽂이 [재생성] 등을 만들 수 있는 설명서를 제공하고, 상자 표면에는 작은 점으로 안내선을 표시하여 소비자가 쉽게 자르거나 재조립할 수 있도록 하였다.

① 구입한 텔레비전을 오랫동안 사용할 수 있도록 디자인하였군.
└ 텔레비전과 관계 ×

② 제품의 특징을 인상 깊게 제시하는 포장 디자인을 시도하였군.
└ 텔레비전 특징과 관계 ×

③ 재활용하는 방법을 제공하여 제품 포장 상자의 재생성을 높였군.

④ 소비자가 더 많은 상품을 사도록 유도하는 포장 디자인을 하였군.
└ 상자 재활용과 관련 ×

⑤ 포장 상자 하나에 여러 가지 기능을 담아 한정된 자원을 절감하였군.
└ 재조립하여 사용할 수 있을 뿐

---

5 어휘·어법_어휘의 문맥적 의미 파악하기

㉠은 '헐거나 못 쓰게 된 것을 손질하여 쓸 수 있게 해서.'라는 뜻입니다. 따라서 '고장나거나 허름한 데를 고쳐서.'라는 뜻을 지닌 '수리해서'와 바꿔 쓸 수 있습니다.

어휘력 완성 ——— 163쪽

1 ④ **2** ③ **3** ⑤

1 화분을 깬 일을 계속 생각하고 있는 상황이므로 '자기가 저지른 죄에 대해 가책이나 책임을 느끼는 마음.'을 뜻하는 '죄책감'이 알맞습니다.

2 '일시적'과 '장기적'은 서로 뜻이 반대되는 반의 관계입니다. 그런데 '수단(어떤 목적을 이루기 위한 방법. 또는 그 도구.)'과 '도구(어떤 목적을 이루기 위한 수단이나 방법.)'는 서로 뜻이 비슷한 유의 관계입니다. ①, ②, ④, ⑤는 모두 반의 관계입니다.

1 재조합, 찬성, 반대, 논쟁 **2** ⑤ **3** ⑤ **4** ④ **5** ⑤

해제 유전자 재조합 기술을 소개한 뒤, 유전자 재조합 식품을 찬성하는 입장과 반대하는 입장이 내세우는 근거를 각각 설명하는 글입니다.

문단별 중심 내용

1문단	유전자 재조합 식품의 개념
2문단	유전자 재조합 식품의 찬성 근거
3문단	유전자 재조합 식품의 반대 근거
4문단	유전자 재조합 식품에 대한 계속되는 논쟁

글의 주제 유전자 재조합 식품에 대한 찬반 양론

1 글의 구조_문단 내용 정리하기

2 내용 이해_세부 정보 파악하기
3문단에서 유전자 재조합 식품의 안정성이 검증되지 않았다고 했지만, 구체적으로 어떤 부작용이 있는지는 언급하지 않았습니다. ①, ②, ③은 1문단에서, ④는 3문단에서 확인할 수 있습니다.

3 추론하기_세부 내용 추론하기
3문단에 따르면, 육종은 유전자 재조합 기술과 달리 오랜 시간에 걸쳐 서서히 이루어지면서 안전성이 검증됩니다. ①, ②, ③, ④는 이 글의 내용으로 알 수 없는 내용입니다.

4 적용하기_다른 상황에 적용하기
[보기]는 인간의 욕심으로 만들어 낸 괴물이 결국 그것을 만들어 낸 사람에게 화가 되어 되돌아온 상황입니다. 이 괴물은 유전자 재조합 기술로 만든 작물에 빗댈 수 있습니다. 따라서 유전자 재조합 식품 또한 프랑켄슈타인이 만든 괴물처럼 인간에게 해를 끼칠 것이라는 주장을 하는 자료로 활용할 수 있을 것입니다.

? 문제 돋보기

4 유전자 재조합 식품에 대한 토론에서 보기 를 활용할 때, 활용할 수 있는 입장과 활용 방안이 모두 적절한 것은 무엇입니까?
(④)

보기
『프랑켄슈타인(Frankenstein)』이라는 공상 과학 영화가 있다. 살아 있는 인간을 만들려는 생각에 사로잡혀 있던 프랑켄슈타인 박사는 어느 날 연구의 결실을 맺는다. 서로 다른 사람의 사체에서 잘라낸 신체 일부를 서로 합쳐서 사람 모습의 괴물을 만든 것이다. 그 괴물은 사람같이 말도 하고 생각도 할 줄 안다. ─유전자 재조합 식품에 빗댄 대상 우연히 생명을 얻게 된 괴물은 사람들과 친해지려고 하지만 흉측한 외모 때문에 실패한다. 절망에 휩싸인 괴물은 자신을 만든 프랑켄슈타인 박사를 찾아 그의 주변 사람들에게 끔찍한 복수를 ─해를 끼칠 수 있음. 한다. 인위적인 생명 조작 → 부정적 결과 → 반대 입장

	입장	활용 방안
①	찬성	영화 속 박사가 생명체를 만들어 낸 것처럼, 만들어 내지 못할 것이 없음을 주장하는 자료로 활용한다.
②	찬성	과학 기술을 이용한 유전자 재조합 식품은 인간에게 큰 도움이 될 것을 주장하는 자료로 활용한다. ─찬성의 입장
③	반대	유전 공학 기술이 더욱 발전하여 식량 문제를 해결하게 될 것을 주장하는 자료로 활용한다.
④	반대	유전자 재조합 식품이 영화 속 괴물처럼 인간에게 해를 끼칠 수도 있음을 주장하는 자료로 활용한다.
⑤	반대	유전자 재조합 식품은 시간이 갈수록 육종으로 키운 작물처럼 안전해질 것임을 주장하는 자료로 활용한다. ─인위적인 조작으로 해를 끼칠 수 있음.

5 어휘·어법_어휘의 문맥적 의미 파악하기
'뽑아내어'는 문맥상 '여럿 가운데서 어떤 것을 가려서 뽑다.'라는 뜻으로 사용되었으므로 '추출하여'로 바꿔 쓸 수 있습니다. '추출하다'는 '고체나 액체로부터 어떤 물질을 뽑아내다.'라는 뜻입니다.

어휘력 완성 ─ 167쪽

1 ② **2** (1) ④ (2) ② (3) ④ **3** ②

3 육종을 하기 위해서는 오랜 시간에 걸친 노력이 필요함을 언급하고 있습니다. 따라서 작은 힘이라도 꾸준히 계속하면 큰일을 이룰 수 있음을 뜻하는 '낙숫물이 댓돌을 뚫는다'라는 속담이 알맞습니다.